DELF

A2

ALTER *ego*

METHODE DE FRANÇAIS **2**

Annie BERTHET

Catherine HUGOT

M. KIZIRIAN

ES

Française de Paris

TTE

étrangère

Cedex 15.

r

Crédits photographiques et droits de reproduction : photos de couverture (bas) Getty Images, Photodisc Red/Caroline Woodham ; (haut) Stockbyte Platinum/Stockbyte ; p. 11 (haut) Elke Hesser/Photonica/Getty Images, (bas) Ron Watts/Corbis ; p. 13 Royalty-Free/Corbis ; p. 16 (centre) Sebastian Rosenberg/Parisberlin/Fotogroup ; p. 20 (gauche) Ryan McVay/Getty Images, (centre) Marc Romanelli/Getty Images, (droite) John-Francis Bourke/zefa/Corbis, p. 21 Rue des Archives/PVDE, p. 22 David Seed Photography/Getty Images, extrait sonore, chanson « Raphaël » interprétée par Carla Bruni, avec l'aimable autorisation de naïve - www.naive.fr, p. 24 (haut) © Hergé/Moulinsart 2006, (centre) akg-images ; p. 25 (gauche) Eric Fougere/VIP Images/Corbis, Philippe Delerm, extrait de « Rencontre à l'étranger » in La sieste assassinée © Éditions Gallimard ; p. 27 Gazimal/Getty Images, George Diebold Photography/Getty Images ; p. 29 Kevin Kornemann/Getty Images ; p. 30 Petit/Agencelmages ; p. 31 Thomas Gogny/ANPE ; p. 36 (gauche) Peter Griffith/Masterfile, (centre) Michele Constantini/6PA/Maxppp, (droite) Christine Robinson/Getty Images ; p. 38 Sureau/TF1/Sipa Press ; p. 40 (haut) Tepaz, Laudrain et Goupil, « Le guide de l'anti-boulot » © Éditions Vents d'Ouest, (bas) Thierry Le Mage/RMN ; p. 44 « Pas si fous, ces Français ! », Jean-Benoît Nadeau et Julie Barlow, © Éditions du Seuil, 2005 ; p. 46 Antoine Gysbrecht, « Halte douane ! » © avril 2002 ; p. 49 Vince Streano/Corbis ; p. 50 (haut) Lodge Colline de Niassam, (centre) JOLY Olivier/Explorer/Hoa-Qui, (bas) Francesco Guillamet ; p. 52 JSI-IDE © Le Parisien 25/04/2005 ; p. 54 (gauche) Ronnie Kaufman/Corbis, (droite) Richard Schultz/Getty Images, (bas) Guy Marché/Photononstop ; p. 55 Francois Le Divenah/Photononstop ; p. 56 (gauche) Eric Audras/Photononstop, (droite) Mark Scott/Getty Images, (infographies) IDE-JSI © Le Parisien-Essonne 07/08/2004 ; p. 57 Eric O'Connell/Getty Images ; p. 59 (haut) Stock4B/Corbis, (bas) Bertrand Bechard/Maxppp ; p. 60 Mario Fourmy/REA ; p. 62 (de gauche à droite) Chevalin/TF1/Sipa Press, Gilles Schrempp, Christophe Russeil, Isabella Vosmikova/PCN/Maxppp, Chris Lisle/Corbis, Tim Laman/Getty Images ; p. 64 Beth Dixson/Getty Images ; p. 68 (affiche film) Christine Plenus/Agence Deleuse-Nuit de Chine, (centre) Jean-Pierre Amet/Bel Ombra/Corbis, © Les films du fleuve et Archipel 35 ; p. 70 Benainous-Catarina-Legrand/Gamma ; p. 75 (haut) Envision/Corbis, (bas) Kristin Gerbert/Zefa/Corbis ; p. 76 (fiche artiste) © TV5 Monde, (chanson) « Tout le bonheur du monde » interprété par Sinsemilia, paroles de M. D'Inca & Numéro 9, musique Sinsemilia & Numéro 9 © SONY/ATV Music Publishing/Patouche éditions ; p. 80 (droite) Patrick Robert/Sygma/Corbis ; p. 82 (haut) LP/Delphine Goldsztein © Le Parisien 23/06/2005, (bas gauche) Jerzyworks/Masterfile, (bas droite) Dana Hursey/Masterfile ; p. 84 (gauche) Jérôme Bourgine, « Le tour du monde en famille », © Presses de la Renaissance, 2003, (droite) Nicolas Vanier, « L'enfant des neiges », © Éditions J'ai lu / Actes Sud / Éditions du Levant, 1995 ; p. 88 (montage photo) coucher de soleil : Rick Gomez/Masterfile, cuisine : Michael Mahovlich/Masterfile, feu : Jerzyworks/Masterfile, allumette : Boden/Ledingham / Masterfile, mailllot de bain : Richard Elliott/Getty Images, ours blanc : Mike Macri/Masterfile, turquoise : G. Schuster/zefa/Corbis ; p. 89 (haut, de gauche à droite) Stéphane Cardinale/People, Photopqr/La Voix du Nord/Max Rosereau, Benainous-Lefranc, Marianne Rosenstiehl/Sygma/Corbis, (bas) Faïza Guène, « Kiffe, kiffe demain », © Hachette Littératures, 2004 © Le Livre de Poche, 2005 ; p. 91 (haut) Tim McGuire/Corbis, (bas) Wolfgang Flamisch/zefa/Corbis ; p. 92 Franco Vogt/Corbis ; p. 94 Photopqr/La Nouvelle République/D. Bordier ; p. 96 (haut) © Adia ; p. 97 © Micheline Pelletier/L'Internaute ; p. 98 Yves Forestier/Corbis Sygma ; p. 99 (gauche) Benoît Tessier/Maxppp, (droite) Laski Diffusion/Gamma ; p. 107 (haut) Bohemian Nomad Picturemakers/Corbis, (bas) STOCK4B/Photononstop ; p. 109 © Défi pour la Terre/ADEME ; p. 112 Olivier Douzou/Centre national du Livre ; p. 116 Olivier Ranson/Le Parisien 05/03/2005, (bas) T. Hemmings/zefa/Corbis ; p. 117 (gauche) Sophie Wang-Fong, (droite) Jean-Luc Dumoulin/www.journee-de-la-femme.com ; p. 120 (droite) Leemage/Maxppp ; p. 123 (haut) Paul Hardy/Corbis, (bas) Coneyl Jay/Corbis ; p. 124 Peter Dazeley/Getty Images ; p. 128 Ludovic/Rea ; p. 131 Lynn James/Getty Images ; p. 135 Alexandre Chevallier/Wostok press/Maxppp ; p. 139 (haut) Frithjof Hirdes/zefa/Corbis, (bas) A. Huber/U. Starke/zefa/Corbis ; p. 140 LP/Frédéric Noury © Le Parisien 04/05/2005 ; p. 141 Images.com/Corbis ; p. 151 Barry Yee/Getty Images ; p. 152 (haut) texte Grand Corps Malade © 2005, Éditions Musicales Djanik / extrait sonore « Toucher l'instant » interprété par Grand Corps Malade (Grand Corps Malade/S Petit Nico) © Éditions Musicales Djanik, avec l'aimable autorisation de AZ et de Universal Music projets spéciaux, (bas) © Thierry Dudoit/L'Express/Editing pour L'Express Mag du 06/10/2005.

Illustrations : Atelier Pied de Mouche : p. 88. Laetitia Aynié : p. 13, 37, 101, 105 (bas), 118, 119, 142. Francis Macard : p. 34, 51, 64, 103, 150, 153. Le Renard : p. 15, 18, 92, 93, 104, 105 (haut), 130, 149.

Pour leurs autorisations et cessions de droits à titre gracieux, tous nos remerciements à : Jacqueline Maunier (p. 14) ; Atanase Périfan/association Immeubles en Fête (p. 16, 19), promotion 2004 de sociologie de la licence MISAHS Lille 3 (p. 21), Acadomia (p. 28), l'ANPE (p. 33), Accor Services (p. 41), Europe 1 (p. 44), interview Jean-Pierre Elkabach, 27/10/2005, Sylvie Gysbrecht, Antoine Dehondt/site www.frontiereland.be et BD « Halte Douane ! » (p. 46), J.-L. Bernard (p. 48), Les films du fleuve et Archipel 35, bande-annonce du film « L'Enfant » (p. 68), Action contre la faim, Handicap International, Écoles sans frontières, Médecins sans frontières, Croix-Rouge française, Amnesty International (logos p. 80), Joëlle Kem-Lika, la-lila (p. 93), la SNCF et TNS-Sofres (p. 120), INSEE-DARES (p. 89, 99), ADIA (p. 96), association Nicolas Hulot/Défi pour la terre (p. 109), Olivier Douzou/centre national du Livre (p. 112), Éditions Christian Bourgois (p. 120 gauche), Ali Dilem (p. 125), Ville de Paris/Direction des affaires culturelles/Mission démocratie locale (p. 132, 136), Sophie Bernard/association Technopol/TV5 Monde/Maud Rémy (p. 134), J.-F. Millier/Fête de la musique/© Change is goog/Rik Bas Baker & José Albergaria (p. 136).

D.R. : p. 96 (bas) Frédérique Feral-Peney ; p. 121 France Inter, interview du 15/09/2005 ; p. 137 © Printemps des poètes 2006 ; p. 144 Magali Bru/L'œil ouvert ; p. 145 (haut en bas, de gauche à droite) aol.fr © Osmooze, © Casebuy, © Altimea, © Kensington, © Fundue, © Thanko ; p. 148, 151 © www.atelier-ecriture.com ; p. 149 © www.fra.cityvox.fr.

Nous avons fait notre possible pour obtenir les autorisations de reproduction des textes et documents publiés dans cet ouvrage. Dans le cas où des omissions ou des erreurs se seraient glissées dans nos références, nous y remédierions dans les éditions à venir. Dans certains cas, en l'absence de réponse des ayants-droits, la mention D.R. a été retenue. Leurs droits sont réservés aux éditions Hachette.

Intervenants
Couverture et création maquette intérieure : **Sophie Fournier - Amarante**
Illustrations : **Laetitia Aynié, Francis Macard, Jean-Marie Renard, AnneCaro - Atelier Pied de Mouche**
Mise en page et stylisme des documents : **Anne-Danielle Naname, Nada Abaïdia-Avril**
Recherche iconographique : **Magali Bru - L'œil ouvert**
Secrétariat d'édition, correction, relecture : **Claire Marchandise - Les quatre coins Édition**
Assistanat d'édition : **Valérie Verdier**
Traduction et PAO du lexique : **Syacom**

Pour découvrir nos nouveautés, consulter notre catalogue en ligne, contacter nos diffuseurs ou nous écrire, rendez-vous sur Internet : www.hachettefle.fr
ISBN 978-2-01-155442-0
© Hachette Livre 2006, 43, quai de Grenelle, F 75905 Paris Cedex 15.

Avant-propos

Alter Ego est une méthode de français sur **cinq niveaux** destinée à des apprenants adultes ou grands adolescents.

Alter Ego 2 s'adresse à des débutants et vise l'acquisition des compétences décrites dans les niveaux A2 et B1 (en partie) du *Cadre européen commun de référence pour les langues (CECR)*, dans un parcours de 120 heures d'activités d'enseignement/apprentissage complété par des tâches d'évaluation. Il permet de se présenter au nouveau **DELF A2**.

STRUCTURE DU MANUEL

Alter Ego 2 se compose de **neuf dossiers** de **trois leçons**. Chaque dossier se termine sur un *Carnet de voyage*, parcours à dominante culturelle et interactive.

Chaque leçon est composée de deux doubles pages. Pour atteindre les objectifs communicatifs annoncés, chaque double page présente un parcours qui va d'activités de compréhension à des activités d'expression et inclut des exercices de réemploi. Pour permettre la conceptualisation et l'assimilation des contenus communicatifs et linguistiques, des *Points langue* et des *Aide-mémoire* jalonnent les leçons. Selon les thématiques, un *Point culture* permet de travailler les contenus culturels.

En fin d'ouvrage, se trouvent les transcriptions des enregistrements, un précis grammatical, des tableaux de conjugaison et un lexique multilingue.

APPRENDRE, ENSEIGNER, ÉVALUER

Alter Ego intègre très précisément les principes du *CECR* et reflète ses trois approches : **apprendre, enseigner, évaluer**.

APPRENDRE AVEC ALTER EGO

Dans *Alter Ego*, la place de l'apprenant est primordiale. L'approche retenue lui permet d'acquérir les compétences décrites dans les niveaux A2 et B1 (en partie) du *CECR*, c'est-à-dire des compétences de communication écrite et orale, de compréhension et d'expression, à travers des **tâches communicatives**. L'apprenant est actif, il développe ses aptitudes d'observation et de réflexion, autant de stratégies d'apprentissage qui l'amènent progressivement vers l'autonomie.

Les thèmes abordés ont pour principal objectif de susciter chez l'apprenant un réel intérêt pour la société française et le monde francophone et lui permettre de **développer des savoir-faire et savoir-être** indispensables à toute communication réussie.

Dans *Alter Ego*, la langue est certes objet d'apprentissage (structures à acquérir), mais avant tout instrument de communication. Les supports sont variés, les situations proches de la vie. Le ressenti, les émotions, le vécu sont des données essentielles pour avoir envie de comprendre l'autre, de communiquer et partager avec l'autre.

Les tâches proposées se veulent le reflet de situations authentiques, dans différents domaines (personnel, public, professionnel, éducatif...), afin de favoriser la motivation de l'apprenant et son implication dans l'apprentissage. Ainsi, celui-ci développe des savoir-faire mais aussi des stratégies de communication : interaction, médiation...

Apprendre à communiquer en langue étrangère, c'est dans un premier temps communiquer dans la classe. Les activités proposées offrent à l'apprenant de nombreuses opportunités d'**interagir** avec les autres dans des situations variées et implicantes : de manière authentique, en fonction de son ressenti, de son vécu et de sa culture, mais aussi de manière créative et ludique.

ENSEIGNER AVEC ALTER EGO

Le fil conducteur du manuel correspond rigoureusement aux savoir-faire décrits par le *CECR*. La **progression en spirale** permet d'amener l'apprenant à de vraies compétences communicatives. Les principaux contenus communicatifs et linguistiques sont travaillés et enrichis de manière progressive, dans des contextes et des thématiques différents.

Une des priorités d'*Alter Ego* est la transparence, le contrat partagé – tant du côté de l'enseignant que de l'apprenant. Les objectifs sont explicitement indiqués dans les leçons, ainsi que les compétences visées.

Chaque leçon est structurée par les **objectifs communicatifs** et développe une **thématique**. Les supports, variés, présentent à part égale des situations d'écrit et d'oral ; ils permettent un travail en contexte. La démarche est sémantique, intégrative et simple d'utilisation : le parcours de chaque double page (comprendre, s'exercer, s'exprimer) amène les apprenants à la découverte et à l'appropriation des contenus dans une démarche progressive et guidée. La priorité va d'abord au sens ; les contenus (pragmatiques, linguistiques, culturels) sont découverts et s'articulent au fur et à mesure de la démarche.

Chaque leçon mobilise les quatre compétences, signalées par des pictos : ⊙ **écouter**, ⊙ **lire**, ⊙ **parler**, ⊘ **écrire**.

Les compétences réceptives (à l'écrit, à l'oral) sont souvent travaillées dans un rapport de complémentarité, à l'intérieur d'un scénario donné. Une attention toute particulière est donnée à la **conceptualisation** des formes linguistiques, en les reliant aux objectifs communicatifs. Chaque parcours se termine par des activités d'expression variées, proposant des tâches proches de l'authentique.

ÉVALUER AVEC ALTER EGO

L'évaluation est traitée sous deux formes. Elle est d'une part sommative, en ce qu'elle propose un réel entraînement à la validation des compétences présentes dans les certifications correspondant aux niveaux du *CECR* :
– DELF A2 et CEFP1 de l'Alliance Française de Paris,
– préparation au DELF B1 et CEFP2, ainsi qu'aux tests TCF et TEF.

D'autre part et surtout, *Alter Ego* se propose d'entraîner l'apprenant à une véritable évaluation formative, c'est-à-dire centrée sur l'apprentissage : des fiches de réflexion permettent à l'apprenant de porter un regard constructif sur son apprentissage, de s'auto évaluer et enfin, à l'aide d'un test, de vérifier avec l'enseignant ses acquis, ses progrès. *Alter Ego* veut aider l'apprenant à s'approprier le portfolio qui lui est proposé, grâce à un accompagnement étape par étape, et donner à l'enseignant le moyen de mettre en place un véritable contrat d'apprentissage avec l'apprenant.

Des tests d'évaluation formative sont proposés à la fin de chaque dossier. Il s'agit de faire prendre conscience de l'acquisition des quatre compétences développées dans les leçons précédentes et des moyens à mettre en œuvre pour se perfectionner. Les moments de réflexion intitulés *Vers le portfolio, comprendre pour agir* permettront à l'enseignant et à l'apprenant de faire le point ensemble sur les acquis et les progrès à poursuivre.

Des bilans d'évaluation sommative, véritables entraînements aux certifications du niveau, sont proposés tous les trois dossiers pour permettre à l'enseignant d'évaluer les acquis et les savoir-faire des apprenants à ce stade de leur apprentissage. Ils reprennent les savoir-faire et les outils linguistiques acquis depuis le début du manuel et permettent à l'apprenant de s'entraîner à la validation officielle de ses compétences aux niveaux de communication en langues correspondant au *CECR* : niveaux A2 et une partie de B1.

Ce manuel est l'aboutissement d'années d'expérience sur le terrain et de réflexion en formation d'enseignants. C'est aussi un rêve devenu réalité : partager avec d'autres les fruits de notre « aventure pédagogique », où nous avons beaucoup reçu.
Puisse ce manuel aider à ce qu'enseignants et apprenants vivent des moments de plaisir partagé de la manière la plus cohérente, économique et efficace possible.
À Simonne Lieutaud et Martine Stirman, toute notre reconnaissance pour leur générosité pédagogique.

Les auteures

5
cinq

Tableau des contenus

Leçons	Contenus socioculturels Thématiques	OBJECTIFS SOCIOLANGAGIERS			
		Objectifs communicatifs et savoir-faire	Objectifs linguistiques		
			Grammaticaux	Lexicaux	Phonétiques
DOSSIER 1 : J'ai des relations !					
1 p. 12 à 15	**Relations amicales**	• Parler d'une relation amicale • Décrire une personne (caractère, défauts, qualités)	• Les pronoms relatifs : *qui, que, à qui* • Les structures pour donner une définition : *c'est* + infinitif, *c'est quand, c'est* + nom + proposition relative • L'accord du participe passé (révision)	• Noms et adjectifs de la caractérisation psychologique, la personnalité	• Opposition [i]/[ɛ]/[ə] (prononciation de *qui il, qu'il, qui elle, qu'elle, que*) • Phonie-graphie : *distinction des sons* [i]/[e]/[ɛ]/[ə]
2 p. 16 à 19	**Relations de voisinage**	• Parler de ses relations de voisinage • Rapporter des paroles • Comparer, évoquer des changements	• Le discours indirect au présent • Imparfait/présent (révision) • Structures de la comparaison	• Lieux et habitants, vie en copropriété, voisinage • Expressions pour réagir positivement à un événement	• Élision de « i » dans « s'il » et prononciation de « si elle » • Rythme et mélodie dans le discours indirect au présent (groupes rythmiques)
3 p. 20 à 23	**Rencontres amoureuses**	• Raconter une rencontre • Raconter les suites d'une rencontre	• Imparfait/passé composé • Les marqueurs temporels (1) : *il y a, dans, pendant*	• Termes liés à la rencontre amoureuse et au coup de foudre	• Opposition [e]/[ɛ] : distinction imparfait/passé composé • Phonie-graphie : *les sons* [e]/[ɛ]
Carnet de voyage	**Relations**	• Découvrir/échanger sur les grands noms de la culture française ou francophone à partir de documents (littérature, cinéma, bande dessinée, peinture) liés aux thématiques du dossier.			
DOSSIER 2 : Tout travail mérite salaire					
1 p. 28 à 31	**Recherche d'emploi et présentation en situation professionnelle**	• Comprendre une annonce d'emploi et se présenter en contexte professionnel • Comprendre et rédiger un CV et une lettre formelle simples	• Les marqueurs temporels (2) : *pendant, depuis, de... à, en*	• Termes pour parler des études • Termes pour parler du salaire • Formules de la lettre formelle, de motivation	• Opposition [ɥ] [w]
2 p. 32 à 35	**Conseils pour les entretiens d'embauche**	• Donner des conseils, mettre en garde • Indiquer des changements nécessaires	• Structures pour exprimer le conseil : impératif, devoir + infinitif, *si* + présent/futur, *il faut que* + subjonctif • Le subjonctif pour exprimer la nécessité (1)	• Formules impersonnelles pour exprimer la nécessité : il est important/essentiel de... • Le registre standard et le registre familier (1)	• Registres de langue à l'oral • Intonation : conseil/obligation • Prononciation du subjonctif
3 p. 36 à 39	**Expériences de stages en entreprise**	• Raconter une expérience professionnelle • Parler de ses activités professionnelles	• Le plus-que-parfait • Les pronoms et adverbes indéfinis : *quelqu'un, rien, personne, nulle part*, etc. • Les adverbes	• Termes liés à la recherche d'emploi et à l'entreprise	• Prononciation des adverbes en « ment » • Phonie-graphie : *le son* [ɛ̃]
Carnet de voyage	**Les Français et le travail**	• Découvrir deux visions du monde du travail : vision ludique (*le jeu de l'oi(e)siveté*) et vision sociologique			

Leçons	Contenus socioculturels Thématiques	OBJECTIFS SOCIOLANGAGIERS			
		Objectifs communicatifs et savoir-faire	Objectifs linguistiques		
			Grammaticaux	Lexicaux	Phonétiques
Dossier 3 : Vous avez dit France ?					
1 p. 44 à 47	**Stéréotypes : les Français vus d'ailleurs**	• Parler d'un pays et de ses habitants • Découvrir des stéréotypes	• Pronoms relatifs *où* et *dont* • Les pronoms démonstratifs *celui, celle, ceux, celles...*	• Quelques expressions pour parler d'un pays (conditions de vie, mentalités)	• Phonie-graphie : *distinction des sons* [ɔ̃]/[ɔ]
2 p. 48 à 51	**Tourisme vert et tourisme insolite**	• Comprendre des renseignements touristiques, faire une réservation	• Les pronoms *en* et *y* de lieu • Le gérondif	• Termes liés à la réservation et aux renseignements touristiques (repas, hébergement...)	• Le son [ɑ̃] • Phonie-graphie : *le son* [ɑ̃]
3 p. 52 à 55	**Qualité de vie Paris/province**	• Comprendre une étude comparative • Parler de son lieu de vie, justifier ses choix	• Le superlatif • *Ce qui, ce que* pour mettre en relief	• Termes liés à la ville • Quelques verbes pour parler des avantages d'une ville	• Prononciation de « plus »
Carnet de voyage	**Vacances et vacanciers**	• S'identifier à un portrait type de vacancier, décrire son comportement en vacances • Découvrir et interpréter des données sur les vacances des Français, comparer avec son pays			
Dossier 4 : Médiamania					
1 p. 60 à 63	**Presse écrite et autres médias**	• Comprendre des titres de presse • Réagir/donner son opinion sur un programme de télévision	• La nominalisation • Le genre des noms • *C'est... qui, c'est... que* pour mettre en relief	• Termes liés à la presse, la radio, la télévision	• Le rythme de la phrase et l'intonation de la mise en relief
2 p. 64 à 67	**Faits divers dans la presse et à la radio, témoignages**	• Comprendre des événements rapportés dans les médias • Témoigner d'un événement	• Les temps du passé • La forme passive • L'accord du participe passé avec le COD	• Termes liés à la déclaration de vol : personnes et actions	• L'enchaînement vocalique • Phonie-graphie : *l'accord du participe passé avec* avoir
3 p. 68 à 71	**Critiques de film et festival de cinéma**	• Comprendre la présentation d'un film et des commentaires critiques • Exprimer des appréciations	• Les pronoms personnels après *à* et *de*	• Termes liés au cinéma • Verbes pour annoncer un palmarès	• L'intonation expressive : enthousiasme, étonnement, déception
Carnet de voyage	**La presse en France**	• Réagir à partir de titres, découvrir le classement de la presse quotidienne et magazine lus en France • Créer un titre de presse et préparer la une			
Dossier 5 : Le monde est à nous !					
1 p. 76 à 79	**Souhaits et aspirations pour demain**	• Envisager l'avenir : exprimer des souhaits/ des espoirs • Faire des suggestions	• Expression du souhait : *souhaiter que* + subjonctif *espérer que* + indicatif/ *j'aimerais, je voudrais que* + subjonctif/*j'aimerais* + infinitif • Le conditionnel pour faire une suggestion	• Termes liés à la musique, genres et groupes musicaux • Formules pour exprimer le souhait	• Prononciation de [r] • Distinction imparfait/ conditionnel
2 p. 80 à 83	**Projet de vie : l'humanitaire**	• Parler de ses centres d'intérêt, de ses engagements • Exprimer un but • Présenter un projet • Imaginer une situation hypothétique, irréelle	• Le but : *afin que* + subjonctif, *afin de* + infinitif, *pour, pour que* • Le conditionnel (projet, situation irréelle)	• Verbes pour indiquer les centres d'intérêt • Quelques formules verbales pour indiquer un objectif	• Opposition [k] [g] • Les groupes consonantiques • Phonie-graphie : *les groupes consonantiques*
3 p. 84 à 87	**Réalisation d'un rêve**	• Comprendre le résumé et la présentation d'un livre • Donner son avis, justifier ses choix • Exprimer la cause et la conséquence • Exprimer l'accord, le désaccord	• Connecteurs pour exprimer la cause et la conséquence (1)	• Termes liés au récit de voyage • Quelques expressions pour donner son avis, l'accord/le désaccord	• Rythme du discours dans le récit (intonation expressive)
Carnet de voyage	**Identités fictives**	• Parler de soi à travers des situations fictives : le jeu du portrait chinois • Comprendre un récit autobiographique à partir d'un extrait littéraire			

Leçons	Contenus socioculturels Thématiques	OBJECTIFS SOCIOLANGAGIERS			
		Objectifs communicatifs et savoir-faire	Objectifs linguistiques		
			Grammaticaux	Lexicaux	Phonétiques
DOSSIER 6 : Alternatives					
1 p. 92 à 95	**Changement de vie, de voie professionnelle**	• Évoquer un changement de vie • Comprendre une biographie	• Pronoms indirects *y* et *en* • Exprimer des rapports temporels : *avant de* + infinitif, *après* + infinitif passé	• Quelques articulateurs chronologiques • Termes liés à la biographie	• Liaison, enchaînement et fluidité du discours • Phonie-graphie : *liaisons et enchaînements*
2 p. 97 à 99	**Exploits et réussites** **La féminisation des professions**	• Rapporter des paroles au passé • Relater un événement exceptionnel, un exploit	• Le discours rapporté au passé	• Les professions • Quelques termes de l'expression du ressenti, sentiments et réactions	• Intonation : découragement et détermination
3 p. 100 à 103	**Choix de vie**	• Imaginer un passé différent • Exprimer des regrets	• L'Irréel du passé *si* + plus-que-parfait, conditionnel passé • Le passé récent et le futur proche dans un récit au passé • Le regret : *regretter de* + infinitif passé / *j'aurais aimé / voulu* + infinitif	• Termes liés à la chance, l'imprévu	• Intonation : expression du regret ou de la satisfaction • Phonie-graphie : *distinction des sons* [e]/[ɛ]
Carnet de voyage	**Jeux sur les mots**	• Découvrir des expressions idiomatiques françaises et étrangères à partir du jeu sur le double sens (sens littéral/sens figuré)			
DOSSIER 7 : (Éduc)actions					
1 p. 108 à 111	**Sensibilisation à l'environnement et l'opération** *Défi pour la Terre*	• Comprendre un manifeste, inciter à agir • Prendre position, exprimer une opinion	• Le subjonctif pour exprimer la nécessité (2) • Le contraste subjonctif/ indicatif dans les complétives (opinion, certitude, doute, volonté, constat)	• Termes liés à l'environnement et l'écologie • Quelques expressions impersonnelles de nécessité	• Prononciation du subjonctif • Phonie-graphie : *distinction de quelques formes verbales*
2 p. 112 à 115	**Lecture et culture,** *Lire en fête*	• Raconter les étapes d'un événement • Parler de ses lectures • Demander le prêt d'un objet	• Expression des rapports temporels : *à partir de, dès, dès que, depuis, depuis que, jusqu'à ce que* • Place des doubles pronoms	• Termes liés au livre et à la lecture • Verbes pour le prêt/ l'emprunt d'un objet	• Le « e » caduc et les doubles pronoms
3 p. 116 à 119	**Parité,** *Journée de la femme*	• Exprimer opinions et sentiments • Évoquer des différences • Exprimer son agacement, son impatience	• Expression de l'opinion, du doute, de la volonté, du sentiment, de la probabilité/ possibilité (synthèse) • Contraste : *par contre, alors que, d'un côté, de l'autre côté*	• Termes liés à la scolarité et la parité	• Intonation : demande simple ou agacement
Carnet de voyage	**Les Français et la lecture** **Le système éducatif en France**	• Découvrir les livres fondateurs des Français – répondre à un quizz sur ces livres • Prendre connaissance du système éducatif en France à travers l'évocation d'un parcours scolaire exceptionnel. Comparer avec le système éducatif de son pays			

Leçons	Contenus socioculturels / Thématiques	OBJECTIFS SOCIOLANGAGIERS			
		Objectifs communicatifs et savoir-faire	Objectifs linguistiques		
			Grammaticaux	Lexicaux	Phonétiques
DOSSIER 8 : Attitudes urbaines					
1 p. 124 à 127	Nuisances : le bruit, la fumée	• Comprendre des arguments • Comprendre, commenter des faits de société • Se plaindre • Comprendre/rédiger une pétition/lettre formelle	• Cause, conséquence (2) • Le participe présent avec valeur descriptive/causale	• Quelques verbes exprimant la conséquence • Termes liés aux nuisances, aux plaintes	• Intonation : la plainte et la protestation • Phonie-graphie : *discrimination des sons* [ɛ̃]/[ɑ̃] *et graphies du son* [ɑ̃]
2 p. 128 à 131	Comportements délictueux et réactions	• Exprimer son indignation, protester • Indiquer une action passée comme cause • Exprimer un reproche	• *Pour* + infinitif passé • Le conditionnel passé	• Termes exprimant règles et sanctions • Quelques formules exclamatives exprimant l'indignation • Registres de langue (2)	• Intonation : expression des sentiments (indignation et reproche) • Le son [j]
3 p. 132 à 135	Vivre dans son quartier : polémiques et civisme	• Exprimer/rapporter un point de vue sur un sujet polémique • Comprendre les points principaux d'une discussion • Exprimer des réserves	• La concession : *bien que* + subjonctif et l'opposition : *pourtant, cependant...*	• Quelques expressions pour exprimer/rapporter un point de vue (favorable/opposé)	• Intonation : expression de l'accord et du désaccord • Distinction [j]/[ʒ]
Carnet de voyage	Événements festifs en ville	• Découvrir quelques événements festifs urbains à dominante culturelle : la Fête de la musique, la Nuit Blanche, le Printemps des poètes et imaginer un projet pour une manifestation festive dans sa ville • Comprendre des poèmes sur la ville et créer son propre poème			
DOSSIER 9 : Ego.com					
1 p. 140 à 143	Génération Internet	• Exprimer un jugement faire des recommandations et des mises en garde	• Le subjonctif dans l'expression du jugement • Les formes impersonnelles + subjonctif ou infinitif	• Termes liés à l'Internet • Quelques formes impersonnelles de recommandation/mise en garde	• Marques de l'oral • Intonation : l'incrédulité
2 p. 144 à 147	Innovations technologiques	• (S')informer sur/décrire un objet, une innovation, un mode de communication	• Les pronoms interrogatifs • Les pronoms relatifs composés • Les pronoms possessifs	• Termes liés aux blogs	• Intonation : hésitation ou affirmation • Prononciation [jɛ̃]/[jɛn] • Phonie-graphie : *homophones de* [kɛl]
3 p. 148 à 151	Ateliers d'écriture : les Français et la passion d'écrire	• Réagir par écrit à une annonce/demander des renseignements plus précis sur un service • Choisir un type d'écrit et le rédiger		• Les formules de la demande de précisions	
Carnet de voyage	Expressions poétiques	• Découvrir une nouvelle forme de poésie urbaine : le slam • Comprendre le principe du jeu sur les mots à partir des paires minimales et l'appliquer pour créer des objets imaginaires			

Liste des enregistrements
Alter Ego 2 – CD élève

1. Copyright
2. DOSSIER 1 – J'AI DES RELATIONS !
   Leçon 1 Ami(e)s pour la vie ?
   Activité 2
3. Activité 7
4. Leçon 2 Voisins, voisines
   Activité 13
5. Leçon 3 Les feux de l'amour
   Activité 5
6. Dossier 1 - Phonie-graphie
   Activité de phonie-graphie 1
7. Activité de phonie-graphie 2a
8. Activité de phonie-graphie 2b
9. Activité de phonie-graphie 2c
10. Activité de phonie-graphie 3
11. Activité de phonie-graphie 4

12. DOSSIER 2 – TOUT TRAVAIL MÉRITE SALAIRE
    Leçon 1 Jobs à gogo
    Activité 4
13. Activité 7
14. Leçon 2 Clés pour la réussite
    Activité 3
15. Activité 11
16. Leçon 3 Riches en expériences
    Activité 11
17. Dossier 2 - Phonie-graphie
    Activité de phonie-graphie 1

18. DOSSIER 3 – VOUS AVEZ DIT FRANCE ?
    Leçon 1 Ils sont fous, ces Français !
    Activité 2
19. Activité 11
20. Leçon 2 Destination : l'insolite !
    Activité 1
21. Activité 10
22. Leçon 3 Paris-province : le match
    Activité 9
23. Dossier 3 - Phonie-graphie
    Activité de phonie-graphie 1
24. Activité de phonie-graphie 2
25. Activité de phonie-graphie 3

26. DOSSIER 4 – MÉDIAMANIA
    Leçon 1 Chez soi ou en kiosque ?
    Activité 5
27. Activité 8
28. Leçon 2 Flash spécial
    Activité 4
29. Activité 10
30. Leçon 3 À la une
    Activité 3
31. Activité 5
32. Dossier 4 - Phonie-graphie
    Activité de phonie-graphie 1

33. DOSSIER 5 – LE MONDE EST À NOUS !
    Leçon 1 Rêver sa vie
    Activité 3
34. Leçon 2 Construire sa vie
    Activité 8
35. Leçon 3 Réaliser ses rêves
    Activité 4
36. Activité 8
37. Carnet de voyage Portraits chinois
    Activité 3
38. Dossier 5 - Phonie-graphie
    Activité de phonie-graphie 1

39. DOSSIER 6 – ALTERNATIVES
    Leçon 1 Nouveau départ
    Activité 7
40. Leçon 2 Défi de filles !
    Activité 2
41. Leçon 3 Rétrospectives
    Activité 1
42. Activité 7
43. Dossier 6 - Phonie-graphie
    Activité de phonie-graphie 1
44. Activité de phonie-graphie 2

45. DOSSIER 7 – (ÉDUC)ACTIONS
    Leçon 1 Défi pour la Terre
    Activité 6
46. Leçon 2 Lire en fête
    Activité 1
47. Activité 7
48. Leçon 3 Objectif parité
    Activité 9
49. Dossier 7 - Phonie-graphie
    Activité de phonie-graphie 1

50. DOSSIER 8 – ATTITUDES URBAINES
    Leçon 1 Pas facile de cohabiter !
51. Leçon 2 Attention rébellion !
    Activité 12
52. Leçon 3 Controverses
    Activité 7
53. Activité 9
54. Dossier 8 - Phonie-graphie
    Activité de phonie-graphie 1
55. Activité de phonie-graphie 2

56. DOSSIER 9 – EGO.COM
    Leçon 1 L'art de communiquer
    Activité 6
57. Leçon 2 Touche perso
    Activité 3
58. Activité 9
59. Leçon 3 L'art d'écrire
    Activité 5
60. Carnet de voyage Slam alors !
    Activité 1
61. Dossier 9 - Phonie-graphie
    Activité de phonie-graphie 1

DOSSIER **1**
J'ai des relations !

DELF

A2

PARLER D'UNE RELATION AMICALE

J'AI DES RELATIONS !

Le test du mois

Ce mois-ci, nous vous proposons un test... à faire avec votre meilleur(e) ami(e), afin de vérifier que vous partagez les mêmes sentiments.

Comment vivez-vous l'amitié ?

1 Combien d'amis intimes avez-vous ?
a) un(e) seul(e) ami(e) intime
b) 2 ou 3 ami(e)s intimes
c) plusieurs ami(e)s intimes
d) pas d'amis intimes

2 Avec votre/vos ami(e)(s), de quoi parlez-vous souvent ?
a) de vos secrets
b) de vos rêves et de vos envies
c) de tout et de rien
d) de tout, sauf des sujets intimes

3 Quelle est la qualité que vous recherchez en priorité chez un(e) ami(e) ?
a) la fidélité
b) l'écoute
c) la sincérité
d) autre

4 Quel est le défaut que vous n'acceptez pas chez un(e) ami(e) ?
a) la malhonnêteté   c) l'indifférence
b) l'égoïsme   d) autre

DOSSIER 1

1

a) Observez ce document et répondez.
1. De quel type de document s'agit-il ?
2. Dans quelle presse peut-on trouver ce document ?
b) Lisez les questions et dites quel est son thème.

2
Écoutez le dialogue et dites ce que font les deux personnes.

3
a) Réécoutez le dialogue et retrouvez la réponse de Rachida pour chaque question.
Exemple : question 1 → réponse b.
b) Pour chaque réponse, précisez les commentaires de Rachida.

AIDE-MÉMOIRE

Donner une définition

L'amitié, **c'est être** complice.

L'amitié, **c'est quand** on se sent bien ensemble.

L'amitié, **c'est un sentiment** solide qui résiste au temps.

S'EXERCER N° 1

4
Associez la caractéristique et sa définition.

Quelqu'un de/d'...		Définition
1. sincère	• •	a. C'est quelqu'un qui ne partage pas, qui ne pense jamais aux autres.
2. indifférent	• •	b. C'est quelqu'un à qui vous ne pouvez pas faire confiance.
3. égoïste	• •	c. C'est quelqu'un qui reste toujours votre ami.
4. malhonnête	• •	d. C'est quelqu'un qui est insensible.
5. fidèle	• •	e. C'est quelqu'un qui ne vous trompera jamais et qui vous dira toujours ce qu'il pense vraiment.

Ami(e)s **pour la vie ?**

5 Quelle est votre définition de l'amitié ? L'amitié, c'est ...

a) pouvoir partager les bons et les mauvais moments de l'existence

b) être complice et se sentir bien ensemble dans toutes les situations

c) quand on a des intérêts semblables

d) un sentiment solide qui résiste au temps

e) autre

5 PHONÉTIQUE

Qu'elle, qui elle, qui, qui il ou qu'il ?
Écoutez et dites quelle phrase vous entendez.

1. a) Le magazine qu'elle aime.
   b) Le magazine qu'il aime.
2. a) C'est l'ami qui connaît Marco.
   b) C'est l'ami qu'il connaît, Marco.
3. a) La qualité qu'il préfère.
   b) La qualité qu'elle préfère.
4. a) La personne chez qui elle habite.
   b) La personne chez qui il habite.
5. a) Le collègue à qui elle dit tout.
   b) Le collègue à qui il dit tout.

6

a) Préparation

– Classez les caractéristiques suivantes en qualités et en défauts. (Aidez-vous du dictionnaire si nécessaire.)
la modestie – la générosité – la jalousie – la méchanceté – la curiosité – l'autorité – la tolérance – la disponibilité – la patience – la franchise – la discrétion – l'impatience – l'humour.

– Complétez vos deux listes avec les qualités indispensables et les défauts inacceptables pour être votre ami(e).

– Donnez par écrit votre propre définition de l'amitié.

b) Échangez.

En petits groupes, comparez votre classement et votre définition de l'amitié. Constatez sur quels points vous êtes ou n'êtes pas d'accord.

Point **Langue**

> LES PRONOMS RELATIFS *qui, que, à qui* pour donner des précisions

a) Réécoutez la réponse de Rachida à la question « Quel est le défaut que vous n'acceptez pas chez un ami ? » et complétez sa définition d'un(e) ami(e).
Un ami, c'est une personne sincère, quelqu'un ... je peux tout dire, ... j'appelle quand j'ai besoin de soutien, et surtout ... ne me trahit jamais.

b) Complétez la règle avec les pronoms relatifs *à qui, qui, que*.
– Le pronom relatif ... est le sujet
– Le pronom relatif ... est le complément d'objet direct ▶ du verbe qui suit
– Le pronom relatif ... est le complément d'objet indirect (*à*)

c) *Qui* et *que* peuvent représenter des êtres vivants (personne ou animal) ou des choses. Trouvez des exemples dans le questionnaire ou le dialogue : ...

Attention ! *À qui* représente exclusivement une ou des personnes.

S'EXERCER N° 2

DÉCRIRE LE CARACTÈRE D'UNE PERSONNE

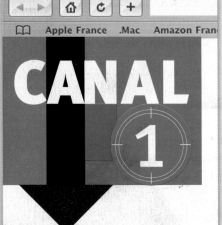

Vous désirez **rendre hommage** à une personne importante pour vous ou qui a **marqué votre vie ?**

 vous offre une minute d'antenne pour vous exprimer...

Chaque soir à 20 h 40, dans
« Je suis venu vous parler de... »

Laissez vos propositions sur notre répondeur au 0 840 40 4000.
ou par mél :
jesuisvenuvousparlerde@canal1.fr

7

Écoutez le message laissé sur le répondeur de Canal 1 et répondez.
1. De qui parle la personne ?
2. Quelle est la relation entre elles deux ?
3. Quand et comment leur relation a-t-elle commencé ?

8

a) Réécoutez le message et retrouvez les traits de caractère de Simonne. Choisissez dans la liste suivante.
Simonne ... est autoritaire – est antipathique – est franche – est compétente dans son travail – est froide – a de l'humour – est bonne cuisinière – est égoïste – a de l'énergie – est intimidante – aime s'amuser – est hypocrite.

b) Dites quels traits de caractère concernent la vie personnelle et lesquels concernent la vie professionnelle.

9

Lisez les deux méls suivants envoyés pour l'émission « Je suis venu vous parler de... »
Pour chacun, précisez :
1. qui est la personne choisie.
2. quel est le lien entre les deux personnes.
3. quels sont les traits de caractère de la personne choisie.

Point **Langue**

› PARLER DE LA PERSONNALITÉ

Complétez comme dans l'exemple.

Caractéristique de la personnalité	Qualificatif
Exemple :	(être)
La franchise	franc/franche
La ...	tolérant/tolérante
L'impatience	...
La compétence	...
La ...	patient/patiente
La générosité	...
La disponibilité	...
La ...	curieux/curieuse
La ...	fier/fière
La modestie	modeste/modeste
La jalousie	...
La ...	discret/discrète
La froideur	...

S'EXERCER N° 3

 Apple France   .Mac   Amazon France   eBay France   Yahoo!   Informations ▾   Favoris imp

CANAL 1   **« Je suis venu vous parler de... »**

COURRIER

ANTOINE ▸ Bonjour,
Moi, il y a une personne que je garde au fond de mon cœur et à qui j'aimerais rendre hommage. C'est une personne qui a illuminé mon enfance. Cette personne, qui s'appelait Juliette, c'est ma grand-mère paternelle. C'était une femme intelligente, généreuse et qui adorait les enfants. Elle est morte l'année dernière et elle me manque beaucoup.

CLAIRE ▸ Je voudrais vous parler de Christine.
Nous nous sommes rencontrées dans le train Paris-Madrid et nous avons tout de suite sympathisé. Elle est expansive, brillante et moi, je suis timide et réservée, mais nous nous adorons et nous nous complétons parfaitement. Christine, c'est plus qu'une amie pour moi, au fil du temps elle est devenue mon alter ego. C'est quelqu'un à qui je dois beaucoup et que j'aime infiniment !

Point **Langue**

› RAPPEL : L'ACCORD DU PARTICIPE PASSÉ

a) Observez ces phrases au passé composé.

– C'est **une personne qui** a illumin**é** mon enfance

– **Elle** est mort**e** l'année dernière.

– **Nous** nous sommes rencontr**ées** dans un train.

– **Nous** avons tout de suite sympathis**é**.

b) Observez les participes passés et choisissez les bonnes réponses dans la règle.

Au passé composé,

– on utilise l'auxiliaire ☒ être ☐ avoir pour tous les verbes pronominaux et les quinze verbes : *aller/venir, monter/descendre, arriver/partir, entrer/ sortir, naître/mourir, rester, retourner, tomber, devenir, passer.*

Le participe passé ☒ s'accorde ☐ ne s'accorde pas avec le sujet.

– on utilise l'auxiliaire ☐ être ☒ avoir pour tous les autres verbes.

Le participe passé ☐ s'accorde ☒ ne s'accorde pas avec le sujet.

S'EXERCER Nº 4 →

---

10 ✏

À votre tour, vous participez à l'émission « **Je suis venu vous parler de...** » pour rendre hommage à quelqu'un qui a marqué votre vie.
Écrivez un mél à Canal 1.
Présentez cette personne. Précisez quel est votre lien. Décrivez son caractère. Donnez des précisions sur votre relation, votre rencontre.

S'EXERCER

› Donner une définition

1. a) Associez le mot et sa définition.

1. La peur • • a) C'est quand on ne montre pas ses qualités.

2. La liberté • • b) C'est quand on est content en général de sa vie.

3. La modestie • • c) C'est un sentiment désagréable, quand on trouve le temps long.

4. Le bonheur • • d) C'est un sentiment qui fait reculer devant un danger.

5. L'ennui • • e) C'est vivre sans contraintes.

b) Reformulez chaque définition d'une autre façon, comme dans l'exemple. Choisissez parmi les quatre structures :

– *C'est* + verbe infinitif

– *C'est* + nom + adjectif qualificatif

– *C'est* + nom + qui + proposition

– *C'est quand* + phrase

Exemple : La peur, c'est quand on recule devant un danger.

› Donner des précisions

2. Complétez avec le pronom relatif *qui, que* ou *à qui*.

JULIE ▶ Vous … recherchez comme moi des amis, le club *Les copains d'abord* est le club … il vous faut : vous y rencontrerez des personnes … souhaitent se faire des amis, des personnes sincères … vous ouvriront leur cœur et … vous pourrez tout dire. Le club *Les copains d'abord*, un club … vous n'oublierez pas !

FRANÇOIS ▶ J'avais un ami … habitait la région et … j'aimais beaucoup, mais je ne le vois plus depuis son mariage avec une femme … ne m'apprécie pas du tout. À présent, grâce au club, je ne suis plus seul : j'ai rencontré des gens … sont dans la même situation que moi, … cherchent à se faire des amis et … je peux me confier. Merci !

› Parler de la personnalité

3. Voici une liste d'adjectifs qualificatifs exprimant des traits de caractère.

a) Proposez une définition pour chacun.

b) Trouvez le nom qui correspond.

Exemple : une personne **sincère**, *c'est une personne qui dit ce qu'elle pense vraiment* → **la sincérité**

généreux – curieux – disponible – discret – franc – jaloux – tolérant – fier – patient – autoritaire – impatient

› L'accord du participe passé

4. Accordez le participe passé quand c'est nécessaire.

José et moi, nous avons toujours vécu… ensemble, nous avons tout partagé… : les joies et les peines, les rires et les larmes. Nous nous sommes souvent disputé… aussi. Puis il a trouvé… un travail à l'étranger et nous avons dû… nous séparer. C'est difficile à vivre car nous avons grandi… dans la même famille, nous nous sommes toujours aidé… et surtout nous sommes né… le même jour. C'est mon frère jumeau !

J'AI DES RELATIONS !

Vivre mieux

Ici, pas de fête sans Alain le gardien !

Voisinage. *À l'occasion, ce soir, de la septième édition d'Immeubles en fête, quatre millions et demi de Français vont se réunir autour d'un verre. Parfois, c'est le concierge qui organise la fête des voisins, comme Alain.*

Il fait briller le parquet des cages d'escalier, s'occupe des rosiers, nourrit les chats des résidents en vacances, surveille les allées et venues ; il est souvent invité pour les crémaillères des nouveaux arrivés, aide en cas de problème, se lève en pleine nuit quand il y a une fuite d'eau... Et, une fois par an, il devient organisateur de fête ! Ce soir, pour Immeubles en fête, Alain, le concierge du 223-225 rue de Charenton à Paris (XIIe), réunit les 250 locataires et propriétaires dans la cour, pour partager un verre et un dîner.

D'après Aujourd'hui en France, 31 mai 2005.

PARLER DES

1

Observez les photos et faites des hypothèses sur la situation.
1. Qui sont les personnes ?
2. Où sont-elles ?
3. Que font-elles ? À quelle occasion ?

2

Pour vérifier vos hypothèses, lisez l'article et répondez.
1. Dans quelle rubrique du journal se trouve l'article ?
2. Qui est la personne sur la photo ?
3. Pourquoi parle-t-on d'elle ?
4. Quel est le lien entre les deux photos du haut et l'article ?

3

Relisez le titre et le chapeau. Trouvez les deux mots qui désignent la profession d'Alain.

4

a) Relisez l'article et répondez.
1. Où travaille précisément Alain ?
2. Combien d'occupants y a-t-il dans son immeuble ?

b) Trouvez des exemples qui illustrent les différentes fonctions d'Alain.
- Il s'occupe des lieux : ...
- Il rend service aux occupants : ...
- Il surveille l'immeuble : ...

Point **Langue**

> **IMMEUBLES ET HABITANTS**

a) Dans l'article et le point culture, trouvez les lieux de l'immeuble cités et dites dans quel lieu la fête des voisins ne peut pas être organisée.

b) Puis, trouvez quatre mots pour désigner les habitants de l'immeuble.

S'EXERCER N° 1

POINT CULTURE

HISTORIQUE

1999 : Création d'Immeubles en Fête, la fête des voisins, à Paris.

2000 : Lancement sur toute la France.

2003 : L'événement devient européen avec le lancement de la fête des voisins en Belgique.

2004 : Lancement de European Neighbours' Day, la fête européenne des voisins.

2005 : European Neighbours' Day est célébré dans plus de 450 villes de 16 pays.

LA FÊTE EN QUELQUES MOTS...

UN PRINCIPE
Inciter les gens à se rencontrer

UN MOYEN
Se retrouver autour d'un apéritif, d'un buffet entre voisins, chacun apportant quelque chose

UNE DATE
Mardi 29 mai 2007

UN ETAT D'ESPRIT
Simplicité et convivialité, proximité et solidarité

DES ACTEURS
Les citoyens de toute l'Europe

DES RELAIS
Les municipalités, les organismes de logement sociaux, les associations locales, les partenaires publics et privés

UN LIEU
Une rue, un jardin, un hall, une cour d'immeuble, une maison, un appartement : les lieux ne manquent pas pour retrouver ses voisins.

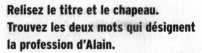

1999	2000	2001	2002	2003	2004	2005
1 quartier de Paris	France 0.5 million	France 1,2 million	France 2,1 millions	+ Belgique 3 millions	7 pays 3.4 millions	**16 pays 4.5 millions**

Voisins, **voisines**

VOISINS, RAPPORTER DES PAROLES

5 😛

Échangez en petits groupes.
La manifestation Immeubles en fête existe-t-elle dans votre pays ? Avez-vous déjà assisté à ce type de manifestation ? Aimeriez-vous l'organiser chez vous ? Pourquoi ?

6 🎧 *Piste 5*

Un journaliste a assisté à la fête des voisins. Écoutez l'enregistrement et identifiez les personnes qui parlent. Puis répondez.
1. De qui parlent-elles ?
2. Leurs réactions, leurs opinions sont-elles positives ou négatives ?

7 🎧

Qui parle ? Réécoutez pour choisir.
Alain dit : ... / Une résidente dit : ...
a. « Il nous demande comment ça va. »
b. « Il nous demande si la journée s'est bien passée. »
c. « Je lui demande ce qu'elle fait. »
d. « Je lui demande chez qui elle va. »
e. « On lui demande d'arroser les plantes. »
f. « Les gens disent qu'ils sont contents. »

Point **Langue**

› RAPPORTER LES PAROLES DE QUELQU'UN

a) Associez les éléments des deux colonnes.

Discours direct	Discours indirect (paroles rapportées)
1. *Qu'est-ce que vous faites ?*	a) *Il nous demande si la journée s'est bien passée.*
2. *Nous sommes contents.*	b) *On lui demande d'arroser les plantes.*
3. *Comment ça va ?*	c) *Je lui demande ce qu'elle fait.*
4. *Arrosez les plantes, s'il vous plaît !*	d) *Il nous demande comment ça va.*
5. *Est-ce que la journée s'est bien passée ?*	e) *Les gens disent qu'ils sont contents.*

b) Observez le tableau et complétez la règle avec *que, ce que, si, de.*

– *(Est-ce que) vous êtes /êtes-vous content ?*
Pour rapporter cette question fermée (réponse oui/non),
on utilise le verbe demander + ...

– *Pourquoi faites-vous cette fête ?*
Pour rapporter cette question (et les questions introduites par comment, chez qui, quand, où, etc.), on utilise le verbe demander + le mot interrogatif.

– *Qu'est-ce que vous voulez boire ?*
Pour rapporter cette question, on utilise le verbe demander + ...

– *Sortez immédiatement !, Va voir ce film !*
Pour rapporter ces paroles (ordres, incitations, demandes, conseils...), on utilise les verbes *demander, conseiller, dire* + ... + verbe infinitif.

– *Nous aimons beaucoup notre gardien.*
Pour rapporter cette déclaration, on utilise le verbe dire + ...

S'EXERCER N° 2

---

8 PHONÉTIQUE

a) Écoutez et dites si on parle d'un homme ou d'une femme puis réécoutez et répétez.

b) Écoutez et indiquez quand la voix descend ou monte en respectant le rythme et l'intonation.

Le matin, il nous demande toujours comment ça va.
Je lui demande ce qu'elle fait ici et chez qui elle va.
Les gens disent souvent qu'ils sont contents de moi.

b) Lisez en respectant le rythme et l'intonation.

9 ✏️😛

a) En petits groupes. Imaginez les paroles des personnes sur les photos de la page 16. Imaginez des bulles et complétez-les.

b) Rapportez les différentes paroles aux autres étudiants de la classe qui devront deviner quel(s) personnage(s) parle(nt).

ÉVOQUER DES CHANGEMENTS

Je ne pensais pas qu'il y avait autant de gens dans mon immeuble ! Maintenant j'ai l'impression d'habiter dans un village et j'échange avec tout le monde. Ma vie est bien plus agréable qu'avant grâce à vous. Merci Immeubles en fête !

Emmanuel Lacan (l'homme à la moto rouge)

C'est une idée simple, mais il fallait y penser ! Bravo pour cette belle initiative ! Immeubles en fête, c'est moins d'indifférence, plus d'échanges et finalement une meilleure qualité de vie pour tous !

Corinne Mazanet (4e gauche)

Enfin, bien des choses ont changé grâce à ces réunions annuelles ! Avant, on ne se parlait pas autant entre nous et c'était très superficiel. Maintenant, on se voit avec plaisir, on parle et on se rend des petits services plus souvent qu'avant. Vive la fête des voisins !

Les dames du 7e
(Mme Laurent, Mme Benamou, Mme Ordonez)

Je m'appelle Thomas, j'ai 28 ans. J'habite l'immeuble depuis trois ans au 3e étage gauche mais je ne connaissais personne jusqu'au jour où nous nous sommes rencontrés, l'année dernière à la Fête des Voisins.

Je m'appelle Charlotte, j'ai 24 ans. J'habite l'immeuble depuis deux ans au 3e étage droite, mais je ne connaissais personne.

Aujourd'hui nous vous annonçons notre mariage proche !

Moralité : Il n'y a pas mieux qu'Immeubles en fête pour faire des rencontres !

10 👁

Lisez le document. Choisissez ou répondez.

a) Ce document est extrait d'un
☐ cahier de classe ☐ journal intime
☑ livre d'or ☐ livre de recettes

b) Qui sont les auteurs de ces messages ? Qu'est-ce qu'ils ont en commun ? Pourquoi y a-t-il deux écritures différentes dans le dernier message ?

11 👁 👄

a) Relisez et pour chaque message, dites s'il est positif ou négatif. Dites ce qu'Immeubles en fête a apporté à la personne. Justifiez votre réponse à l'aide d'extraits.

b) Échangez. En petits groupes, dites quel message vous plaît et pourquoi.

12 👁

Toutes les personnes qui écrivent les messages dans le livre d'or parlent de changements : elles comparent la situation actuelle et la situation passée, avant Immeubles en fête. Relisez les messages et trouvez les changements évoqués.

Exemple : ma vie est bien plus agréable.

AIDE-MÉMOIRE

Réagir positivement à un événement/ une initiative

Bravo pour cette initiative !

Vive la fête des voisins !

Il fallait y penser !

Il n'y a pas mieux !

13 👂

Écoutez le dialogue et répondez.
1. Où se passe la scène ?
2. Qui parle ?
3. Quel est le thème de la conversation ?
4. Que pouvez-vous dire sur le caractère de madame Pinchon ?

14 👂

Réécoutez et listez les sujets de mécontentement de madame Pinchon.

Point **Langue**

› FAIRE UNE COMPARAISON

Complétez le tableau avec les éléments de comparaison suivants : *plus (de/d') – moins (de/d') – meilleur(e) – mieux*

	La comparaison porte sur			
	la quantité		la qualité	
Nom	**Verbe**	**Adjectif**	**Adverbe**	
+	... échanges	On se parle **plus**	Une ... qualité de vie Une vie ... agréable	Il n'y a pas ... On se rend des services ... souvent
=	**Autant d'** échanges	On ne se parlait pas ...	Une **aussi** bonne qualité de vie Une vie **aussi** agréable	Il n'y a pas **aussi** bien **Aussi** souvent
–	... indifférence	On se parlait **moins**	Une **moins** bonne qualité de vie Une vie **moins** agréable	C'était **moins** bien / **Moins** souvent

NB : Quand le 2ᵉ élément de la comparaison est exprimé, il est introduit par *que. Exemples :* ...

S'EXERCER Nº 3

15 ✎

Le lendemain de la soirée Immeubles en fête, vous laissez un message sur le forum de discussion du site. Écrivez pour :
- donner vos impressions, votre avis sur ce genre de manifestation ;
- dire si cela a changé vos rapports avec vos voisins, et comment.

Vous pouvez aussi :
- parler de vos relations avec vos voisins, de ce qui va ou ne va pas là où vous habitez.

› Pour parler des immeubles et des habitants

1. Trouvez l'intrus.
a. un locataire – un gardien – un propriétaire – un agent immobilier – un voisin – un copropriétaire.
b. la cage d'escalier – le jardin – la loge – la cour – la chambre – le hall d'entrée.

› Rapporter les paroles de quelqu'un

2. Rapportez les répliques suivantes. Complétez.
1. « Est-ce que vous pouvez me prêter quatre chaises ? Je les rapporterai dimanche soir. »
Mme Habib vient de me téléphoner, elle me demande ... et elle me dit ... .
2. « Qu'est-ce que vos enfants font dans le parking ? Il est interdit de jouer dans le sous-sol de l'immeuble. »
Je viens de rencontrer le gardien. Il me demande ... et il me rappelle ... .

3. « J'ai un problème de fuite d'eau. Venez vite m'aider, s'il vous plaît ! »
Mme Ramirez me dit ... et elle me demande ... .

› Faire une comparaison

3. a) Faites des comparaisons pour exprimer l'égalité. Complétez avec la forme qui convient : *aussi/autant (de)*

Témoignages

Dure, dure, la vie dans un immeuble !

« C'est comme l'année dernière, et comme l'année d'avant ! Les réunions de copropriétaires durent toujours ... longtemps, on parle ... mais rien ne change : les poubelles sont toujours ... pleines, les escaliers sont toujours ... sales, les enfants font ... bruit et les frais d'entretien sont ... élevés qu'avant. »

b) Utilisez un comparatif de supériorité ou d'infériorité : *plus (de), moins (de).*
a. On a ... échanges avec nos voisins qui sont ... sympathiques que les précédents, et puis on a ... problèmes avec les enfants : ils n'en ont pas ! Donc, on se parle ... souvent , et on met ... messages de réclamation dans leur boîte aux lettres !
b. Grâce au nouveau gardien, la cage d'escalier est ... propre qu'avant et le jardin est ... fleuri aussi. Et puis, il y a ... incidents, il y a ... surveillance.

c) Complétez en utilisant *mieux* **ou** *meilleur(e)(s).*
a. Avec mes précédents voisins, j'avais de ... relations et puis leurs enfants étaient ... élevés !
b. Depuis qu'on s'est rencontrés à la fête des voisins, il y a une ... entente entre nous et on vit ... ensemble.
c. Fini les voisins bruyants ! On a une ... qualité de vie, maintenant : on respire ..., on dort ... .

RACONTER UNE RENCONTRE

L'amour
coup de foudre

12 % des Français ont connu le coup de foudre une fois dans leur vie. Enquête sur cette décharge électrique… L'instant magique… **Quelques témoignages :**

De pain, d'amour et d'eau fraîche
Matthieu, 46 ans

« J'étais dans une boulangerie, je faisais la queue. Elle se dirigeait vers la sortie avec sa baguette à la main. Elle avait l'air d'un ange avec ses boucles blondes. Nos regards se sont croisés, j'ai eu le souffle coupé. Je suis sorti du magasin en vitesse, j'ai rattrapé Sandrine… On est mariés depuis plus de vingt ans. »

Terminus : le mariage
Aurélie, 27 ans

« J'étais dans le couloir d'un TGV, j'avais une très lourde valise. Il était assis à côté de moi, il était vraiment "classe". J'ai tout de suite craqué. Il s'est précipité pour m'aider et sa main a frôlé la mienne, quand il a pris mon bagage. J'ai été électrisée par ce contact. Nous avons vécu un merveilleux premier voyage. On se marie l'année prochaine. »

Du feu, un cœur incendié
Karim, 38 ans

« J'allais chercher mon frère à l'aéroport, l'avion avait du retard. Elle cherchait du feu, je me suis précipité avec mon briquet. Elle était petite… et portait un jean déchiré et des baskets, alors que je suis plutôt attiré par les femmes grandes et élégantes. J'ai eu un flash et j'ai senti immédiatement que ma vie allait changer. On s'est perdus, retrouvés à la station de taxis, je lui ai demandé son numéro de téléphone. On vit ensemble depuis neuf ans. »

---

1 👁

Lisez le document.

a) Identifiez le type d'article et son thème.

b) Dites qui s'exprime.

c) Choisissez la bonne définition de l'expression « coup de foudre ».

☐ un amour progressif   ☐ un amour incertain

☐ un amour immédiat et très fort

2 👁

Relisez les trois témoignages et retrouvez leur structure. Aidez-vous des indications suivantes (données ici dans le désordre).

1 - la description physique de la personne

2 - la conclusion de l'histoire

3 - les circonstances de la rencontre (où, quand, comment…)

4 - les faits (ce qui s'est passé)

Karim : 3 4 - 1 - 4 - 2

Les feux **de l'amour**

Point **Langue**

› LE PASSÉ COMPOSÉ ET L'IMPARFAIT
pour raconter une rencontre

Observez les verbes utilisés dans les témoignages et complétez la règle.
Quand on raconte,
– pour décrire les circonstances (*où ? quand ? comment ?*), on utilise ... .
Exemples : ... ~~imp~~
– pour évoquer des événements, la chronologie des faits passés, on utilise ... .
Exemples : ... ~~P. C~~

› RACONTER UN COUP DE FOUDRE

Trouvez dans le chapeau et les témoignages les expressions qui montrent
qu'on parle d'un coup de foudre, qui expriment la même idée.
Exemple : j'ai été électrisée... ~~j'ai eu le souffle coupé...~~
~~j'ai eu un flash... j'ai tout de suite flaqué~~

S'EXERCER Nºˢ 1 ET 2

---

3 PHONÉTIQUE (9)

Imparfait ou passé composé ? Écoutez et choisissez la phrase entendue.

1. ☑ J'étais fatigué.   ☐ J'ai été fatigué.
2. ☑ Il était grand.   ☐ Il a été grand.
3. ☐ Elle se dirigeait vers lui.   ☑ Elle s'est dirigé vers lui.
4. ☐ Il se précipitait vers moi.   ☑ Il s'est précipité vers moi.
5. ☑ On se mariait jeunes.   ☐ On s'est mariés jeunes.
6. ☐ On se retrouvait dans le train.   ☑ On s'est retrouvés dans le train.

POINT CULTURE

Les lieux de rencontre amoureuse

Écoutez quatre amies qui évoquent leur rencontre amoureuse.

À partir de leur conversation, retrouvez le classement des lieux où les couples
se rencontrent le plus souvent :
a. par l'intermédiaire d'amis communs ;
b. Internet ;
c. l'école ;
d. les lieux extra-professionnels (associations, clubs de sport...) ;
e. le lieu de travail ;

1. *l'école* c
2. *le lieu de travail* e
3. *a. amis communs*
4. *b internet*
5. *d extra.*

Source : université de Lille 3, 2004, enquête réalisée par la licence MIASHS (sociologie).

---

4 ✎

Imaginez !
À la manière des témoignages p. 20,
racontez une rencontre, un coup
de foudre pour envoyer votre texte
à Radio France.
Indiquez : les circonstances,
la description des personnes, les faits,
la conclusion de l'histoire.

Radio France lance l'opération

*Nos plus belles rencontres,
nos plus belles lettres,
nos plus belles
histoires d'amour*

Vos textes,
vos archives
(photos,
manuscrits,
objets)
donneront
lieu à des
émissions
sur Radio
France, à un
livre et à une
exposition.

Envoyez vos textes et documents
à Radio France. La sortie du livre
est prévue à la fin de l'année.

Répondez nombreux !

Préparation
a) Choisissez :
– un lieu (chez quelqu'un, dans un magasin,
une gare, au bureau , à la campagne,
en ville, à la mer...) ;
– un moment (le matin, l'après-midi,
pendant une soirée, les vacances...) ;
– des personnages (précisez le physique et
le caractère : brun(e), blond(e), grand(e)...).
b) Décidez :
– ce qui s'est passé ;
– qui est l'auteur du témoignage ;
– les réactions des personnages de l'histoire.
b) Rédigez votre témoignage.

RACONTER LES SUITES D'UNE RENCONTRE

*– Vous êtes vraiment
très nombreux
à nous appeler pour
la chanson dédicace,
et j'ai en ligne
maintenant… Patricia,
je pense.
– Oui, bonjour, Thierry.
– Bonjour, Patricia.
Vous avez sélectionné
la chanson de Carla
Bruni,* Raphaël.
*Belle chanson,
très sympathique,
mais dites-nous
pourquoi vous
l'avez choisie.
– Eh bien voilà !…
C'est pour mon
amoureux…
– Et votre amoureux,
il s'appelle… Raphaël ?
– Oui, exactement ! On s'est rencontrés au moment
où les chansons de cet album passaient tout
le temps à la radio. C'était à l'anniversaire d'un ami,
il y a trois ans… J'étais assise à côté d'un beau jeune homme…
mais on ne se connaissait pas, on avait seulement un ami commun.
– Et évidemment ça a été le coup de foudre !
– Ben non, justement ! On a simplement échangé quelques mots,
mais il ne s'est rien passé. On ne s'est pas revus pendant six mois,
puis de nouveau on s'est retrouvés chez cet ami commun et c'est
seulement ce jour-là que j'ai appris son prénom ! Et… on ne s'est
plus quittés !
– Et vous êtes follement amoureux l'un de l'autre ?
– Oui, effectivement, et nous allons nous marier dans trois
semaines.
– Dans trois semaines ! Mais c'est merveilleux ! Et cette chanson,
elle évoque vos sentiments pour Raphaël !
– Oui, elle me rappelle nos premiers rendez-vous, j'avais toujours
la chanson dans la tête !
– Alors on écoute la chanson de Carla Bruni, pour Raphaël
et Patricia. Au revoir, Patricia, et tous nos vœux de bonheur !
– Au revoir, Thierry, merci !*

© Naïve

5 ⌲
Écoutez l'enregistrement et répondez.
a) De quel type d'émission s'agit-il ?
**b) Qui appelle ? Pourquoi ? Et que
raconte la personne ?**

6 ⌲
**Réécoutez et reconstituez l'histoire
de la rencontre amoureuse de Patricia.
Remettez les éléments suivants dans
le bon ordre.**
1. On a simplement parlé un peu.
2. Mon voisin de table était charmant.
3. On était à une fête d'anniversaire.
4. Nous nous sommes revus chez notre ami.
5. Nous ne nous sommes plus séparés.
6. Je vais l'épouser.
7. Nous ne nous sommes pas vus les six
mois suivants.
8. C'était un inconnu pour moi mais c'était
l'ami d'un ami.

Point **Langue**

› LES MARQUEURS TEMPORELS *IL Y A, PENDANT, DANS*

Complétez la règle et les exemples.

– Pour indiquer une période, on utilise ... + durée
Exemple : On ne s'est pas revus ...

– Pour situer par rapport au moment où on parle :

➜ un événement dans le passé : on utilise ... + quantité de temps écoulé entre l'événement passé et le moment où on parle.
Exemple : C'était à l'anniversaire d'un ami, ...

➜ un événement dans le futur : on utilise ... + quantité de temps qui s'écoulera entre le moment où on parle et l'événement futur.
Exemple : Nous allons nous marier ...

S'EXERCER Nᵒˢ 3 ET 4

7 😐
Échangez.
Avez-vous des souvenirs musicaux de votre adolescence ?
Est-ce que ce sont les mêmes chansons/ musiques que pour les autres personnes de la classe ? Vous souvenez-vous dans quelles circonstances vous les entendiez ?

8 😐
Jouez la scène. Vous participez à l'émission de radio « Chanson-souvenir ». Vous appelez l'animateur pour :
– donner le titre de la chanson que vous avez choisie ;
– expliquer quel souvenir cette chanson vous rappelle.

S'EXERCER
Leçon 3
Dossier 1

› Raconter une rencontre amoureuse

1. Reconstituez les témoignages en remettant les mots soulignés à la place qui convient. Faites les modifications nécessaires.

a. J'ai <u>craqué pour</u> l'homme de ma vie au mariage d'une amie. Quand il est entré dans la mairie, j'ai <u>échangé</u> son sourire. Pendant la fête, nous avons beaucoup parlé et nous avons <u>retrouvé</u> nos numéros de téléphone. Nous nous sommes <u>quittés</u> chez mon amie quelques semaines plus tard, et nous ne nous sommes plus <u>rencontrés</u>.

b. J'ai <u>frôlé</u> la femme de ma vie dans un restaurant où elle travaillait. Quand nos regards se sont <u>revus</u>, j'ai été immédiatement <u>marié</u>. À la fin de la soirée, lorsque je suis allé payer l'addition, elle a <u>attiré</u> ma main, et j'ai été <u>croisé</u> par ce contact. Pendant un mois, nous nous sommes <u>électrisés</u> souvent, car j'allais dîner plusieurs fois par semaine dans ce restaurant. Nous nous sommes <u>connus</u> six mois plus tard.

› Le passé composé et l'imparfait pour raconter une rencontre passée

2. Complétez avec les verbes entre parenthèses aux temps qui conviennent.

a. Je ... (assister) au mariage d'un ami. De loin, je ... (apercevoir) la fine silhouette d'une femme ; en fait elle ... (ne pas faire partie) des invités, mais elle ... (être) photographe pour la cérémonie. Elle ... (s'approcher) pour photographier notre petit groupe : à cet instant, je ... (sentir) un déclic dans mon cœur. Un peu plus tard, dans la soirée, je lui ... (proposer) de nous revoir le lendemain. C'est comme ça qu'elle ... (entrer) dans ma vie. Nous ... (rester) ensemble plus de dix ans.

b. Ce ... (être) l'été, nous (être) en vacances au bord de la mer avec mes parents et ma sœur. Nous ... (dîner) dans un restaurant quand tout à coup ma sœur ... (reconnaître) une de ses collègues dans la salle. Elle ... (aller) la saluer puis elle ... (venir) nous la présenter. Immédiatement, je ... (sentir) mon cœur qui ... (battre) et je ne pas ... (dire) un mot de toute la soirée. Heureusement, le lendemain, on ... (se revoir) et on ... (ne plus se quitter).

› Les marqueurs temporels *il y a, pendant, dans*

3. Choisissez le marqueur temporel qui convient.

a. J'ai fait sa connaissance dans cette société il y a/pendant/dans dix ans.

b. Je change d'appartement il y a/pendant/dans un mois.

c. Nous nous sommes rencontrés il y a/pendant/dans six ans.

d. Nous sommes restés en contact il y a/pendant/dans trois ans.

e. Ils vont se marier il y a/pendant/dans quinze jours.

4. Complétez avec le marqueur temporel qui convient.

– Marlène Salomon, bonjour ! Vous avez interprété le rôle principal dans la pièce *Fou de vous* ... deux ans. Pourquoi avez-vous décidé d'arrêter ?

– Tout simplement parce que, ... trois mois, on m'a proposé un rôle dans un film, j'ai lu le scénario et.

– Et vous avez accepté ?

– Oui, tout de suite ! Le tournage va débuter ... six mois.

– Et puis je crois savoir que du côté sentimental, ça va très bien aussi ?

– Je suis restée seule ... deux ans, après mon divorce. Puis, ... un an, j'ai rencontré mon compagnon. On se marie ... un an.

Carnet de voyage...

Les amis, les amours...

D'après *Le Quotidien du Peuple*, 12 septembre 2003.

LE LOTUS BLEU

Tintin, Hergé et son ami chinois

Cette année marque le 20e anniversaire de la mort du célèbre dessinateur belge Hergé. Parmi son œuvre au succès considérable, *Le Lotus bleu* possède une place particulière : Hergé y raconte l'histoire d'une amitié entre son héros Tintin et un jeune chinois, Tchang. Il est le seul personnage réel de toutes les aventures de Tintin.

En 1934, Hergé cherche à se documenter pour écrire *Le Lotus bleu* et il fait la connaissance du jeune chinois Tchang Tchong Jen. Une profonde amitié naît entre les deux hommes. Cette entente va aider Hergé à avoir des idées plus justes sur la Chine et à faire connaître ce pays au public occidental.

1

1.
Observez les documents 1, 2 et 3. Associez-les aux thèmes des leçons précédentes. Justifiez vos réponses.

Les Amants IV, de Magritte

2.
Relisez le document 1 et répondez.
a) Connaissez-vous Hergé et son héros Tintin ?
b) Pourquoi le Lotus bleu possède une place particulière dans l'œuvre d'Hergé ?

2

3.
Observez le document 2.
a) **En petits groupes, testez vos connaissances :**
1. Magritte est un peintre : ☐ canadien ☐ belge ☐ français
2. Son prénom est : ☐ Alphonse ☐ Pierre ☐ René
3. Il appartient à la catégorie des peintres :
 ☐ classiques ☐ surréalistes ☐ impressionnistes
4. La toile *Les Amants IV* date de : ☐ 1928 ☐ 1995 ☐ 1838
b) **Dites si vous appréciez ce style de peinture.**

3

Rencontre à l'étranger

On ne sait rien d'eux. On ne connaît même pas leur nom. D'habitude, on se contente de les saluer d'un mouvement de tête, chez la boulangère ou dans le bureau de tabac. Dix ans quand même qu'on les croise ainsi, sans la moindre curiosité. Ce n'est pas de l'indifférence. Plutôt une sorte de contiguïté familière, pas désagréable, mais qui ne mène nulle part.

Et puis voilà qu'ils sont là, en plein cœur de Hyde Park, quelle idée ! Après la cohue des magasins de Regent Street, on s'était amusé de cette liberté anglaise qui permet à chacun de s'emparer d'une chaise longue et de s'affaler, les pieds sur le gazon, avec un soupir de satisfaction – et le sentiment d'être presque devenu un autochtone. Mais à quelques yards, juste en face de vous, pareillement alanguis dans la toile vert sombre…

215

Extrait de Philippe Delerm, « Rencontre à l'étranger », *La Sieste assassinée*, Gallimard, coll. « Folio » 2005.

6.
Lisez la fiche de présentation du film *Voisins voisines* et dites de quoi il s'agit.

» VOISINS, VOISINES
Voisins, voisines
France, 2004

■■■ **Genre** : Comédie
■■■ **Durée** : 90 min
■■■ **Format du film** : 35 mm
Couleur
■■■ **Production** : Alhambra Film
Caroline Production
Box Air Productions
■■■ **Sortie salles françaises** : 20/07/2005

RÉSUMÉ

La Résidence Mozart abrite plusieurs « nouveaux propriétaires » de toutes origines. Un nouveau concierge, Paco, débarque à la résidence. Il est d'origine espagnole et il sort de prison. Autour de lui, du hall et des boîtes aux lettres s'organise le « ballet » de la Résidence Mozart.

4.
Relisez le document 3.
a) Expliquez son titre.
b) Répondez : l'auteur rencontre qui ? où ? quand ?

5.
En petits groupes, testez vos connaissances culturelles sur la France. Citez :
- des noms d'auteurs, de livres, de personnages de romans ou de BD ;
- des noms de peintres ;
- des noms de films, de réalisateurs, d'acteurs et d'actrices.

7.
À la manière du scénariste du film, créez une histoire de voisinage dans un immeuble.
a) En petits groupes, imaginez six personnages :
- précisez leur identité (nom, âge, profession, situation de famille) ;
- localisez l'étage et l'appartement où ils habitent ;
- imaginez différents types de relations entre eux : une histoire d'amour entre deux personnages ; une histoire d'amitié entre deux autres personnages ; une relation de voisinage conflictuelle entre les deux derniers.
b) Racontez devant la classe (au choix) :
- la première rencontre des deux premiers personnages ;
- comment les deux autres personnages sont devenus amis ;
- l'origine et l'historique du conflit entre les deux derniers voisins.

Votre travail dans le dossier 1

1 Qu'est-ce que vous avez appris à faire dans ce dossier ? Cochez les propositions exactes.

- ☑ parler de ses relations
- ☐ décrire son lieu de travail
- ☐ parler de la vie d'une personne
- ☐ comprendre des qualités et des défauts
- ☐ parler d'un projet
- ☐ raconter une rencontre
- ☐ parler de ses conditions de travail

2 Quelles activités vous ont aidé(e) à apprendre ? Voici une liste de savoir-faire de communication. Notez en face de chaque savoir-faire le numéro de la leçon et de l'activité qui correspondent.

— comprendre un test psychologique	*L1-1*
— comprendre une personne qui parle d'une rencontre	
— décrire le caractère d'une personne	
— comprendre une interview sur les relations amicales	
— comprendre quelqu'un qui exprime son mécontentement	
— rapporter les paroles de quelqu'un	
— raconter un événement passé	
— donner des définitions	
— évoquer des changements	

Votre autoévaluation

1 Cochez d'abord les cases qui correspondent aux savoir-faire que vous êtes capable de réaliser maintenant et faites le test donné par votre professeur pour vérifier vos réponses. Puis, reprenez votre fiche d'autoévaluation, confirmez vos réponses et notez la date de votre réussite. Cette date vous permet de voir votre progression au cours du livre.

JE PEUX	ACQUIS	PRESQUE ACQUIS	DATE DE LA RÉUSSITE
comprendre des personnes qui expriment leur opinion sur leurs relations	☐	☐	
comprendre un article de journal	☐	☐	
comprendre un témoignage sur la vie d'une personne	☐	☐	
raconter une rencontre au passé	☐	☐	
exprimer son insatisfaction	☐	☐	
exprimer son point de vue sur une personne	☐	☐	
exprimer un avis à partir d'une enquête	☐	☐	

2 Après le test, demandez à votre professeur ce que vous pouvez faire pour améliorer les activités non encore acquises.

- ☐ exercices de compréhension orale
- ☐ exercices de compréhension écrite
- ☐ exercices de production orale
- ☐ exercices de production écrite
- ☐ exercices de grammaire
- ☐ exercices de vocabulaire
- ☐ exercices de phonétique
- ☐ autres (vidéo...)

Si votre institution possède un centre de ressources, demandez au responsable de vous conseiller sur les documents disponibles en livres, cassettes audio et vidéo, CD-ROM ou sites Internet.

DOSSIER 2
Tout travail mérite salaire

DELF

A2

TOUT TRAVAIL MÉRITE SALAIRE

Pizza fino
leader de la restauration italienne en France

recrute pour la région PACA*

Serveurs/serveuses

Anglais apprécié
Juillet à septembre
Salaire fixe + pourboires
Horaires 18 h-24 h

N° 420510

* PACA : Provence-Alpes-Côte-d'Azur.

ACADOMIA
n° 1 du soutien scolaire

recrute

Professeurs de langue
anglais, allemand, espagnol, russe, italien
Niveau Bac + 3 exigé
Rémunération : 17 à 25 € brut de l'heure
Lieu : régions Rhône-Alpes, Bretagne, Normandie

N° 310315

SL Sports et langues
spécialiste des séjours linguistiques et sportifs en Europe

recherche

Animateurs/animatrices
Les candidat(e)s, titulaires du BAFA**,
doivent être bilingues ou trilingues :
français-anglais-espagnol-allemand.
Période du 1er au 30 juillet
Lieu : Angleterre, Écosse, Malte, Espagne, Allemagne, Autriche
Rémunération variable selon les séjours

N° 512360

** BAFA : Brevet d'aptitude aux fonctions d'animateur.

1 👁
Observez les petites annonces d'offres d'emploi et répondez.
Quels emplois sont proposés ?
Pour quelle catégorie de personnes ?

2 👁
Relisez les annonces et dites pour chacune, quelles sont les informations données. Choisissez dans la liste.
le nom de la société qui recrute – l'adresse de la société – le type d'emploi proposé – la rémunération – le profil des candidats – les horaires de travail – le lieu de travail – la durée du contrat

Point **Langue**

❯ CHERCHER UN EMPLOI

a) Retrouvez dans les annonces des termes équivalents.
– salaire ; ... *Rémunérati* – rechercher quelqu'un pour un emploi : ... *Recruter*

b) Complétez avec les expressions qui conviennent.
– Pour un travail régulier, en général le salaire est **fixe** (= identique tous les mois/semaines/jours), mais pour certains emplois le salaire est ... *variable*, c'est-à-dire qu'il change selon le travail demandé et/ou les horaires.
– Quand on indique le salaire pour un travail, on précise s'il est ... *brut* ou **net**.
– Dans une annonce d'offre d'emploi, quand on indique les qualités recherchées pour le candidat, on peut préciser si elles sont **exigées** ou ... *appréciées*.

S'EXERCER N° 1 👉

Le salaire brut et net

Complétez la définition.
Le salaire *brut*, c'est ce que l'employeur verse pour le salarié.
Le salaire *net*, c'est ce que le salarié reçoit vraiment, sans les charges sociales (assurances maladie, vieillesse, chômage, etc.), qui représentent 22 % du salaire *brut* environ. Pour obtenir le salaire *net* approximatif, on multiplie le salaire brut par 0,78.

DOSSIER 2

Jobs à gogo

Anne-Marie Alvarez
1, place de la République
44041 Nantes
Tél. : 03 23 81 59 60 / 06 83 75 41 99
Courriel : am.alvarez@free.fr

22 ans, célibataire
Nationalité franco-espagnole

FORMATION

2005-2006 :	licence de lettres (français, anglais) à l'université de Nantes.
2003 :	BAFA, centre de vacances et de loisirs Vacances pour tous, Nantes.
Juillet 2002-janvier 2003 :	cours intensif d'anglais à Londres.
Juin 2002 :	baccalauréat*, série L, Nantes.

EXPÉRIENCE

cours particuliers d'espagnol et d'anglais (niveaux collège, lycée).
animation d'ateliers (danse, chant…) au centre de loisirs Gambetta, à Nantes.
jeune fille au pair dans une famille à Londres.

LANGUES

Espagnol bilingue • Anglais courant • Allemand scolaire

DIVERS

– **Connaissances informatiques :** Word, Excel, Internet.
– **Sports :** stages divers : ski, équitation, ping-pong, roller, natation.
– **Loisirs :** cinéma, lecture, hip-hop, chant.
– **Voyages et séjours à l'étranger :** nombreux séjours d'un mois en Espagne (famille à Barcelone), voyages aux États-Unis, en Écosse, en Égypte.

* Baccalauréat : diplôme à la fin du lycée, obligatoire pour entrer à l'université.
Il y a différentes séries : L lettres, S scientifique, ES économie et sciences…

3
Lisez le curriculum vitae d'Anne-Marie et dites quelle(s) annonce(s) peut/peuvent lui correspondre. Justifiez votre réponse à l'aide des éléments du CV.

4
Écoutez Anne-Marie en train de taper son CV et complétez les dates de la partie *Expérience* du CV.

5 PHONÉTIQUE
a) Distinction des sons [ɥ] et [w]
Écoutez et dites si vous entendez le même son ou deux sons différents.
b) – Écoutez et dites combien de fois vous entendez le son [ɥ] dans chaque phrase.
– Réécoutez et dites combien de fois vous entendez le son [w] dans chaque phrase.
c) Écoutez et répétez.
1. La nuit, tous les chats sont gris et suivent les souris sans bruit.
2. Oui, j'envoie Louise un mois faire de la voile au centre de loisirs de son choix.

6
Vous êtes candidat pour un emploi. Rédigez un bref CV pour postuler à un des postes proposés dans les annonces page 28 (ou un autre poste de votre choix).

Point **Langue**

› LES MARQUEURS TEMPORELS *EN, DEPUIS, DE… À, PENDANT*

Observez les phrases suivantes et associez-les à l'idée indiquée.

J'ai été jeune fille au pair **de** juillet 2002 **à** janvier 2003 •
J'ai animé des ateliers **en** juillet 2004 •
J'ai animé des ateliers **pendant** un mois •
Je donne des cours à domicile **depuis** février 2004, **depuis** mon retour d'Angleterre. •

• une durée complète
• une période (début-fin)
• le point de départ d'une situation toujours actuelle
• une date

S'EXERCER n° 2

SE PRÉSENTER DANS UNE SITUATION PROFESSIONNELLE

7

Écoutez l'enregistrement et répondez : Que fait Anne-Marie ? Avec qui parle-t-elle et pour quoi faire ?

8

Relisez le CV d'Anne Marie p. 29 et réécoutez l'enregistrement.

a) Notez les informations présentes dans le CV et répétées dans la conversation.

b) Identifiez quelles informations complémentaires Anne-Marie donne pendant l'entretien.

AIDE-MÉMOIRE

Pour parler des études

L'élève, l'étudiant **suit** des cours, il **apprend** une langue étrangère.
Le professeur, l'enseignant **donne** des cours, il **enseigne** une langue.

S'EXERCER n° 3

9

Lisez la lettre de motivation envoyée par Anne-Marie et identifiez la petite annonce (page 28) qui a retenu son attention.

10

Observez la lettre d'Anne-Marie. Complétez les encadrés : expéditeur, corps de la lettre, destinataire, motif de la lettre, signature, formule d'appel, lieu et date de rédaction.

5.

Anne-Marie Alvarez
1, place de la République
44041 Nantes

Nantes, le 18 janvier.   1.

Sports et Langues
Pavillon de la Fontaine
04800 Gréoux-les-Bains   2.

3.

6.

Objet : candidature

7.

Madame, Monsieur,

Suite à votre annonce, je vous adresse ma candidature pour la période du 1er au 30 juillet.

Titulaire du BAFA, j'ai travaillé comme animatrice dans un centre de loisirs en juillet dernier. Cette expérience a confirmé ma motivation à travailler avec les enfants et je pense avoir les qualités demandées : enthousiasme, sens du contact, facilité d'adaptation. Bilingue (français/espagnol), je maîtrise également l'anglais depuis un séjour comme jeune fille au pair en 2002. Je possède une certaine expérience de l'enseignement de l'anglais à des enfants et mes nombreux voyages m'ont donné le goût du contact avec les étrangers.

De plus, ma pratique intensive de divers sports depuis l'enfance pourrait être utile pendant vos séjours linguistiques liés au sport.

Je me tiens à votre disposition pour vous exposer mes motivations lors d'un entretien.

Dans l'attente de votre réponse, je vous prie de croire, Madame, Monsieur, en l'assurance de ma considération distinguée.

PJ : Curriculum vitae

Alvarez

4.

La lettre formelle

Vous avez observé un exemple de lettre formelle française.

A. Choisissez la bonne réponse.

• Coordonnées de l'expéditeur :
☐ en haut à droite.
☐ en haut à gauche.

• Le motif de la lettre :
☐ on précise.
☐ on ne précise pas.

• Si on ne sait pas qui va lire la lettre,
☐ on écrit une formule d'appel.
☐ on n'écrit pas une formule d'appel.

• On termine avec
☐ une formule longue.
☐ une formule courte.

B. Comparez avec la lettre formelle dans votre pays (présentation, formules…).

S'EXERCER N° 4

11 ◉

Relisez la lettre d'Anne-Marie et identifiez son plan.
Dans le corps de la lettre, retrouvez l'ordre des éléments suivants :

n° 4 : elle prend congé avec une formule de politesse.
n° 3 : elle demande un entretien.
n° 1 : elle cite l'annonce et pose sa candidature.
n° 2 : elle précise ses compétences et ses qualités.

12 ✎

Vous êtes candidat à un poste correspondant à votre CV (activité 6 p. 29). Écrivez une lettre simple de motivation pour l'accompagner.

S'EXERCER

Leçon 1 / Dossier 2

> Chercher un emploi

1. Complétez l'annonce suivante avec le mot qui convient.

Accros de la mode ?
N'attendez pas !

H & L

… ❶
pour ses boutiques
de la région Rhône-Alpes
des vendeuses (18-30 ans)
avec ou sans … ❷
Excellente … ❸ exigée
Anglais … ❹
… ❺ brute : 1 000 euros/mois
… ❼ : 10 h-19 h

Pour postuler :
www.h&lrecrute.com

❶ espère recrute offre	❷ pratique capacité expérience
❸ participation présentation motivation	❹ proposé apprécié imposé
❺ rémunération paie addition	❻ planning heures horaires

> Les marqueurs temporels

2. Complétez le dialogue avec en, depuis, de… à, pendant.
– Où étiez-vous … 2004 ?
– En Allemagne.
– Vous avez travaillé combien de temps comme barman ?
– … presque deux ans : … juin 2003 … mai 2005 exactement.
– Ça fait longtemps que vous cherchez un emploi dans notre région ?
– … mon retour d'Allemagne, c'est-à-dire … juin 2005.

> Pour parler des études

3. Choisissez la forme correcte.
– Vous êtes étudiante à Montpellier ?
– Oui, je donne/suis des cours d'architecture. Mais je donne/suis aussi des cours à des enfants.
– Quelles matières enseignez/apprenez-vous ?
– Les maths, niveau collège.
– Et ils font des progrès ?
– Oui, ils enseignent/apprennent vite.

> Pour écrire une lettre formelle

4. Dites où se placent les informations suivantes.
Exemple : 1. la signature → c. en bas, à droite.
1. la signature
2. le nom et l'adresse du destinataire
3. le nom et l'adresse de l'expéditeur
4. l'objet de la lettre
5. le lieu et la date

a. à droite, au-dessus du texte de la lettre
b. en haut, à gauche
c. en bas, à droite
d. en haut, à droite
e. à gauche, au-dessus du texte de la lettre

5. Complétez la lettre suivante avec les expressions qui conviennent. Attention : faites les modifications nécessaires.
posséder une expérience – se tenir à la disposition de quelqu'un – adresser une candidature – dans l'attente d'une réponse – suite à

Monsieur,
… votre annonce parue dans Le Figaro du 12 janvier dernier, je vous … au poste de secrétaire dans votre entreprise.
Je suis bilingue et je … de 20 ans. J'aime mon métier et le contact avec le public.
Je … pour vous exposer mes motivations lors d'un entretien.
…, je vous prie de croire, Monsieur, en l'assurance de ma considération distinguée.

Juliette Bénard

DONNER DES CONSEILS, METTRE EN GARDE

Se préparer à l'entretien d'embauche

Un entretien de recrutement ne s'improvise pas, une préparation sérieuse est nécessaire. Si vous suivez ces conseils, vous serez plus efficace pendant l'entretien.

Avant l'entretien

- Renseignez-vous sur l'entreprise.
- Vous devez bien connaître l'annonce d'emploi.
- Entraînez-vous à décrire votre parcours professionnel.

Le jour de l'entretien

- Il est important de se mettre en valeur : si vous réussissez le premier contact, vos chances d'obtenir le poste seront plus importantes.
- Arrivez légèrement en avance et avec une tenue adaptée.

Pendant l'entretien

- Ayez à l'esprit deux mots clés : curiosité et motivation.
- Regardez votre interlocuteur en face et donnez une poignée de main énergique, cela montre que vous avez confiance en vous.
- Soyez attentif à votre attitude physique. Évitez de vous asseoir au bord de votre siège, de vous frotter les mains…, cela indique votre malaise ou votre nervosité.
- Surveillez votre manière de parler ; évitez les expressions familières.
- Indiquez clairement vos motivations pour le poste.
- Si le recruteur vous demande pourquoi vous souhaitez quitter votre emploi actuel, évitez d'être négatif par rapport à votre société ou vos supérieurs.
- Si le recruteur demande quels sont vos points forts, citez deux ou trois qualités en relation avec le poste proposé et pour votre principal défaut, indiquez une qualité excessive (le perfectionnisme, par exemple).

1 👁

Vrai ou faux ? Observez les documents et répondez. Justifiez vos réponses avec des éléments du texte.

1. Ces documents peuvent être produits par l'ANPE, un organisme qui s'occupe des demandeurs d'emploi en France.

2. Ils sont destinés aux personnes qui recrutent du personnel.

3. Ils comportent des conseils et des recommandations.

4. Le premier document évoque trois moments : avant, pendant et après l'entretien.

5. Le second document propose une séance d'entraînement à l'entretien d'embauche.

2 👁

Lisez le premier document et dites sur quels points portent les conseils. Choisissez dans la liste et justifiez.

le comportement, l'attitude – la manière de parler – ce qu'il faut dire ou ne pas dire – la durée de l'entretien – la préparation de l'entretien

AIDE-MÉMOIRE

Donner des conseils

Renseignez-vous sur l'entreprise.

Évitez les expressions familières.

Vous devez bien connaître l'annonce.

Il est important/essentiel de se mettre en valeur.

TOUT TRAVAIL MÉRITE SALAIRE

DOSSIER 2

Clés pour **la réussite**

3 heures pour se préparer à l'entretien

● Si vous êtes demandeur d'emploi inscrit à l'ANPE, vous pouvez vous entraîner à passer des entretiens, dans un atelier de recherche d'emploi.

Au programme

• Simulation d'entretien.
• Travail sur les questions et réponses possibles.
• Évaluations des derniers entretiens passés par les candidats.

2008 : Pôle Emploi

Le chômage en France

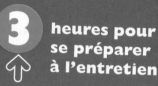

A. Lisez le texte suivant.

L'ANPE a été créée en 1967 pour aider les chômeurs dans leur recherche d'emploi. Ils étaient 250 000, leur nombre s'est multiplié par dix depuis cette date. *4,25 millions*
Le nombre de chômeurs est en mars 2005 de 2 329 900 chômeurs, soit 9,6 % de la population active. Les jeunes sont particulièrement touchés : près de 1 habitant sur 4 de moins de 25 ans en âge de travailler est au chômage (23,3 % fin 2005) !

B. Trouvez la signification de l'ANPE : c'est l'Agence n_ _ _ _ _ _ _e pour l'e_ _ _ _i.

D'après *Libération*, janvier 2006.

Point **Langue**

› DONNER UN CONSEIL

Observez puis complétez la règle.

a) *Si* vous *suivez* ces conseils, vous *serez* plus efficace pendant l'entretien.
Le conseil (ce qu'il faut faire) est dans la ☑ première partie ☐ la deuxième partie de la phrase ; on utilise *Si* + verbe au *présent*, verbe au *Futur*.

b) *Si* le recruteur vous *demande* quels sont vos points forts, *citez* deux ou trois qualités en relation avec le poste.
Le conseil (ce qu'il faut faire) est dans la ☐ première partie ☒ la deuxième partie de la phrase ; on utilise *Si* + verbe au ..., verbe au ... . *présent impératif*

S'EXERCER N° 1 →

---

3 ♫ 24

a) Vrai ou faux ? Écoutez la simulation d'un entretien d'embauche de l'atelier ANPE et répondez.
1. Le candidat postule pour un poste de vendeur. *V*
2. Il s'agit d'un premier emploi. *F*
3. Le candidat est ambitieux. *F*
4. Son principal défaut, c'est qu'il est très stressé. *F*

b) Réécoutez l'entretien et répondez : votre impression générale est-elle positive ou négative ? Pourquoi ?

4 👁

Relisez les conseils de l'ANPE et dites lesquels sont utiles pour Simon.

5 ♫

Réécoutez l'entretien et observez la manière de parler du recruteur et du candidat. Dites quelle est la différence.

Point **Langue**

› LE REGISTRE STANDARD ET LE REGISTRE FAMILIER

Reliez les expressions de même sens.

Registre standard	Registre familier
– *Je n'aime pas qu'on me contrarie.*	– *Il est tout le temps sur mon dos.*
– *D'accord.*	– *Ouais.*
– *Je suis patient, tolérant.*	– *J'aime pas qu'on me marche sur les pieds.*
– *Il me surveille en permanence.*	– *Ok.*
– *Oui.*	– *J'suis cool.*

S'EXERCER N° 2 →

---

6 PHONÉTIQUE

a) Écoutez les deux énoncés. À chaque fois, identifiez le registre familier.
b) D'après l'intonation, précisez si les phrases sont des conseils ou des obligations.

7 ✎

Imaginez la page « Pour trouver un emploi » du site www.votremploi.com. Rédigez des conseils utiles aux personnes qui recherchent du travail.

INDIQUER DES CHANGEMENTS NÉCESSAIRES

Date : Le 24 juin

Simulation d'entretien : Simon

Poste : vendeur

Points positifs

– Le candidat regarde l'interlocuteur en face.

– Il se tient droit.

– Il ne montre pas de signes de nervosité.

Points à améliorer

– Il faut que Simon fasse attention à son vocabulaire.

– Il est essentiel qu'il donne de vraies motivations professionnelles.

– Il faut qu'il montre son ambition mais aussi qu'il sache rester réaliste.

– Il ne faut surtout pas qu'il dise du mal de ses anciens employeurs et il faut qu'il agisse avec diplomatie.

– Il est indispensable qu'il soit moins arrogant... et qu'il ait une tenue plus adaptée pour un entretien !

10

Relisez le document et choisissez dans les deux dessins suivants lequel correspond à la situation. Justifiez votre choix.

1.

11

Écoutez l'enregistrement et identifiez la situation.
Qui parle ? Où ? Quand ? Dans quel but ?

12

Réécoutez l'enregistrement et relisez la fiche. Identifiez les conseils identiques.

8

Lisez le document. Identifiez-le.

☐ Ce sont les notes de Simon pendant son stage à l'ANPE.

☑ C'est la fiche d'évaluation de la conseillère de l'atelier ANPE, après l'entretien de Simon.

☐ Ce sont les notes du recruteur, pendant l'entretien d'embauche avec Simon.

9

Relisez le document et dites dans quelle partie :

– on indique les changements nécessaires dans l'attitude de Simon ;

– on décrit l'attitude de Simon pendant l'entretien.

Point **Langue**

> LE SUBJONCTIF pour donner un conseil, exprimer la nécessité

a) Observez les conseils suivants et identifiez les formules qui expriment la nécessité.

Il faut qu'il fasse attention à son vocabulaire.

Il est indispensable qu'il ait une tenue plus discrète.

Il est essentiel qu'il donne des motivations professionnelles.

Il ne faut pas que tu dises ta vraie motivation.

b) Complétez la règle avec *indicatif* ou *subjonctif* :

Dans la phrase « Il se tient droit », on décrit une réalité avec le mode... .

Dans le conseil « Il faut que vous fassiez attention à votre vocabulaire », on exprime la nécessité de l'action avec le mode ... .

Point Langue

› LA FORMATION DU SUBJONCTIF

a) Observez les subjonctifs dans le Point Langue p. 34, puis complétez la règle.

Tous les types d'infinitifs	Verbes irréguliers	
que je mente	Pouvoir	que je/il puisse, tu puisses
que tu dis...	Savoir	que je/il sache, tu saches
qu'il agiss...	Aller	que j'/il aille, tu ailles
qu'ils prennent	Faire	que je/il ..., tu fasses
	Avoir	que j'aie, il ..., tu aies
	Être	que je sois, il soit, tu sois

Pour *je, tu, il, ils*, on forme le subjonctif avec la base du verbe à la 2. personne pluriel du présent de l'indicatif

b) Observez les conseils, puis complétez.

Il faut que vous évitiez de dire vos défauts et que vous fassiez attention.

Tous les types d'infinitifs	Verbes irréguliers	
La 2e personne du pluriel est identique à la 2e personne du pluriel ☐ du présent de l'indicatif ☑ de l'imparfait.	Pouvoir	que vous puissiez
	Savoir	que vous sachiez
	Aller	que vous alliez
	Faire	que vous ...
	Avoir	que vous ayez
	Être	que vous soyez

Attention ! La 1ere personne du pluriel est identique au subjonctif et à l'imparfait.
Exemple : *Il faut que nous évitions.*

S'EXERCER Nos 3 et 4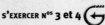

---

13 PHONÉTIQUE

Écoutez la prononciation du subjonctif et de l'indicatif, puis répétez.

14 ⊚

Jouez la scène ! Par deux, vous vous entraînez à passer un entretien d'embauche.

a) Déterminez le comportement du demandeur d'emploi (points positifs, négatifs) et du recruteur (agréable, froid...).

b) Jouez le dialogue.

c) Après l'entretien, le reste du groupe relève les points positifs du candidat et donne des conseils pour augmenter ses chances de réussir.

15 ✐

Écrivez une fiche comme celle de la formatrice de l'ANPE pour évaluer un entretien d'embauche joué dans l'activité 14.

S'EXERCER
Leçon 2 Dossier 2

› Donner un conseil

1. Complétez les conseils avec le temps qui convient. Choisissez entre le présent de l'indicatif, le futur, l'impératif.

a. Si tu ... (suivre) un stage, tu ... (apprendre) à avoir un comportement adéquat.

b. Si vous ... (multiplier) les contacts, vous ... (obtenir) plus facilement un stage.

c. Si vous ... (écouter) les remarques du formateur, vous ... (progresser) plus vite.

d. Si tu ... (ne pas avoir confiance) en toi, ... (s'inscrire) à l'atelier de l'ANPE.

e. Si vous ... (vouloir) vous entraîner, ... (aller) aux ateliers de préparation aux entretiens.

f. Si vous ... (souhaiter) donner une image positive de vous, ... (être) attentif à votre comportement.

› Le registre standard et le registre familier

2. a) Complétez les dialogues avec les expressions suivantes :

Ouais – il est tout le temps sur mon dos – j'aime pas qu'on me marche sur les pieds – je suis cool.

a. – Tu aimes bien ce que tu fais ?
– ..., c'est assez intéressant.

b. Pourquoi tu t'es énervé, quand il t'a fait une remarque ?
– Oh moi, ... !

c. Il te donne tout ce travail à faire et tu acceptes sans rien dire !
– Ben oui, je ... ! Je ne sais pas si c'est une qualité ou un défaut...

d. Mais, qu'est-ce qu'il a encore fait ?
– Ah ce chef ! Il ..., il vérifie tout ce que je fais !

b) Reformulez les dialogues en utilisant des formules du registre standard.

› Le subjonctif pour la nécessité et le conseil

3. Transformez selon le modèle. Utilisez le subjonctif

Tu dois dire ta vraie motivation.
→ *Il faut que tu dises ta vraie motivation.*

a. Vous devez faire attention à votre tenue.

b. Il doit être plus positif.

c. Nous devons avoir une attitude correcte.

d. Vous devez regarder la personne en face.

4. Utilisez le subjonctif présent dans les cas suivants :

a. un employé donne des conseils à un nouveau collègue ;

b. une amie donne des conseils à quelqu'un qui a un chef insupportable ;

c. le directeur donne des conseils à quelqu'un qui devient chef.

RACONTER UNE EXPÉRIENCE PROFESSIONNELLE

TOUT TRAVAIL MÉRITE SALAIRE

Stages d'été :
pourquoi les jeunes les recherchent

Formation – Ils sont souvent difficiles à obtenir mais les stages en entreprise sont devenus obligatoires pour trouver un premier emploi.

« Important pour le CV »

Aurélia, 20 ans, *employée dans un studio photo*.

Elle a travaillé gratuitement à temps plein pendant l'été, mais elle juge positivement son expérience.

« Je regardais la télé toute la journée »

Tom, 19 ans, *stagiaire dans une boîte de production audiovisuelle*.

L'IUT* où il suit des études imposait à tous ses élèves un stage d'été, qu'ils devaient trouver eux-mêmes. Grâce à une relation de son père, Tom a obtenu ce stage facilement.

« On me traitait comme un chien »

Armelle, 22 ans, *a travaillé dans une agence de création*.

À 20 ans, elle a réussi brillamment le concours d'entrée dans une école de mode parisienne. À la recherche de son stage de seconde année, elle a trouvé une offre : « agence de création cherche stagiaire pour élaboration d'une collection ». Mais quelle déception pendant son stage !

« J'ai compris la signification du mot travail »

Mathieu, 21 ans, *en stage à la RATP*.

Après un mois de stage, Mathieu juge différemment le monde du travail.

D'après *Le Parisien*, 9 août 2005.

*Institut universitaire de technologie.

1 👁

Lisez l'article et répondez.

a) L'article parle :

☐ du chômage des jeunes ;

☐ des loisirs des jeunes ;

☑ des stages professionnels des jeunes.

b) Les quatre jeunes cités dans l'article :

☐ sont salariés dans une entreprise ;

☑ viennent de faire un stage dans une entreprise ;

☐ ont trouvé leur premier emploi.

2 👂

Écoutez deux témoignages enregistrés par le journaliste. Dites quel(le) stagiaire parle à chaque fois.

3 👂 👁

Relisez le chapeau de l'article et réécoutez l'enregistrement. Complétez la fiche de bilan pour chaque personne qui témoigne.

Bilan du stagiaire

Stagiaire

Nom : .... Âge : ....

Formation en cours : ....

Stage

Secteur d'activité : ....

Durée du stage : ....

Tâches effectuées pendant le stage :
....
....
....

Rémunération : ....

Riches en **expériences**

4

Réécoutez les témoignages. Pour chaque personne, dites si le stage est sa première expérience professionnelle. Justifiez vos réponses avec leurs phrases.

Point **Langue**

> **LE PLUS-QUE-PARFAIT** pour raconter une expérience passée : l'antériorité dans le passé

Observez ces phrases et choisissez la bonne réponse pour compléter la règle.

Quand j'ai effectué ce stage,
*– je n'**avais** jamais **travaillé** avant.*
*– j'**avais** déjà **suivi** un stage de quinze jours dans une boutique de mode.*

Pour parler de leur expérience avant leur stage, les deux personnes utilisent **le plus-que-parfait**.

Le plus-que-parfait est un temps ☐ simple ☒ composé.

Le plus-que-parfait est formé avec l'auxiliaire ☐ au présent ☒ à l'imparfait.

S'EXERCER N° 1

5

Reliez les expressions de même sens.
1. Effectuer un stage   *d*
2. Travailler gratuitement   *e*
3. Déposer son CV   *a*
4. Le monde de l'entreprise   *b*
5. Travailler dans une boîte   *c*

a. Envoyer sa candidature
b. Le monde du travail
c. Travailler dans une entreprise
d. Suivre un stage
e. Travailler sans salaire

S'EXERCER N° 2

6

Relisez les présentations des stagiaires et trouvez quelles précisions sont données pour expliquer :
– comment Aurélia a jugé son expérience ; *positivement*
– comment Tom a obtenu le stage ; *facilet*
– comment Armelle est entrée dans une école de mode ; *brillement*
– comment Mathieu juge le monde du travail. *différent*

Point **Langue**

> **LES ADVERBES** pour donner une précision sur une action

Observez la formation des adverbes suivants et complétez la règle.

En général :	Attention :
*Gratuite**ment***	
*Positive**ment***	*Brill**amment***
*Facile**ment***	*Différ**emment***
*Immédiate**ment***	

En général, on forme l'adverbe à partir de l'adjectif
☐ au masculin. ☒ au féminin.
Sauf quand l'adjectif se termine par *-ent* : la terminaison de l'adverbe est **-emment**.
Sauf quand l'adjectif se termine par *-ant* : la terminaison de l'adverbe est **-amment**.

S'EXERCER N° 3

7 PHONÉTIQUE

Indiquez pour chaque adverbe si vous entendez : consonne + [mɑ̃] ou [amɑ̃].

8

Échangez en petits groupes.

a) Avez-vous déjà eu une expérience de stage (ou job) d'été ? Sinon, connaissez-vous quelqu'un qui a fait cette expérience ? L'expérience a-t-elle été positive ou négative ? Pourquoi ?

b) Dans quel cadre les jeunes font-ils des stages, dans votre pays ? Pensez-vous que c'est une bonne manière d'entrer en contact avec le monde de l'entreprise ? Pourquoi ?

9

Deux autres jeunes témoignent :

Choisissez un personnage et imaginez son témoignage.

Vous devez donner des indications sur :
– la rémunération ;
– le type de tâches effectuées ;
– les expériences précédentes ;
– le bilan sur le stage (positif ou négatif).

Hassan, 25 ans, *diplôme d'ingénieur en informatique, stage de 3 mois dans une société d'informatique.*

Mathilde, 23 ans, *étudiante en tourisme, stage d'un mois dans une agence de voyages.*

PARLER DE SES ACTIVITÉS PROFESSIONNELLES

10 👁

Observez le programme de télévision suivant et identifiez :
1. le type d'émission annoncée ;
2. le thème du jour ;
3. les participants.

20 h 55

C'est ma vie !

Magazine de société
Émission animée
par Mireille Alexandre

Thème : Le travail, c'est le bonheur ?

Participants : Jacques, 62 ans, *retraité et bénévole.* Nordine, 27 ans, *rentier.* Adrien, 22 ans, *étudiant et veilleur de nuit.* Rémy, 40 ans, *cuisinier et gérant d'une discothèque.*

11 🎧

Écoutez un extrait de l'émission.

a) Identifiez les deux participants qui s'expriment.

b) Choisissez dans la liste suivante un qualificatif qui peut convenir pour chacun. Justifiez votre choix.
généreux – organisé – hyperactif – paresseux

12 🎧

Vrai ou faux ? Réécoutez l'enregistrement et dites si c'est vrai ou faux.

1. Le premier homme qui parle est salarié.
2. Il travaille dans une école.
3. Il aide les enfants pour leur travail d'école.
4. Le deuxième homme travaille 35 heures par semaine.
5. Il trouve son travail difficile.
6. Il dort très peu.

13 👁

Relisez le programme et précisez qui s'exprime à chaque fois.

1.
> Moi, quand je ne fais rien, je suis malheureux ! C'est pour ça que j'ai deux emplois.

2.
> Parmi mes anciens amis, je ne vois personne depuis des semaines… Quand ils sortent, vont en boîte le samedi soir, moi je ne vais nulle part… Ou plutôt si : je vais au boulot, et c'est pénible de travailler la nuit ! Rien n'est facile quand on doit travailler pour payer ses études…

3.
> Quand j'ai eu 55 ans, personne ne m'a demandé mon avis, j'ai dû arrêter de travailler, retraite obligatoire. Mais j'ai besoin de m'occuper, de faire quelque chose d'utile…

4.
> Professionnellement, je n'ai rien fait depuis que j'ai gagné au loto, mais je suis très heureux comme ça ! Le travail, c'est plutôt ennuyeux, non ?

Point **Langue**

› LES PRONOMS INDÉFINIS

a) Observez les phrases et associez.

*J'ai besoin de faire **quelque chose**/je ne fais **rien***
*– je n'ai **rien** fait – **rien** n'est facile.*
*J'ai rencontré **quelqu'un**/je ne vois **personne** – je n'ai vu **personne** – **personne ne** m'a demandé mon avis.*
*Ils sortent **quelque part**/je ne vais **nulle part** – Je **ne** suis allé **nulle part**.*

quelqu'un et personne • • seulement sujet
quelque chose et rien • peuvent être • sujet ou complément
quelque part et nulle part* • • seulement complément

b) Classez les pronoms ci-dessous dans les trois catégories :
– personne – action/chose – lieu.

quelqu'un – nulle part – rien – quelque chose – quelque part – personne

c) Complétez la règle.

– On utilise toujours la négation ***ne*** avant le verbe avec les pronoms …, … et… .
– Le pronom indéfini complément est placé en général … le verbe.

Attention ! Au passé composé, ***rien*** est placé entre l'auxiliaire et le participe passé. Exemple : Je n'ai rien fait.

Nulle part et *quelque part* sont des locutions adverbiales de lieu.

S'EXERCER N° 4 ↻

AIDE-MÉMOIRE

Parler de sa relation au travail

J'ai besoin de m'occuper, de faire quelque chose d'utile.

Je voulais absolument faire du bénévolat.

Pour moi, **c'est vital de travailler**.

C'est très enrichissant pour moi !

C'est pénible de travailler la nuit !

Le travail, **c'est plutôt ennuyeux** !

14

Échangez en petits groupes.

a) Donnez votre avis à propos des activités des deux personnes qui témoignent. Connaissez-vous des personnes qui ont fait les mêmes choix ? Et vous, que préférez-vous ?

b) Parlez de votre relation au travail. Expliquez comment vos proches vivent leur activité professionnelle (ou leur inactivité), leur retraite...

POINT CULTURE

La durée du travail en France

A. D'après les témoignages des participants de l'émission, choisissez la réponse qui vous semble correcte.

En France, la durée moyenne du travail par semaine est de

☐ 35 heures ☐ plus de 35 heures ☐ moins de 35 heures.

L'âge minimum pour prendre la retraite est de

☐ moins de 55 ans ☐ 55 ans ☐ plus de 55 ans.

B. Lisez le texte ci-dessous et vérifiez vos réponses.

En France, l'âge de départ en retraite est de 65 ans. Mais il est possible de la prendre à 60 ans si on a travaillé suffisamment d'années. Certaines catégories professionnelles, par exemple les professeurs des écoles, ont le droit de prendre leur retraite dès 55 ans.

Chaque jour, en France, 2 200 personnes prennent leur retraite. Ces nouveaux retraités ont en moyenne 62 ans et viennent s'ajouter aux 13,2 millions de retraités recensés en 2003.

D'après *Le Point* hors-série, *24 heures en France*, sept.-oct. 2005.

C. Comparez avec la durée du travail et l'âge de la retraite dans votre pays.

S'EXERCER — Dossier 3

> Raconter une expérience passée

1. Complétez avec le plus-que-parfait.

a. Céline a obtenu le poste parce qu'elle ... (bien préparer) l'entretien d'embauche.

b. J'ai pu décrocher ce job parce que ... (rédiger) une bonne lettre de motivation.

c. Tous les étudiants de première année ont trouvé facilement un stage parce que l'école leur ... (communiquer) une liste d'entreprises.

d. Laurent n'a pas réussi son examen parce qu'il ... (arriver) en retard le jour de l'épreuve.

e. On vous a proposé d'entrer dans l'entreprise parce que vous ... (faire) du bon travail pendant votre stage l'été dernier.

> Pour parler de l'expérience professionnelle

2. Complétez le courriel avec les mots suivants : *gratuitement – une boîte – le monde de l'entreprise – suivre – stage*

Nouveau message

Salut Patrick,

Je suis super content : je viens de trouver un ... . Je vais travailler dans ... sympa qui crée des logiciels. Je vais ... ce stage en juillet et en août, dans la région lyonnaise.

Bien sûr, je travaillerai ... mais je suis quand même content parce que ce sera l'occasion de découvrir ... .

A +

Hassan

> Les adverbes

3. Complétez avec l'adverbe correspondant.

Exemple : un salut aimable → Il salue aimablement.

a. un jeu dangereux → Il joue ... .

b. une réaction violente → Il réagit ... .

c. un départ définitif → Il part ... .

d. un sourire triste → Il sourit ... .

e. une réponse négative → Il répond ... .

f. un rire bruyant → Il rit ... .

> Les pronoms indéfinis

4. Complétez avec *personne, rien, quelqu'un, quelque part, quelque chose*.

J'ai trois collègues très différents :

a. Thomas est ... qui est toujours prêt à rendre service : quand il voit que j'ai ... de difficile à faire, il me propose toujours son aide et il ne me demande jamais ... en échange.

b. Julie, elle, est très discrète. ... ne la remarque en général, mais moi je l'apprécie beaucoup.

c. Alexandra est tout le contraire : elle est très expansive, elle parle fort et quand on va ..., les gens la regardent, l'écoutent. Elle ne laisse ... indifférent.

Carnet de voyage...

LE JEU DE L'OIE SIVETÉ

TRAVAILLEZ MOINS SOUVENT POUR REJOINDRE VOTRE LIT PLUS VITE!

RÈGLE DU JEU:

☺ LANCEZ LE DÉ ET AVANCEZ VOTRE PION DU NOMBRE DE POINTS OBTENUS

☺ À CHAQUE FOIS QUE VOUS TOMBEZ SUR UNE CASE TRAVAIL, IL NE SE PASSE RIEN, VOUS BOSSEZ EN ATTENDANT LE PROCHAIN TOUR.

☺ À CHAQUE FOIS QUE VOUS TOMBEZ SUR UNE CASE ANTI-BOULOT OU UNE CASE SPÉCIALE: SUIVEZ LES INSTRUCTIONS.

☺ LE PREMIER ARRIVANT À REJOINDRE LE LIT A GAGNÉ: C'EST CELUI QUI AURA LE MOINS TRAVAILLÉ.

☺ LES PLUS FAINÉANTS PRESSÉS PEUVENT JOUER AVEC DEUX DÉS.

1.

Lisez les deux définitions, observez le jeu de l'oi(e)siveté, et expliquez son nom.

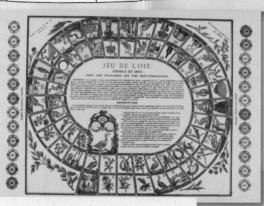

Jeu de l'oie : *n. m.* Jeu de société. Chaque joueur jette les dés pour faire avancer son pion sur un plateau, où une oie est dessinée toutes les neuf cases.

Oisiveté : *n. f.* Absence d'occupation ou d'activité professionnelle.

2.

Indiquez le numéro des cases qui évoquent : des problèmes de santé ; des problèmes sociaux ; des périodes de travail ; des périodes d'inactivité.

3.

Réunissez le matériel nécessaire pour participer au jeu de l'oi(e)siveté (un dé à jouer et des pions). Jouez... et gagnez le droit de vous reposer !

Les Français et le travail

Alors, heureux au boulot ?

Les Français sont-ils heureux dans leur travail ? Selon l'étude Accor Services publiée en 2004, la réponse est « oui, souvent » pour 49 % des salariés. 48 % d'entre eux estiment qu'ils s'impliquent* beaucoup. Mais pour près de 75 % des salariés, implication ne signifie pas toujours bonheur au travail. Par ailleurs, 10 % des personnes interrogées se disent déçues, 8 % aimeraient faire un autre travail et pensent même souvent à arrêter de travailler.

Réussissent-ils à concilier vie professionnelle et personnelle ? La réponse est « oui » pour 87 % d'entre eux. Toutefois, 23 % affirment manquer de temps, 12 % manquer d'argent, 18 % se plaignent** des problèmes causés par l'organisation de la garde et du suivi éducatif des enfants et 17 % déclarent aussi rencontrer des difficultés de transport. Enfin, 31 % des salariés assurent qu'ils consacrent trop de temps à leur travail.

D'après *Le Point* hors-série n° 4, sept.-oct. 2005.

* S'impliquer : être très actif, mettre beaucoup d'énergie dans une activité.
** Se plaindre.

4.

Lisez le texte et retrouvez le titre de l'étude présentée.

Bien-être et implication des salariés au travail

Les difficultés professionnelles des Français

Les Français et leur carrière

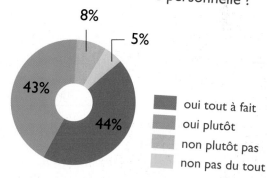

Arrivez-vous à **concilier** les exigences de votre vie professionnelle et les contraintes de votre vie personnelle ?

8%
5%
43%
44%

- oui tout à fait
- oui plutôt
- non plutôt pas
- non pas du tout

5.

Observez les schémas et trouvez à quelles parties de l'article chacun correspond.

Pouvez-vous me dire quelles sont les principales **contraintes** que vous rencontrez dans votre vie quotidienne en dehors de votre travail…

Le manque de temps	23
Des problèmes de transports	17
Le manque d'argent	12
L'éducation des enfants	9
Des problèmes de garde d'enfants	9
Des problèmes domestiques	7
Le manque de repos/fatigue	3
La solitude/éloignement familial	2
Des difficultés de logement	2

ACCOR Services

Baromètre Accor Services "Bien être et implication des salariés au travail" (nov 04)

Pensez-vous souvent, de temps en temps ou jamais que vous êtes **heureux** dans votre travail ?

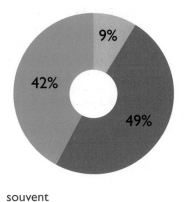

9%
42%
49%

- souvent
- de temps en temps
- jamais

ACCOR Services

6.

Échangez. En petits groupes, observez les schémas et faites le parallèle avec votre expérience et/ou celle de vos proches.

Votre travail dans le dossier 2

1 Qu'est-ce que vous avez appris à faire dans ce dossier ? Cochez les propositions exactes.

- ☑ comprendre une offre d'emploi
- ☐ exprimer des conseils
- ☐ se présenter dans une entreprise
- ☐ comprendre un contrat d'embauche
- ☐ présenter une entreprise
- ☐ rédiger une lettre formelle simple
- ☐ parler de son expérience professionnelle

2 Quelles activités vous ont aidé(e) à apprendre ? Voici une liste de savoir-faire de communication. Notez en face de chaque savoir-faire le numéro de la leçon et de l'activité qui correspondent.

- comprendre une petite annonce d'offre d'emploi — *L1-1, 2*
- comprendre des conseils dans le domaine professionnel
- décrire un profil d'emploi
- parler d'un job que l'on a fait
- reconnaître des registres de langue
- rédiger une lettre de motivation simple
- compléter un CV
- comprendre une lettre de candidature
- présenter ses points forts et parler de ses points faibles

Votre autoévaluation

1 Cochez d'abord les cases qui correspondent aux savoir-faire que vous êtes capable de réaliser maintenant et faites le test donné par votre professeur pour vérifier vos réponses. Puis, reprenez votre fiche d'autoévaluation, confirmez vos réponses et notez la date de votre réussite. Cette date vous permet de voir votre progression au cours du livre.

JE PEUX	ACQUIS	PRESQUE ACQUIS	DATE DE LA RÉUSSITE
comprendre des demandes d'emploi	☐	☐	
comprendre des annonces d'offres d'emploi	☐	☐	
comprendre une lettre de candidature	☐	☐	
compléter un curriculum vitae	☐	☐	
raconter une expérience de travail	☐	☐	
exprimer un avis sur un job	☐	☐	
donner mon opinion sur des recommandations	☐	☐	

2 Après le test, demandez à votre professeur ce que vous pouvez faire pour améliorer les activités non encore acquises.

- ☐ exercices de compréhension orale
- ☐ exercices de compréhension écrite
- ☐ exercices de production orale
- ☐ exercices de production écrite
- ☐ exercices de grammaire
- ☐ exercices de vocabulaire
- ☐ exercices de phonétique
- ☐ autres (vidéo...)

Si votre institution possède un centre de ressources, demandez au responsable de vous conseiller sur les documents disponibles en livres, cassettes audio et vidéo, CD-ROM ou sites Internet.

DOSSIER 3
Vous avez dit France ?

DELF

A2

PARLER D'UN PAYS ET DE SES HABITANTS

1 👁

Vrai ou faux ? Regardez la couverture du livre et sa présentation Internet, puis répondez.

1. Ce livre parle des Français.
2. Ses auteurs sont français.
3. Le livre analyse les caractéristiques d'une population.

2 🎧

Écoutez l'interview. Vous voulez signaler ce livre à un ami. Complétez ce mél.

Objet	Interview Europe 1

Salut !
J'ai entendu une interview ce matin, je suis sûr que ça va t'intéresser : ce sont deux ... qui sont venus en France pour ... . Ils sont restés ... et ont écrit un bouquin : « ... ». Si je le trouve aujourd'hui en librairie, je l'achète !
A +

3 🎧

Réécoutez les auteurs qui lisent l'introduction de leur livre.

a) Dites dans quel ordre apparaissent les thèmes suivants :
- la mentalité des Français ;
- les conditions de vie en France.

b) Pour chaque paragraphe, dites si l'opinion des auteurs est positive ou négative.

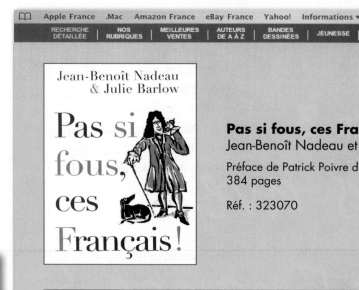

Apple France   .Mac   Amazon France   eBay France   Yahoo!   Informations ▾

RECHERCHE DÉTAILLÉE | NOS RUBRIQUES | MEILLEURES VENTES | AUTEURS DE A À Z | BANDES DESSINÉES | JEUNESSE | BONNES AFFAIRES | OCCASIONS ET LIVRES RARES

Jean-Benoît Nadeau & Julie Barlow

Pas si fous, ces Français !

Pas si fous, ces Français !
Jean-Benoît Nadeau et Julie Barlow

Préface de Patrick Poivre d'Arvor
384 pages

Réf. : 323070

Résumé

C'est bien connu : les Français fument, boivent et mangent gras. Et vivent plus longtemps que d'autres ! Ils travaillent 35 heures par semaine et sont quand même la 4ᵉ puissance économique mondiale ! Deux journalistes canadiens ont observé la France et les Français au microscope.

4 🎧

Réécoutez et choisissez, dans la liste, de quoi parlent les auteurs.

a) lorsqu'ils décrivent la mentalité des Français :
- l'accueil dans les commerces ;
- l'attitude envers l'action humanitaire ;
- l'attitude envers la politique.
- l'attitude au travail ;
- l'attitude des propriétaires de chiens ;

b) lorsqu'ils décrivent les conditions de vie :
- la santé ;
- la durée de vie ;
- le niveau de vie économique ;
- les commerces ;
- les conditions de travail ;
- le système politique ;
- les habitudes alimentaires ;
- l'histoire.

5 👁

Lisez l'extrait que vous venez d'entendre lu par les auteurs (p. 45).

a) Confirmez vos réponses à l'activité 4.

b) Relevez les informations positives et négatives données sur la France et ses habitants.

sont fous, ces **Français !**

Introduction

Imaginez un pays dont les habitants travaillent trente-cinq heures par semaine, ont droit à cinq semaines de congés payés par an, prennent des pauses déjeuner d'une heure et demie, ont une espérance de vie des plus longues malgré une tradition culinaire des plus riches. Un pays où survit le petit commerce à l'ancienne, dont les habitants adorent faire le marché le dimanche matin et bénéficient du meilleur système de santé du monde. Vous êtes en France.

Imaginez maintenant un pays dont les citoyens font preuve de si peu de civisme qu'il ne leur vient pas à l'esprit de ramasser les crottes de leur chien ni d'apporter une contribution régulière aux œuvres caritatives. Où les gens s'attendent à voir l'État s'occuper de tout puisqu'ils paient beaucoup d'impôts. Où le client est en général servi avec nonchalance, voire impolitesse. Vous êtes toujours en France.

9

* Espérance de vie : durée moyenne de vie pour une génération.
** Œuvres caritatives : aides aux défavorisés.

Point **Langue**

> PARLER D'UN PAYS

a) Relisez le texte et trouvez deux mots utilisés pour nommer les gens d'un pays :
les gens, ... , ...

b) Reliez chaque verbe à un nom.

bénéficier de •   • civisme
                      • nonchalance
avoir droit à •   • cinq semaines de congés payés
                      • un bon système de santé
faire preuve de •   • de bonnes conditions de vie

S'EXERCER N° 1 ⟲

6 ☺

Échangez. À partir des descriptions que les auteurs font de la France et des Français, trouvez-vous des différences importantes avec votre pays et ses habitants ? Dites lesquelles.

Point **Langue**

> LES PRONOMS RELATIFS *OÙ* ET *DONT* pour donner des précisions

a) Relisez l'extrait et complétez les exemples.
Imaginez un pays
... le petit commerce survit.
... le client est servi avec nonchalance.
Imaginez un pays
... les habitants travaillent
35 heures par semaine,
... les citoyens font preuve de peu de civisme.

b) Complétez la règle.
Le pronom relatif ... remplace un complément de lieu.
Le pronom relatif ... remplace un complément indirect introduit par *de*.

c) Transformez chaque série en une seule phrase pour éviter les répétitions.
C'est un pays. Les gens de ce pays sont très heureux.
C'est un pays. Dans ce pays, les conditions de vie sont agréables.

S'EXERCER N° 2 ⟲

7

2005 année du Brésil en France, 2006 année de l'Australie, 2007 année de l'Arménie... Chaque année, un pays est à l'honneur en France. Cette année, c'est votre pays qui est à l'honneur !
Écrivez un court texte pour présenter votre pays sur le site www.unpaysalhonneur.fr et donner envie aux gens de le visiter. Parlez des conditions de vie et donnez des informations sur les habitants.

DÉCOUVRIR DES STÉRÉOTYPES

8

Vrai ou faux ? Regardez cette page d'un site Internet et répondez.

1. C'est un site franco-belge.
2. Le site informe sur une ville spécifique.
3. C'est un site privé.
4. Ce site s'adresse aux gens qui habitent la région frontalière.
5. On peut écrire pour ajouter des informations.

9

a) Relisez et dites à qui s'adresse le site.

b) Relevez les formules utilisées dans le texte pour désigner les destinataires.

La frontière
Repères
Belges et Français...
Langues et patois

Us et coutumes
Les volatiles...
Les jeux
La Fête !
Le carnaval

Lille
Roubaix
Tourcoing
Mouscron
Courtrai
Bruges
Gand
Sluis
Les monts de flandre
Les moulins

Vie pratique du frontalier
Habiter
Travailler
Administration
Shopping

Sorties
Restaurants
Spectacles
Balades

Défouloir
Plan du site
Informations sur le site
Livre d'or
Liens

Cont@ct

Frontièreland
Cité frontalier

Euro-métropole Lille - Roubaix - Tourcoing - Mouscron - Courtrai

La bande dessinée HALTE DOUANE ! : *Les premières pages - cliquez ici*

Créatrice du site : Sylvie, nationalité : française – résidence : en Belgique – profession : fonctionnaire en France

Philosophie du site :
Belges et Français, ces différences qui nous rapprochent...
Ce site a une ambition : vous faire partager le bonheur de vivre dans une région frontalière riche de ses différences, de ses cultures, de ses coutumes...
Nous espérons donner envie aux gens qui ne connaissent pas cette région de venir la découvrir ; à ceux qui la connaissent un peu de la découvrir mieux ; à ceux qui la connaissent de nous envoyer leur contribution

1

Merci à celles et à ceux qui nous ont répondu. Voici le résultat du sondage.

Les Belges, des voisins sympas mais aussi de joyeux fêtards...

La Belgique :

C'est un pays où les Français vont de temps en temps, plutôt le dimanche, pour l'ambiance, pour les loisirs, pour les restaurants, les discothèques, pour acheter des produits que l'on ne trouve pas en France, pour rendre visite à la famille...

Lorsque l'on demande aux Français leur opinion sur les blagues qu'ils font sur les Belges, ils sont un peu gênés et refusent souvent de s'exprimer.

Le premier mot qui vient à l'esprit lorsqu'un Français entend le mot «belge», c'est : voisin, bière, frite, Leonidas*, blague, fête...

Les Français, des intellos plutôt accueillants...

La France :

C'est un pays où les Belges vont de temps en temps, et n'importe quand, aussi bien pour les vacances, pour faire un bon repas..., pour les loisirs, pour les restaurants, pour faire des achats, pour rendre visite à la famille...

Lorsque l'on demande aux Belges leur opinion sur les blagues que les Français font sur eux, ils les acceptent. Ils avouent même «récupérer» ces mêmes blagues pour les adapter !

Le premier mot qui vient à l'esprit lorsqu'un Belge entend le mot «français», c'est : baguette, ouvert, intellectuel, jovial, amical...

* Marque de chocolats belges vendus partout en France.

10

a) Lisez cette page qui présente les résultats du sondage et répondez.

1. L'opinion que les Belges ont des Français est-elle plutôt positive ou plutôt négative ?
2. L'opinion que les Français ont des Belges est-elle plutôt positive ou négative ?

b) Trouvez pour les deux nationalités, les stéréotypes liés aux habitudes alimentaires et à la mentalité.

11

Écoutez l'enregistrement. Dites quelle est la situation et quel est le lien avec le site.

Antoine Gysbrecht, *Halte Douane*

12

a) Réécoutez et dites quel stéréotype vous identifiez concernant les Français.

b) Relevez les expressions utilisées pour annoncer les histoires.

13

Échangez en petits groupes :

a) Est-ce que vous avez trouvé les blagues amusantes ? Y a-t-il dans votre pays un type de blagues qu'on raconte souvent ?

b) Quels sont les stéréotypes sur les Français dans votre pays ? Connaissez-vous des stéréotypes (à l'étranger), sur les habitants de votre pays ?

14

Sur l'exemple de www.frontiereland.be, vous préparez un site pour présenter une région frontalière de votre pays. Choisissez la région et les informations sur les habitants des deux côtés de la frontière (stéréotypes, etc.). Rédigez votre page de présentation.

Point Langue

> **LES PRONOMS DÉMONSTRATIFS**
CELUI, CELLE, CEUX, CELLES... **pour désigner, définir**

a) Lisez et trouvez ce que les mots en gras remplacent :

– Le site s'adresse aux gens qui ne connaissent pas la région, à **ceux** qui la connaissent un peu.

– Merci à **celles** et **ceux** qui nous ont répondu.

– Vous connaissez cette histoire ? **celle** de l'autoroute ? et **celle-ci** ? et **celle-là** ?

b) Complétez avec *celle, ceux, celles*.

	Masculin	Féminin
Singulier	*Celui*	...
Pluriel	...	...

Attention !

Celui-ci, celui-là } pour désigner.

Celui qui + verbe/phrase
Celui de + nom } pour définir, donner une précision.

S'EXERCER N° 3

S'EXERCER

> **Parler d'un pays**

1. Associez les éléments des deux colonnes pour reconstituer les phrases.

1) En France les lycéens bénéficient de — e

2) En France on a droit à — b

3) Dans cette émission les journalistes font toujours preuve de — d

4) Dans ce magasin les employés ont droit à — a

5) Les Français bénéficient de — f

6) En France les serveurs font parfois preuve de — c

a) des réductions sur les articles

b) un jour de congé si on déménage

c) manque de politesse avec les clients

d) objectivité

e) deux mois de congés en été

f) une bonne protection sociale quand ils sont malades

> **Les pronoms relatifs *où* et *dont* pour donner des précisions**

2. Transformez comme dans le modèle.

Exemple : - Allez à la caisse ; vous pouvez acheter votre billet à la caisse.

→ *Allez à la caisse où vous pouvez acheter votre billet.*

a. C'est le château ; plusieurs rois de France ont vécu dans ce château.

b. Nous voilà devant le lac ; je vous ai déjà parlé de ce lac.

c. Regardez cette pièce ; les murs de cette pièce sont couverts de miroirs.

d. Voici le parc ; les aristocrates se promenaient dans ce parc.

e. Prenez toutes les photos ; vous avez envie de ces photos.

> **Les pronoms démonstratifs**
celui, celle, ceux, celles... **pour désigner, définir**

3. Supprimez les répétitions : remplacez les éléments soulignés par des pronoms démonstratifs.

a. Moi, je collectionne les cartes postales anciennes, **les cartes** qui représentent des rues et des monuments. J'aime bien **cette carte**-ci par exemple. C'est extraordinaire de voir les Champs-Élysées sans voitures !

- Et **ces cartes**-là ?

- **Cette carte**-ci, c'est le centre de Bruxelles dans les années 30, et **cette carte**-là représente un quartier de Bruges.

b. — Comment s'appelle cet acteur belge ....

— **L'acteur** qui joue dans *Entre ses mains* ?

— Oui, c'est ça !

— C'est Benoît Magimel !

— Mais non, **cet acteur**-là, il est français !

c. — Mmmm ! J'adore ces chocolats à la menthe !

— Moi, je préfère **ces chocolats**-là, ils viennent de Belgique. En général, j'aime les chocolats qui ne sont pas aromatisés.

INFORMER SUR UN ITINÉRAIRE

1

a) Regardez la photo et imaginez la situation (où ? qui ? quoi ? à quel moment ?)

b) Écoutez l'enregistrement et vérifiez vos hypothèses.

2

a) Réécoutez l'enregistrement et trouvez quel programme les personnes ont choisi.

b) Réécoutez et relevez les phrases qui vous ont aidé(e) à choisir.

Programme

Ⓐ Randonnée itinérante

1er jour
10 h 00 : chargement des ânes et départ dans la montagne
13 h 00 : arrivée au village de Pradelles déjeuner : pique-nique dans le village
14 h 00 : départ vers le gîte pour la nuit

Programme

Ⓑ Randonnée itinérante

1er jour
10 h 00 : chargement des ânes et départ dans la montagne
12 h 00 : arrivée au village de Pradelles
Déjeuner : restaurant dans le village
14 h 00 : installation à l'hôtel

Point **Langue**

> LES PRONOMS *Y* ET *EN* pour indiquer le lieu

a) Observez ces phrases et dites ce que *en* et *y* remplacent à chaque fois.

Direction le petit village de Pradelles.

*On **y** arrivera vers 13 h 00*
☐ à Pradelles ☐ de Pradelles

*On va **y** rester trois quarts d'heure*
☐ à Pradelles ☐ de Pradelles

*On **en** repartira vers deux heures*
☐ à Pradelles ☐ de Pradelles

b) Complétez.

Pour indiquer le lieu de provenance, on utilise le pronom ... .

S'EXERCER Nº 1 ⟲

3

Lisez la page du site Internet et répondez.
1. Quel est le point commun entre ce document et la photo ?
2. À qui s'adresse ce site ?
3. Que propose-t-il ?
4. Pourquoi le document est-il en deux parties ?

4

Relisez le document.

a) Trouvez dans la rubrique « Pour la randonnée pédestre », les informations sur :
le logement – le programme proposé– la nourriture

b) Trouvez le prix pour chaque prestation lorsqu'il est précisé.

Destination : l'insolite

INFORMER SUR DES PRESTATIONS TOURISTIQUES

www.fermedemarance.fr

Ferme de Marance
Gîte rural en Cévennes
Randonnées

Partez sur les sentiers cévenols pour vivre une aventure insolite et agréable : faites une randonnée avec un âne.

Pour la randonnée pédestre

Location d'ânes
32 euros par âne et par jour

Accompagnement
- par jour : 95 euros par personne, avec demi-pension (petit déjeuner et déjeuner ou petit déjeuner et dîner).
- Possibilité de pension complète
- réduction à partir de 5 personnes
- possibilités de circuits sur plusieurs jours. Vous marchez entre 18 et 24 km par jour.
- Pour les randonnées itinérantes, l'hébergement se fait dans des gîtes ruraux, chez l'habitant ou en camping.

Le gîte

Gîte rural à louer
Ce gîte tout confort est prévu pour 4 personnes.

Prix de la location par semaine :
- 255 euros hors saison
- 290 euros en moyenne saison (mai, juin, septembre, et petites vacances scolaires)
- 320 euros en haute saison (juillet et août)

Pour nous contacter :
Jean-Christophe et Jocelyne Palmier
Ferme de Marance
48370 St Étienne - Vallée Française
Tél. 33 (0) 4 66 44 70 30

Point **Langue**

› LES INFORMATIONS SUR LES PRESTATIONS TOURISTIQUES

a) Relisez la page du site internet et reliez les éléments.

Le type d'hébergement •

Le type de séjour •

Les prix •

- en pension complète
- chez l'habitant
- à l'hôtel
- en basse saison/hors saison
- en gîte rural
- en demi-pension
- en haute saison
- en camping
- nuit + petit déjeuner
- en moyenne saison
- en location

b) Pour chaque série, dites pour quelle proposition le prix sera plus élevé.
à l'hôtel/en camping – en demi-pension/en pension complète
– hors saison/en haute saison

S'EXERCER N° 2

A. Relisez la page de la ferme de Marance et complétez avec les mots ou expressions suivantes.
itinérant (e/s) – pédestre(s) – circuit(s) – gîte(s) – chez l'habitant – parc(s)

Le tourisme vert

Très populaire en France, il permet de découvrir la nature et d'avoir des contacts avec les habitants.
On peut loger … : dans des « chambres d'hôte » (la Fédération des gîtes de France en propose environ 8 000), ou louer un … . Par exemple une maison dans une zone non urbaine (la Fédération en propose 42 000).
On peut passer ses vacances dans des zones de nature protégées : les … naturels (en France : sept … nationaux et quarante-deux … naturels régionaux).

La randonnée…

C'est l'activité de plein air n° 1 en France, avec 21 millions de pratiquants : ils marchent plusieurs heures (4 à 6 h) par jour en pleine nature, en traversant des villages sur des sentiers balisés : le chemin à suivre est signalé tout au long du parcours et il y a des cartes pour chaque région, avec les différents sentiers de randonnée. Les plus longs … permettent de visiter une région entière : les GR (sentiers de grande randonnée), par exemple, en une semaine de randonnée … .

B. Comparez les saisons touristiques et périodes de vacances dans votre pays et en France.

FAIRE UNE RÉSERVATION TOURISTIQUE

Des week-ends INSOLITES !

Vous allez vivre un week-end inoubliable...

... en dormant dans un arbre géant et en construisant votre propre cabane !

Quand vous étiez petit, vous aimiez grimper aux arbres, vous avez une âme d'aventurier...
Vous pouvez partir en vacances dans un hôtel qui propose une cabane dans les arbres, au Sénégal. Quels arbres ? des baobabs.
Après une première nuit inoubliable, vous pourrez vous sentir un vrai aventurier en participant à la construction de cabanes, avec les moyens les plus simples : bois, plantes, lianes.
Lieu : lodge dans un baobab des Collines de Niassam, au Sénégal.

▌ **Prix :** 131 € par jour en pension complète.
+ 100 € de participation aux activités de construction de cabanes et de meubles.

... en découvrant Barcelone... et le chef cuisinier le plus branché !

Vous êtes amateur d'art, vous aimez l'Art nouveau... Vous êtes fin gastronome...
Cette formule pour un week-end de 3 jours vous propose une nuit dans un hôtel ★★★ au centre de Barcelone, d'où vous pourrez visiter les principaux centres d'intérêt.
Barcelone est aussi la ville du grand chef Ferran Adria, le « meilleur cuisinier du monde », célèbre pour sa recherche gastronomique. Vous pourrez comprendre ce qui fait son succès en assistant à une journée de travail dans son « atelier », où, d'octobre à mars, il teste des techniques et met au point de nouvelles recettes avec son équipe.
Lieu : Barcelone, hôtel ★★★.

▌ **Prix :** 230 € la nuit en chambre double.
+ 90 € pour la journée dans l'atelier de Ferran Adria.

... en faisant une expérience unique et rafraîchissante !

Vous voulez fuir la canicule, vous n'êtes pas frileux... Vous aimez les expériences uniques et les séjours originaux...
Il existe plusieurs hôtels de glace dans les endroits les plus froids du monde. À l'intérieur, il fait entre - 5 °C et - 8 °C, alors que dehors, la température peut descendre jusqu'à - 40 °C.
En Suède, vous serez hébergé dans un hôtel qui fait près de 5 000 m2 et compte 60 chambres. Les verres, les lits, et même tout le mobilier sont en glace.
En arrivant à l'hôtel, vous recevrez des vêtements particuliers et des sacs de couchage, mais vous dormirez quand même bien au-dessous de 0 °C !
Lieu : hôtel de Glace à Jukkasjärvi en Suède.

▌ **Prix :** 312 € la nuit par personne

48

5 👁
Lisez ce document et répondez.
1. De quel type document s'agit-il ?
2. À qui s'adresse-t-il ?
3. Pour quoi faire ?

6 👁
a) Relisez la page et justifiez son titre. Pour chaque proposition, trouvez pourquoi elle est « insolite » (le lieu, l'hébergement, les activités...).

b) Classez les trois propositions :
- de la plus originale à la moins originale ;
- de la plus chère à la moins chère ;
- de la plus chaude à la plus froide.

7 👁
a) Retrouvez le plan de chaque proposition : donnez l'ordre des éléments suivants.
type de week-end – informations pratiques – description des personnes qui peuvent être intéressées – précisions sur le week-end
b) Relevez comment chaque proposition est annoncée.

Point **Langue**

› LE GÉRONDIF

Observez ces phrases et répondez.
*Vous allez vivre un week-end inoubliable, **en** dorm**ant** dans un arbre, **en** construis**ant** votre cabane, **en** fais**ant** une expérience unique.*

a) Dans ces phrases, le gérondif donne une précision sur :
☐ quand ? ☐ comment ?

b) Le gérondif indique une action
☐ simultanée ☐ postérieure à celle du verbe principal.
Le sujet des deux verbes est
☐ identique ☐ différent.

c) Complétez.
Pour former le gérondif, on utilise
... + participe présent.
Le participe présent = base de la ... personne du ... au présent + *ant*.

d) Dites quelle précision le gérondif apporte dans la phrase suivante : temps ou manière ?
En arrivant à l'hôtel, vous recevrez les vêtements.

S'EXERCER N° 3 ↩

8 PHONÉTIQUE

Écoutez puis répétez.

9

Échangez en petits groupes.
Lequel des trois week-ends aimeriez-vous recevoir en cadeau/offrir à quelqu'un ?
Expliquez pourquoi.

10

Écoutez l'enregistrement et répondez.
1. Qui parle à qui ? pour quoi faire ?
2. Par quel week-end de la brochure l'homme est-il intéressé ?

11

Réécoutez le dialogue et complétez le mél de réservation.

De	philippegermain@noos.fr
À	voyageinsolite@reservation.fr
Objet	Réservation

Madame,

Suite à notre conversation téléphonique, je vous confirme la réservation d'une formule hôtel*** à Barcelone pour le ... du 27 au 29 ... prochain. Nous serons 7 adultes et 5 enfants de 6 à 13 ans. Nous sommes intéressés par la ... de la ville. Nous souhaitons aussi visiter l'atelier du chef F. Adria le ... 28. Je passerai à votre agence demain pour régler le montant et retirer les billets.

Je vous remercie. Cordialement,

Pierre Germain

12

Vous travaillez pour l'agence Voyage Insolite. Vous proposez de nouveaux week-ends insolites (activités, lieu, hébergement originaux).
Rédigez la présentation de la formule selon le plan suivant :
- type de week-end/nature de la proposition ;
- description des personnes qui peuvent être intéressées ;
- description de la prestation ;
- informations pratiques (lieu, prix...).

> ## Les pronoms *y* et *en* pour indiquer le lieu

1. Devinez.

Complétez chaque devinette avec le pronom qui convient, puis trouvez de quel lieu on parle.
a. Les touristes ... montent pour voir tout Paris. → ...
b. On ... entre avec un ticket et on ... sort environ 2 heures plus tard. → ...
c. Pendant les soldes, les gens ... ressortent avec des paquets et des sacs dans les mains. → ...
d. On.... arrive sec, mais on.......repart souvent avec les cheveux mouillés. → ...
e. On se .... installe avant le décollage, on ... sort après l'atterrissage. → ...

b) Créez d'autres devinettes, sur des lieux touristiques.

> ## Les informations sur les prestations touristiques

2. Trouvez le mot ou l'expression correspondant à chaque définition.
a. Période de l'année où les prix pour les touristes sont plus élevés.
b. Hébergement avec petit déjeuner et dîner inclus dans le prix.
c. Hébergement en tente, sur un terrain aménagé.
d. Maison à la campagne qu'on peut louer pour les vacances.
e. Période de l'année où il y a moins de touristes.
f. Une chambre dans la maison d'une famille.
g. Séjour avec 3 repas par jour inclus dans le prix.

> ## Le gérondif

3. Transformez les phrases à l'aide du gérondif.
Exemple : Vous trouverez vos billets d'avion <u>quand vous arriverez à l'aéroport</u>.
→ *Vous trouverez vos billets d'avion en arrivant à l'aéroport.*
a. Vous commencerez à bien connaître la région <u>quand vous la traverserez à pied</u>.
b. J'ai rencontré cette famille <u>quand j'ai visité la région</u> pendant des vacances.
c. Vous pouvez réserver <u>par téléphone</u>.
d. N'oubliez pas de rendre les clés <u>quand vous quittez la location</u>.

S'EXERCER

Leçon 2
Dossier 3

COMPRENDRE UNE ÉTUDE COMPARATIVE

VOUS AVEZ DIT FRANCE ?

Province *n. f.* – Toute la France, en dehors de la capitale et de sa proche banlieue.

Paris-province, où vit-on le mieux en France ?

Enquête sur la qualité de vie

Nous avons mené l'enquête auprès de familles et de personnes seules, d'hommes et de femmes de métiers et de niveaux de vie différents, installés en région parisienne et en province. L'Île-de-France présente de nombreux atouts : elle possède le plus grand nombre d'entreprises et bénéficie du plus important réseau de transports en commun d'Europe. C'est la région qui offre le plus de divertissements. C'est également dans la capitale qu'on gagne le plus.

Mais à la fin du mois, c'est le couple parisien qui a le moins d'argent. En effet, c'est dans Paris et sa région que les logements sont les plus chers et le coût de la vie le plus élevé.

C'est aussi en Île-de-France que le temps de transport quotidien, individuel ou collectif, est le plus long, et son coût le plus lourd pour le budget. Sans parler de la pollution, du bruit et de la fatigue, qui placent Paris en dernier pour l'environnement.

Autant d'aspects qui expliquent pourquoi chaque année, environ quinze mille Franciliens quittent Paris et sa région pour la province.

1

Lisez la définition et le titre de l'article, puis expliquez le thème.

2 👁 👄

Lisez l'article et échangez. Dites si les résultats de l'enquête vous donnent envie de vivre à Paris. Justifiez vos réponses.

3 👁

Vrai ou faux ? Relisez l'article. Justifiez chaque réponse avec une phrase de l'article.
1. À Paris, les salaires sont moins élevés que dans toutes les autres grandes villes.
2. À Paris, il y a moins de possibilités de se divertir que dans toutes les autres grandes villes.
3. À Paris, on paie plus cher pour se loger que dans toutes les autres régions.

Extrait *Le Parisien* du 25 avril 2005.

4. À Paris, il y a **moins de** transports urbains que dans toutes les autres régions.

5. À Paris, on passe **plus de** temps dans les transports que dans toutes les autres grandes villes.

POINT CULTURE

Paris-province

A. Quand on parle en France de la « province », on fait référence à tout ce qui n'est pas l'Île-de-France.

• Relisez l'article et relevez trois expressions pour désigner ce qui n'est pas la province.

• Relevez le nom utilisé pour désigner les habitants de la région parisienne.

B. Et vous ? Vivez-vous dans un pays où les notions de « capitale » et de « province » sont importantes ? La capitale est-elle la ville la plus importante de votre pays ?

AIDE-MÉMOIRE

Parler d'une ville

Cette ville **offre** beaucoup de divertissements.

Cette ville **bénéficie d'**un important réseau de transports en commun.

Cette ville **possède** un grand nombre d'entreprises.

Cette ville **est adaptée à** une personne qui n'a pas de voiture/aux jeunes/familles.

S'EXERCER N° 1

4 👁

Observez le tableau du classement des villes et retrouvez les informations sur la vie à Paris citées dans l'article.

5 👁

a) Relisez le tableau. Trouvez les villes « championnes » pour chacun des aspects suivants.
logements sociaux - espaces verts - climat - santé - éducation

b) Trouvez quelles villes sont citées pour un point négatif.

c) Par deux, dites dans quelle ville vous conseillez de vivre aux personnes suivantes :
– Mathias, 20 ans, étudiant ;
– Florian, 16 ans, lycéen ;
– Naïma et Yann et leurs 3 enfants ;
– Arthur, 30 ans, passionné de cinéma.

Point **Langue**

› LE SUPERLATIF pour désigner les extrêmes dans un classement

Relisez l'article et le tableau de classement et complétez avec les extrêmes opposés.

Avec un adjectif	... ...	les logements **les moins** chers le temps de transport **le moins** long **le moins** bon niveau de vie
Avec un adverbe	... On sort **le plus** facilement	on vit **le moins** bien on sort **le moins** facilement
Avec un verbe	...	on gagne le moins
Avec un nom	... Le plus d'argent	**le moins de** divertissements ...

Attention ! Superlatif de *bon* → **le/la meilleur(e)**
bien → **le mieux**

S'EXERCER N° 2

6 PHONÉTIQUE

Écoutez les trois séries de phrases et complétez la règle avec [ply] [plyz] ou [plys]. On prononce
1. [...] quand *plus* sert à comparer une quantité.
2. [...] quand *plus* sert à comparer une qualité avec un adjectif qui commence par une consonne.
3. [...] quand *plus* sert à comparer une qualité avec un adjectif qui commence par une voyelle.

7 ✏

Imaginez une enquête comme celle du *Parisien*.
Faites un classement et désignez les extrêmes pour les villes de votre pays :
activités culturelles - niveau de vie - transports - tourisme - nombre d'universités - climat

8 😃

Échangez.
En petits groupes, établissez des « records » pour :
– un quartier, par rapport aux autres quartiers de votre ville ;
– votre ville, par rapport aux autres villes de votre pays ;
– votre pays, par rapport à d'autres pays.

PARLER DE SON LIEU DE VIE

9

a) Écoutez l'interview de Gérard Leroux et de Michel Clairet qui témoignent pour le dossier du journal et complétez la première partie du questionnaire du journaliste.

b) Relevez les questions du journaliste.

Gérard Leroux,
entraîneur de football

Michel Clairet,
patron d'un groupe de supermarchés

ENQUÊTE SUR LE LIEU DE VIE

1. Personne interrogée

☐ Homme   **originaire de** ☐ Paris   ☐ province

☐ Femme   **vit** ☐ à Paris   ☐ en province

2. Lieu de vie

Raisons du choix : ....

Avantages : ....

Inconvénients : ....

Point **Langue**

> *CE QUI, CE QUE... C'EST...* **pour mettre en relief**

a) Observez les deux colonnes et dites dans quelles phrases on met un élément en relief.

La circulation est insupportable	*Ce qui est insupportable, c'est la circulation*
J'apprécie la vie culturelle	*Ce que j'apprécie, c'est la vie culturelle*

b) Observez les mises en relief et complétez la règle.

Dans *ce qui/ce que*, ce = ☐ la personne ☐ la chose.

– *ce qui* est ☐ sujet ☐ COD du verbe qui suit.

– *ce que* est ☐ sujet ☐ COD du verbe qui suit.

NB. Autre usage :

Je vous demande *ce qui* vous plaît
⎱ complément du verbe *demander*
    ce que vous aimez

S'EXERCER N° 3

10

Réécoutez l'enregistrement et complétez la deuxième partie du questionnaire.

11

a) Reliez les réponses de Gérard Leroux et de Michel Clairet (quand c'est possible) aux informations données dans le classement des villes p. 52.

b) Retrouvez les appréciations de chacun sur son lieu de vie. Associez les éléments des deux séries suivantes.

1. Ce qui est insupportable à Paris, *d*

2. Ce qui me plaît en Bourgogne, *a*

3. Ce que j'aime en province, *e*

4. Ce que j'apprécie particulièrement à Paris, *c*

5. Ce qui me manque à Paris, *b*

a. ce sont les paysages.

b. c'est la mer.

c. c'est la vie culturelle.

d. c'est la circulation.

e. c'est l'état d'esprit.

12

Jouez la scène.

À votre tour, vous répondez aux questions du journaliste . Vous expliquez pourquoi/comment vous avez choisi la ville/région où vous habitez. Vous décrivez les avantages, les inconvénients, vous expliquez ce qui vous plaît ou ce qui déplaît.

En Bourgogne.

En Bretagne.

S'EXERCER

> Parler d'une ville

1. Imaginez une ville idéale ! Formulez chaque avantage avec une phrase comme dans l'exemple.

Exemple : 350 jours de soleil par an
→ *Cette ville bénéficie de 350 jours de soleil par an.*

a. nombreuses activités culturelles et sportives
b. faible taux d'accidents
c. système efficace d'aide aux personnes âgées
d. crèches et garderies pour les enfants
e. nombreux parcs et jardins
f. bus et mini-bus dans tous les quartiers

> Le superlatif

2. Observez les fiches de Jacques et Christophe. Indiquez les plus et les moins de chacun, comme dans l'exemple.

Exemple : Jacques est le plus jeune des deux. Christophe est le moins jeune.

Prénom, âge : Jacques, 35 ans

Situation de famille : Marié, 2 enfants

Salaire : 1 800 euros/mois

Nombre d'heures travaillées par semaine : 35 heures

Lieu de vie : Appartement de 80 m^2

Prénom, âge : Christophe, 42 ans

Situation de famille : Marié, 4 enfants

Salaire : 2 500 euros/mois

Nombre d'heures travaillées par semaine : 40 heures

Lieu de vie : Appartement de 130 m^2

Témoignages :

13 ✎

Vous témoignez pour un journal régional, sur la vie dans votre ville/région. Votre témoignage suit le plan suivant :
– ce qui justifie le choix de votre ville/région ;
– ce que vous appréciez dans ce lieu ;
– ce qui vous déplaît dans ce lieu.
Rédigez votre texte pour la rubrique du journal.

> Ce qui, ce que... c'est... pour mettre en relief

3. Transformez selon le modèle.

Exemple : Le climat du Nord me déplaît
→ *Ce qui me déplaît, c'est le climat du Nord.*

a. J'adore l'architecture du centre-ville.
b. L'accent marseillais m'amuse énormément.
c. L'architecture moderne de la ville me plaît bien.
d. Je déteste le bruit et la foule de la ville.
e. J'apprécie le calme de la province.
f. La pollution est très gênante pour moi.
g. La saleté de la rue me choque.

Carnet de voyage...

Quel vacancier êtes-vous ?

Avez-vous une manie en vacances ?

Marie Schlaudecker
48 ans, sans profession
Strasbourg

Je fais le tour des boutiques de souvenirs. Je suis capable d'y passer des heures. Il faut toujours que je rapporte un cadeau pour mes enfants. La plupart du temps, j'achète des bibelots : une assiette décorée, des petits couteaux, des porte-clés... L'an dernier, nous étions à Chamonix et j'ai offert des bâtons de marche pour la montagne.

Malvina Laven
32 ans, fonctionnaire de police
Paris XIII

Je ne peux pas me séparer de mon téléphone portable. Sur la plage, en famille, en balade, il est toujours branché. Mon entourage ne le supporte pas. Mes parents me font des reproches. Mais pour moi, c'est vital. J'ai besoin de rester en contact avec mes amis, peu importe le lieu où je me trouve. C'est aussi lié à ma profession. Si on a besoin de moi, on doit pouvoir me contacter à tout moment.

D'après Le Parisien – Essonne du 7 août 2004.

1.
Lisez les témoignages et associez-les aux types de vacanciers correspondants.

les maniaques de la photo

les amoureux de la routine

les adeptes de l'oisiveté

les stressés du départ

les maniaques de la carte postale

les dépendants du portable

les hyperactifs

les maniaques des souvenirs

les hypocondriaques

le « vacancier mystère »

2.
Jouez la scène !
Avez-vous une manie en vacances ? Mettez-la en scène avec une personne du groupe. À la fin de la scène, le groupe dit quel type de vacancier vous êtes.

3.
À partir d'une des scènes jouées, écrivez un témoignage comme ceux de Marie et de Malvina.

Les Français, n° 1 mondial des grandes vacances

D'après « Les Français n° 1 des grandes vacances ! » par Laurence Ollivier, chroniqueuse MSN Finances, 2006.

Le saviez-vous ?

Les Français sont parmi ceux qui ont le plus de jours de congés au monde !

D'après une étude récente réalisée par Expedia, la première agence de voyages sur Internet, les Français, avec 39 jours en moyenne de congés (30 jours de congés et 9 jours de RTT*), sont les champions du monde des vacances ! Si on compare avec d'autres pays, ils sont largement en tête, loin devant les Allemands (27 jours), les Britanniques (23 jours) et surtout les Nord-Américains : 21 jours pour les Canadiens et 12 jours pour les Américains !

La grande Bleue

Les zones touristiques préférées des Français restent les mêmes depuis 10 ans : l'Espagne, l'Italie, l'Afrique du Nord, la Grèce, le Portugal et la Turquie. L'été, les pays méditerranéens ont du succès. L'hiver, les Français préfèrent plutôt partir vers les États-Unis, les Caraïbes, l'Asie et les pays du Maghreb (Maroc, Algérie, Tunisie).

Les Français aiment partir en vacances !

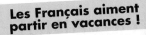

Depuis 10 ans, 60 % des Français partent en vacances chaque année. Aujourd'hui, les séjours sont plus courts mais aussi plus nombreux. Avec les RTT, les Français divisent davantage leurs congés annuels : le nombre de mini-voyages de quatre ou cinq nuits a augmenté de 20 %.

Douce France

Les Français aiment partir… d'abord en France. La majorité des Français privilégie les séjours en France (8 séjours sur 10) et en famille, surtout l'été. Les vacances à la mer représentent 39 % des longs séjours. Cependant, les séjours à thème (découverte, circuit, initiation à une activité sportive, randonnée, etc.) ou à l'étranger, se développent aussi.

… ceux qui restent

On estime que près de quatre Français sur dix ne partent pas en vacances chaque année, et un sur sept ne part jamais.

* RTT : récupération du temps de travail. Avec 35 heures de travail hebdomadaires depuis 2002, les Français bénéficient de plus de temps libre.

4.

Lisez cet article sur les vacances des Français et répondez.

a) Vrai ou faux ? L'article donne des informations :
- ☑ sur la durée des vacances des Français ;
- ☑ sur l'âge des personnes qui partent en vacances ;
- ☑ sur le pourcentage de personnes qui partent en vacances ;
- ☑ sur le projet de départ en vacances cet été ;
- ☑ sur la durée des séjours ;
- ☑ sur le budget des Français pour les vacances ;
- ☑ sur les destinations préférées.

b) Justifiez vos réponses en citant des éléments du texte.

5.

Échangez en petits groupes.

a) Quelles similitudes et quelles différences identifiez-vous entre les vacances des Français et celles des habitants de votre pays ?

b) Comment sont vos vacances, en général ? (quand ? où ? avec qui ? combien de temps ?).

Votre travail dans le dossier 3

1 Qu'est-ce que vous avez appris à faire dans ce dossier ? Cochez les propositions exactes.

- ☑ parler de déplacements
- ☐ donner des conseils de voyage
- ☐ raconter des activités de vacances
- ☐ comprendre des renseignements touristiques
- ☐ exprimer des souhaits
- ☐ écrire une lettre administrative
- ☐ parler de son lieu de vie

2 Quelles activités vous ont aidé(e) à apprendre ?
Voici une liste de savoir-faire de communication.
Notez en face de chaque savoir-faire le numéro de la leçon et de l'activité qui correspondent.

— comprendre la présentation d'un livre   *L1-3, 4, 5*

— comprendre une publicité sur un lieu touristique

— décrire des comportements, des habitudes

— comprendre une étude comparative

— comprendre une réservation touristique

— donner des renseignements touristiques

— parler de ses habitudes en vacances

— comprendre quelqu'un qui parle des stéréotypes nationaux

— comprendre quelqu'un qui parle de ses choix de lieux de vie

Votre autoévaluation

1 Cochez d'abord les cases qui correspondent aux savoir-faire que vous êtes capable de réaliser maintenant et faites le test donné par votre professeur pour vérifier vos réponses. Puis, reprenez votre fiche d'autoévaluation, confirmez vos réponses et notez la date de votre réussite. Cette date vous permet de voir votre progression au cours du livre.

JE PEUX	ACQUIS	PRESQUE ACQUIS	DATE DE LA RÉUSSITE
comprendre un échange d'informations sur les vacances	☐	☐	
comprendre des articles de presse	☐	☐	
comprendre quelqu'un qui décrit des animations de quartier	☐	☐	
raconter un séjour de vacances	☐	☐	
inviter et convaincre	☐	☐	
faire des projets d'activité de loisirs	☐	☐	
exprimer une opinion à partir d'un jeu/ test de personnalité	☐	☐	

2 Après le test, demandez à votre professeur ce que vous pouvez faire pour améliorer les activités non encore acquises.

- ☐ exercices de compréhension orale
- ☐ exercices de compréhension écrite
- ☐ exercices de production orale
- ☐ exercices de production écrite
- ☐ exercices de grammaire
- ☐ exercices de vocabulaire
- ☐ exercices de phonétique
- ☐ autres (vidéo...)

Si votre institution possède un centre de ressources, demandez au responsable de vous conseiller sur les documents disponibles en livres, cassettes audio et vidéo, CD-ROM ou sites Internet.

DOSSIER **4**
Médiamania

DELF

A 2

COMPRENDRE DES TITRES DE PRESSE

MÉDIAMANIA

DOSSIER 4

1

Échangez en petits groupes.

1. Dites comment vous vous informez, par ordre de préférence : télé, radio, presse.

2. Lisez-vous la presse régulièrement ? Achetez-vous le journal ou préférez-vous le consulter sur Internet ?

3. Quelle presse lisez-vous ? (quotidiens, journaux gratuits, hebdomadaires, mensuels).

4. Citez, par ordre de préférence, les trois rubriques que vous lisez en priorité. la une – politique – économie – éducation – société – santé – faits divers* – sports – médias – sorties et loisirs – télévision – jeux – petites annonces – météo – autre (précisez).

* Les faits divers = événements du jour ou très récents (accidents, crimes, vols, incidents insolites…).

Document 1

Aujourd'hui en France

LE **FAIT DU JOUR**	2 à 4
VOTRE **ÉCONOMIE**	5 à 7
LA **POLITIQUE**	8 et 9
VIVRE **MIEUX**	10 à 12
LES **FAITS DIVERS**	13 à 15
LES **SPORTS**	16 à 21
LE **SPORT HIPPIQUE**	22 à 26
24 HEURES **DANS LES RÉGIONS**	27
LES **SPECTACLES**	28
LA **TÉLÉVISION**	29 à 31
LES **PROGRAMMES TÉLÉ**	34
LES **JEUX**	35
LA **MÉTÉO**, L'**HOROSCOPE**	36
LE **LOTO**	15

Document 2

POINT CULTURE

La presse en ligne

Regardez ce graphique et dites si votre lecture de la presse sur Internet a évolué comme celle des Français ces dernières années.

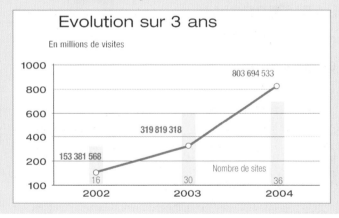

Evolution sur 3 ans

En millions de visites

803 694 533

319 819 318

153 381 568

Nombre de sites

16   30   36

2002   2003   2004

2

Observez les documents 1 et 2 et identifiez-les.

1. Ce sont deux sommaires de :
☐ magazines ☐ livres
☐ journaux quotidiens
2. Justifiez votre réponse.

3

Comparez les deux sommaires et répondez.

1. Retrouvez-vous les mêmes rubriques ? Quelles différences remarquez-vous ?
2. D'après vous, quel genre de lecteurs lisent ces deux journaux ?

Chez soi ou **en kiosque** ?

4 👁
Lisez les titres de presse et reliez-les aux rubriques du site du *Monde*.

> TÉLÉCHARGEMENT SUR INTERNET :
> **LA COLÈRE DES ARTISTES**   1.

> Manifestation cet après-midi :   2.
> **liberté, égalité, féminité !**

> **Baisse du dollar**   3.

> # Élection d'une femme   4.
> # présidente au Chili

> **Informatique**   5.
> **Apprentissage
> à l'école primaire**

> **DISPARITION   6.
> D'ESPÈCES
> ANIMALES**
> Appel du
> **WWF**

> **DÉCOUVERTE   7.
> D'UN SATELLITE
> DE PLUTON**

> **Changement de   8.
> temps :**

> **Sortie   9.
> du dernier film
> de Spielberg**

> **Victoire de l'équipe   10.
> de France de handball**

> **DÉMISSION DU PRÉSIDENT   11.
> D'AIR FRANCE**

> **CONTESTATION À LA   12.
> COMMISSION EUROPÉENNE**

5 🎧 👁
Écoutez l'enregistrement et associez les informations données à la radio aux titres de presse.

6 ✏ 🗣
a) Imaginez. En petits groupes, formulez des titres pour le journal en ligne **@ujourd'hui. Vous pouvez aussi imaginer les titres d'un faux journal.**
b) Jouez la scène. Développez vos titres de presse pour le journal à la TV ou à la radio. Présentez l'actualité face à la classe.

Point **Langue**

> ### ❯ La nominalisation

Trouvez dans les titres de presse les noms qui correspondent à l'information soulignée, puis complétez la règle.

Le froid polaire <u>arrive</u>	***Arrivée du*** froid polaire
Les femmes <u>manifestent</u>	... ***des*** femmes
Le dollar <u>baisse</u>	... ***du*** dollar
Le temps <u>change</u>	... ***de*** temps
Les enfants <u>vont apprendre</u>	... à l'école primaire

Pour annoncer rapidement une information, on peut la présenter de deux façons : avec un ... ou avec un ... .

> ### ❯ Le genre des noms

a) Identifiez le genre (masculin ou féminin) des noms suivants.
Vous pouvez vous aider du lexique (p. 182-192).
téléchargement – apprentissage – changement – manifestation – élection – liberté – égalité – disparition – arrivée – baisse – sortie – victoire – féminisme – optimisme
Exemple : téléchargement ➜ masculin

b) Complétez la règle avec les terminaisons suivantes : -*ion*, -*ment*, -*ée*, -*age*, -*ique*, -*té*, -*ie*.
Les terminaisons des noms indiquent leur genre :
Sauf exceptions, les noms qui se terminent en -*isme*, - ..., - ... sont masculins.
Sauf exceptions, les noms qui se terminent en -*sse*, -*oire*, - ..., - ..., - ..., - ... sont féminins.

S'EXERCER N°ˢ 1 et 2

DONNER SON OPINION SUR UNE ÉMISSION

TF1	France 2	France 3	CANAL+	arte	M6
Divertissement 20 h 50 Qui veut gagner des millions ? Émission spéciale *Restos du cœur*	**Téléfilm 20 h 40** Commissaire Maigret	**Débat 20 h 45** 100 minutes pour convaincre	**Série 20 h 50** 24 heures chrono	**Documentaire 20 h 40** Les mystères du Nil	**Téléréalité 20 h 50** On a échangé nos mamans

7

Observez le programme de télévision. Dites quel programme vous avez envie de regarder ce soir et pourquoi.

8

Écoutez l'enregistrement et répondez.
1. Edmond, Sonia et Corinne sont
☐ à la télévision ☐ chez eux, au téléphone
☐ à la radio
2. Ils parlent d'une ☐ émission de télévision
☐ émission de radio ☐ enquête sur la télévision

9

Réécoutez l'enregistrement et regardez le programme.
a) Entourez l'émission dont chaque personne parle.
b) Dites pour chaque personne si elle a une opinion positive ou négative de l'émission.

10

Réécoutez et identifiez qui évoque :
– la présence de scènes violentes dans l'émission ;
– le succès de l'émission ;
– les candidats de l'émission ;
– l'originalité de l'émission.

Point **Langue**

› PARLER DE LA RADIO ET LA TÉLÉVISION

a) Associez.

Un spectateur/ une spectatrice	• regarde une émission	• sur une station	• de télévision.
Un auditeur/ une auditrice	• écoute une émission	• sur une chaîne	• de radio.

b) Associez les types d'émission de télé et leur fonction.

Dans un reportage, • • on discute, on échange des opinions.

Dans un documentaire, • • on parle de la vie des gens et de thèmes de société.

Dans un téléfilm, une série, • • on témoigne sur un sujet particulier.

Dans un magazine de société, • • on montre la vie des gens comme un spectacle.

Dans une émission de téléréalité, • • on raconte une histoire.

Dans un débat, • • on informe sur un événement de l'actualité.

S'EXERCER N° 3

› LA MISE EN RELIEF

Observez et complétez la règle :
– *C'est* l'ignorance des candidats **qui** me choque.
– *C'est* la violence de certaines scènes **que** je n'accepte pas.
– *Ce sont* les émissions comme ça **qui** marchent.
Pour mettre en relief le sujet du verbe, on utilise
C'est /*Ce sont* + nom/pronom + ... + verbe. *Exemple(s) n°(s) : ...*
Pour mettre en relief le cod du verbe, on utilise :
+ nom/pronom + ... + verbe. *Exemple(s) n°(s) : ...*

S'EXERCER N° 4

11 PHONÉTIQUE

pe 4

a) Écoutez la mélodie des énoncés. Soulignez le groupe de mots où la voix est la plus haute.

Exemple : Ce sont les émissions <u>comme ça</u> qui marchent.

1. C'est l'ignorance de la plupart des candidats qui me choque le plus.

2. C'est l'originalité de l'émission qui m'a plu, c'est ça que j'aime avant tout.

3. C'est la violence de certaines scènes que j'accepte pas.

b) Lisez les énoncés en respectant le rythme et la mélodie.

12 🔊

Jouez la scène.

Pour l'émission « Planète Télévision », vous laissez un message sur le répondeur téléphonique à propos d'une émission que vous venez de regarder. Vous donnez votre nom, puis vous exprimez vos réactions et votre opinion sur l'émission.

Le paysage audiovisuel français

A. Les chaînes nationales majeures

• **Comparez la liste des chaînes nationales majeures et le programme de télévision ; trouvez quelle chaîne n'émet pas le soir.**

Cette chaîne, à dominante culturelle/éducative partage un canal avec une autre chaîne, également à dominante thématique, culturelle.

• **D'après le programme, pouvez-vous dire laquelle ?**

B. Les chaînes thématiques

Elles représentent 11,2 % d'audience en 2004. Elles sont nombreuses : treize chaînes consacrées au cinéma, douze aux programmes pour la jeunesse, neuf à la musique, huit au documentaire et sept au sport.

C. Dans le monde

TV5 est une chaîne française qui diffuse, dans le monde entier, des programmes des chaînes nationales de télévision de France, de Belgique, de Suisse et du Québec (province francophone du Canada).

S'EXERCER

Leçon 1 — Dossier 4

> La nominalisation

1. a) Transformez comme dans l'exemple.

Exemple : Le Tour de France part demain.

→ *Départ du Tour de France demain.*

a. La fusée Ariane a été lancée hier.

b. Le tour de France arrive dimanche.

c. Un reporter d'Europe FM a disparu depuis deux jours.

d. Le salaire minimum a augmenté de 2 %.

e. On passe dimanche à l'heure d'été.

f. Le dernier album de Tété sort dans une semaine.

g. On va construire un nouvel aéroport.

b) Trouvez le nom qui correspond à la définition.

Exemple : C'est quand l'avion décolle.

→ *Le décollage.*

a. C'est quand ça diminue.

b. C'est quand on télécharge.

c. C'est quand on progresse.

d. C'est quand on apprend.

e. C'est quand on est tous égaux.

f. C'est quand on dicte quelque chose.

g. C'est quand on répare quelque chose.

> Le genre des noms

2. Choisissez l'article qui convient pour les titres de presse suivants.

a. Le/la socialisme à la suédoise

b. École : pour un/une égalité des chances

c. Bourse : un/une baisse spectaculaire

d. Gouvernement : le/la nomination du Premier ministre est imminente.

e. Sports : le/la victoire surprise de l'équipe de France

f. Économie : le/la mariage de deux géants du textile

> La radio et la télévision

3. Complétez avec les mots suivants (faites les accords nécessaires) : émission – chaîne – débat – regarder – écouter – auditeur – magazine – documentaire.

a. – Tu connais le … de Patrick Poivre d'Arvor ?

– Sur quelle … ?

– Sur TF1, bien sûr !

– Ah non ! C'est une … littéraire ?

– Non, c'est un magazine, il y a toujours un … d'abord, puis un … ensuite. C'est tous les jeudis à 23 h, tu devrais le … !

b – Je n'ai pas la télé chez moi, mais j'adore la radio ! Il y a une … que j'apprécie particulièrement, je le/la/l'… tous les jours. La journaliste choisit chaque jour un thème de la vie, elle invite un psychologue, un coach ou un médecin et les … peuvent téléphoner pour témoigner. Hier, le thème, c'était la jalousie.

> La mise en relief

4. Transformez comme dans l'exemple.

Exemple : <u>La vulgarité de l'émission</u> me dérange.

→ *C'est la vulgarité de l'émission qui me dérange.*

a. <u>Le programme de demain</u> me convient très bien.

b. J'adore <u>les émissions de téléréalité</u>.

c. Je regarde <u>le premier documentaire sur cette région</u>.

d. <u>Les thèmes de ce débat</u> m'ont beaucoup intéressé.

e. La téléréalité met en scène <u>les gens ordinaires</u>.

f. <u>Les nouveautés</u> intéressent les spectateurs.

COMPRENDRE DES ÉVÉNEMENTS RAPPORTÉS

MÉDIAMANIA

Un automobiliste britannique blessé par une saucisse

Un automobiliste britannique a eu le nez cassé, dans sa voiture, par une saucisse surgelée ! Le blessé, un homme de 46 ans, rentrait chez lui lundi soir, à South Woodham Ferrers (Essex), quand le projectile est entré par la fenêtre ouverte de sa voiture et lui a cassé le nez. Apparemment, la saucisse avait été jetée par

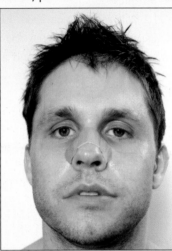

la fenêtre d'une voiture qui arrivait dans l'autre sens. Le conducteur a été transporté à l'hôpital avec le nez cassé. « C'est incroyable, une saucisse qui rentre dans une voiture qui roule ! » a déclaré l'ambulancier qui n'avait jamais entendu une histoire pareille.
La police a ouvert une enquête.

On a volé la voiture de Harry Potter !

Au moment où tous les fans attendent la sortie du 4e film des aventures de Harry Potter, on apprend que la voiture volante du 2e film a été dérobée dans les studios du sud-est de l'Angleterre où elle était entreposée.
Le véhicule bleu, qui était en mauvais état, a disparu entre mercredi après-midi et jeudi après-midi, a précisé un porte-parole de la police.
« Nous croyons qu'elle ne pouvait pas être conduite, et nous soupçonnons donc qu'elle a été soulevée et emportée par les voleurs, sans doute des collectionneurs. »
Une enquête a été ouverte par la police de Cornouailles.

1

Observez cette page de magazine.
1. Choisissez le titre de la rubrique dans le journal :
☐ la semaine sociale
☐ la semaine insolite
☐ la semaine européenne
2. Dites de quel genre d'articles il s'agit.

2.

Lisez les articles et trouvez, pour chacun, si les éléments suivants apparaissent et dans quel ordre.
– Événement principal (ce qui s'est passé).
– Contexte/circonstances de l'événement.
– Conséquences/suites de l'événement.
– Cause de l'événement.

3

a) Observez la progression du récit.
Dans chaque article, trouvez le « héros » du fait divers puis relevez toutes les expressions qui le désignent dans la suite de l'article.
Article 1 : un automobiliste britannique → ...
b) Retrouvez la chronologie des événements dans le premier article.
Dites si l'ordre des dessins est correct. Justifiez votre réponse.

1.

2.

3.

2-3-1

DANS LES MÉDIAS

Point **Langue**

> **LES TEMPS DU PASSÉ pour raconter un fait divers**

Relisez les faits divers et complétez la règle avec : l'imparfait - le passé composé - le plus-que-parfait. Puis, donnez des exemples.

Quand on raconte dans le passé,

– on utilise ... pour indiquer les événements principaux, dans l'ordre chronologique.

Exemples : ...

– on utilise le ... pour parler des circonstances.

Exemple : ...

– on utilise le ... pour donner une explication, indiquer un événement antérieur.

Exemple : ...

– on utilise le ... ou le présent pour indiquer les conséquences ou suites.

Exemple : ...

S'EXERCER N° 1

4

Écoutez l'enregistrement et répondez.
Cet enregistrement vient de
☐ la télévision ☐ la radio ☐ Internet.
C'est ☐ une émission sur l'Angleterre ☐ un flash d'informations ☐ un reportage sur le cinéma.

5

Relisez l'article, réécoutez l'enregistrement pour relever les précisions supplémentaires.

6

Observez les phrases suivantes, relisez l'article et trouvez des phrases de même sens.
1. On a volé la voiture de Harry Potter.
2. On imagine que les voleurs ont soulevé la voiture. 3. La police a ouvert une enquête.

7 PHONÉTIQUE

a) Écoutez et notez les enchaînements vocaliques.

Exemple : Une enquête a_été_ouverte.

1. Henri a été alerté à huit heures.
2. Le requin hawaïen a été récupéré en haute mer.
3. André a eu un doigt cassé à un arrêt de bus.
4. Le blessé a été autorisé à parler.

b) Répétez sans interrompre la voix.

8

Échangez. Racontez un/des fait(s) divers que vous avez entendu, lu, vu ou vécu.

9

Imaginez en petits groupes ! Vous travaillez pour le magazine *Courrier du monde*, à la rubrique des faits divers. Choisissez un titre ci-dessous. Imaginez les événements principaux, les circonstances, la (les) cause(s), les conséquences ou suites de l'événement. Rédigez l'article.

Titre 1 : Un homme retrouvé les doigts coincés dans un distributeur de billets.
Titre 2 : Tempête de sable à Pékin.
Titre 3 : Une femme accouche dans l'océan Pacifique au milieu des dauphins.

Point **Langue**

> **LA FORME PASSIVE**

a) Observez les groupes de phrases et relevez les différences.

On a dérobé la voiture. *La voiture a été dérobée.*
Les voleurs ont soulevé la voiture. *Elle a été soulevée par les voleurs.*
La police a ouvert une enquête. *Une enquête a été ouverte par la police.*

Les phrases de gauche sont exprimées avec un verbe à la ***forme active***, les phrases à droite avec un verbe à la ***forme passive***.

b) Complétez la règle avec : sujet-COD

Le ... de la phrase active devient le ... de la phrase passive.

c) Précisez le temps des verbes et complétez.

– Un verbe à la forme passive est formé avec le verbe ... au présent, au futur, au passé composé, etc. + le participe passé du verbe.

– Le participe passé s'accorde avec le ... .

d) Relevez les quatre autres verbes à la forme passive dans les deux articles. Précisez à chaque fois le temps du verbe.

Attention ! Quand l'information est donnée avec un verbe à la forme passive, souvent on ne précise pas qui fait l'action.

Exemple : Il a été transporté à l'hôpital.

Quand on précise qui/ce qui fait l'action, on l'indique avec la préposition *par*. C'est le complément d'agent.

Exemple : Une mallette qui avait été oubliée par un chef d'entreprise.

S'EXERCER N°S 2 et 3

TÉMOIGNER D'UN ÉVÉNEMENT

10
Écoutez les enregistrements et répondez.
1. Où se trouve Maxime ?
2. Dans la deuxième situation, pourquoi est-il là, que fait-il ?

11
Réécoutez la 2e situation et complétez la déclaration. Choisissez quel avis de recherche l'agent va lancer.

1.
AVIS DE RECHERCHE

Signalement
Deux voleurs à moto
Conducteur : femme
Femme à l'arrière : casque à dessins rouges blouson noir – cheveux longs blonds
Moto : marque : Honda – modèle : CG125

2.
AVIS DE RECHERCHE

Signalement
Deux voleurs à moto
Conducteur : homme
Femme à l'arrière : casque à dessins rouges – blouson noir – cheveux longs blonds
Moto : marque : Honda – modèle : CG125

3.
AVIS DE RECHERCHE

Signalement
Deux voleurs à moto
Conducteur : homme
Femme à l'arrière : casque à dessins rouges – blouson rouge – cheveux longs bruns
Moto : marque : Honda – modèle : CG125

12
Réécoutez le dialogue et relevez les phrases où Maxime donne des précisions sur les personnes et le véhicule.

RÉPUBLIQUE FRANÇAISE
Liberté • Égalité • Fraternité

RÉCÉPISSÉ DE DÉCLARATION

République française
Ministère de l'Intérieur

M. **Maxime Hervieu**, âgé de 21 ans
Demeurant 15, rue Jean-Jaurès, à Brunoy

A déclaré avoir été victime de :
☐ vol simple   ☐ vol avec violence   ☐ agression
Le mardi _____ à _____ h _____. _____ à Brunoy.
Détails sur le délit : téléphone mobile arraché par _____.
Conséquences : perte : À ÉVALUER dégâts : AUCUN
blessure : NON

Plainte déposée le _____
Sous le numéro 2006/_____
Fait à BRUNOY, le _____
L'agent de police judiciaire

Point **Langue**

> **RAPPORTER UN ÉVÉNEMENT, TÉMOIGNER**

1. *Personnes et actions*

a) **Associez personnes et actions.**

Personnes	Actions
Un voleur •	• Déposer une plainte
Une victime •	• Enregistrer une plainte
Un agent de police •	• Commettre un délit

b) **Dites quelle(s) action(s) est/sont faite(s) au commissariat.**

2. *L'accord du participe passé*

a) **Reliez les informations de la déclaration de Maxime.**

J'ai entendu la moto. •	• Ils étaient deux.
Je les ai vus. •	• C'était une Honda.
La femme que j'ai aperçue. •	• Elle avait des cheveux longs, blonds.
Je l'ai reconnue. •	• Elle arrivait à toute vitesse.

b) **Observez le participe passé des verbes au passé composé et complétez la règle.**

Pour les temps composés avec le verbe *avoir*, le participe passé s'accorde avec le complément d'objet direct ☐ placé avant le verbe
☐ placé après le verbe.

S'EXERCER Nᵒˢ 4 et 5

13 🗣️
Jouez la scène.
Vous venez d'être témoin d'un vol (vélo, sac, baladeur MP3, téléphone ou ordinateur portable, etc.). Un policier vous questionne sur ce que vous avez vu. Vous racontez les faits et leurs circonstances.

14 ✏️
Vous écoutez l'échange avec le policier. Par deux, rédigez le récépissé de la déclaration d'un des témoins.

RÉCÉPISSÉ
DE DÉCLARATION

République française
Ministère de l'Intérieur

15 ✏️
Vous avez été témoin d'un vol ou d'un incident en ville aujourd'hui. Vous le racontez dans un message à un(e) ami(e).

S'EXERCER

> Les temps du passé pour raconter un fait divers

1. Conjuguez les verbes aux temps qui conviennent.
a. Le pilote d'un petit avion qui ... (décoller) de Marseille 10 minutes plus tôt et ... (se diriger) vers Paris, ... (devoir) se poser hier soir en catastrophe sur l'autoroute A75 parce qu'il ... (avoir) des problèmes de moteur. Au même moment, une voiture ... (arriver) en sens opposé ; heureusement, le conducteur ... (réussir) à freiner pour l'éviter. Les deux hommes ... (avoir) très peur mais ils ... (repartir) indemnes.
b. Hier au Salon de l'agriculture, la vache qui ... (recevoir) le 1er prix la veille, ... (disparaître) mystérieusement. Son propriétaire ... (partir) déjeuner. À son retour, il ... (constater) qu'il ... (manquer) une de ses trois vaches et ... (prévenir) la police, qui ... (chercher) l'animal dans l'ensemble du Salon. À cette heure, on ... (ne pas retrouver) la vache.

> La forme passive

2. Transformez ces titres de presse à la forme passive ou active.
Exemple : La police a découvert le tableau de Picasso volé le mois dernier.
➔ *Le tableau de Picasso volé le mois dernier a été découvert par la police.*
a. On a retrouvé une valise pleine de billets de banque dans une poubelle.
b. La Banque du Nord a été cambriolée la nuit dernière.

c. Plusieurs maisons ont été endommagées par la tempête d'hier.
d. Un nouveau système de contrôle des bagages sera installé le mois prochain dans les aéroports.
e. Le ministre de l'Éducation inaugurera ce matin le Salon de l'éducation et de la formation professionnelle.

3. Conjuguez les verbes à la forme passive ou active aux temps qui conviennent.
Exemple : Hier, à l'heure où les visiteurs du musée du Louvre se dirigeaient vers les sorties...
Panique au musée du Louvre
Hier, à l'heure où les visiteurs du Louvre ... (se diriger) vers les sorties, l'alarme générale ... (déclencher) par un homme qui ... (décrocher) un tableau de Cézanne, *Les Joueurs de cartes*. La police ... (prévenir) immédiatement et toutes les sorties ... (bloquer), mais l'homme ... (réussir) à se cacher dans le musée pendant plusieurs heures ! On le ... (retrouver) finalement vers 22 heures ; il ... (trouver) une bonne cachette dans une des salles de réserve des tableaux, où il ... (passer) le temps à admirer les toiles. Le tableau de Cézanne ... (récupérer) en bon état, mais l'homme, grand amateur d'art, ... (emmener) au commissariat de police.

> Rapporter un événement

4. Trouvez le mot ou l'expression qui correspond à chaque définition.
Exemple : Faire une chose interdite par la loi ➔ *Commettre un délit.*
a. Une personne qui travaille pour la sécurité des gens.
b. Rapporter l'événement dont on a été victime à un agent de police.
c. Le lieu où travaillent les agents de police.
d. Le papier officiel qui rapporte un vol ou une agression.
e. Une personne qui prend des choses qui appartiennent aux autres.
f. Une personne qui a été volée, agressée ou qui a eu un accident.

5. Choisissez la forme correcte pour chaque participe passé.
Exemple : Est-ce que vous avez vu les voitures ... ?
a. — Est-ce que vous avez vu/vue/vus/vues les voitures au moment de l'accident ?
— Je les ai entendu/entendue/entendus/entendues mais je ne les ai pas vu/vus/vues
b. — Pouvez-vous décrire les voleurs ?
— Pas très bien, je les ai seulement aperçu/aperçue/aperçus/aperçues.
c. — Regardez cette photo, avez-vous déjà rencontré/rencontrée/rencontrés/rencontrées cette personne ? — Oui, c'est bien la personne que nous avons trouvé/trouvée/trouvés/trouvées dans le magasin en arrivant.
d. — Qu'est-ce que tu as fait après le vol ?
— Au commissariat, j'ai déposé/déposée/déposés/déposées une plainte. L'agent l'a enregistré/enregistrée, puis je l'ai signé/signée/signés/signées.

COMPRENDRE LA PRÉSENTATION D'UN FILM

.Ciné Cinémas

MAI N° 248

CANNES, CAPITALE MONDIALE DU CINÉMA

La 58e édition du Festival international du film se déroule cette année du 11 au 22 mai. Le festival le plus célèbre au monde a été ouvert mercredi soir par l'actrice indienne Aisharya Rai et le réalisateur américain Alexander Payne. Le jury, réuni cette année sous la présidence d'Emir Kusturica, devra décerner la Palme d'or à un des 21 films en compétition, au cours de la soirée de clôture du festival, le 22 mai.

Les frères Luc et Jean-Pierre Dardenne, cinéastes belges, ont monté ce soir les marches du palais des Festivals, pour la projection de leur film *L'Enfant*, accompagnés des acteurs Jérémie Rénier et Déborah François. Les deux réalisateurs ne sont pas des débutants à Cannes, où on se souvient d'eux : ils ont remporté la Palme d'or il y a six ans, pour leur film *Rosetta*.

Dans *L'Enfant*, Jérémie Rénier joue le rôle de Bruno, un jeune homme de 20 ans qui vit de vols et de trafics. Sa petite amie Sonia, 18 ans, vient de donner naissance à leur fils, Jimmy, mais Bruno ne s'occupe pas de lui et ne semble pas prêt à être père.

Après la projection, les frères Dardenne ont salué les admirateurs sur les marches. Les journalistes se sont adressés à eux pour leur demander comment est née l'idée du film.

« Nous avons eu l'idée de ce film en voyant passer et repasser une jeune fille qui promenait un enfant dans un landau ; souvent nous avons pensé à elle, à ce landau, à l'enfant endormi et à celui qui n'était pas là, le père de l'enfant. » *L'Enfant*, c'est une histoire d'amour qui est aussi l'histoire d'un père.

1 👁

Lisez la une du journal et l'article. Identifiez les personnes sur la photo et dites pourquoi on parle d'elles.

2 👁

Relisez l'article et complétez la première partie de la fiche du film (la fiche technique).

Diaphana : distribution production de films cinema

http://www.diaphana.fr/fiche.php?pkfilms=132   Q▾ Google

ACTUS   A L'AFFICHE   PROCHAINEMENT   BOUTIQUE   CATALOGUE   PRESSE

L'enfant

Un film de _____
Avec : _____ (dans le rôle de Bruno)
et _____ (dans le rôle de Sonia).

Production : LES FILMS DU FLEUVE & ARCHIPEL 35

🎬 La bande annonce
📷 Les photos du film

Synopsis

Bruno, vingt ans. Sonia, dix-huit ans. Ils vivent des aides financières reçues par Sonia, des vols commis par Bruno et sa bande.

POINT CULTURE

Le festival de Cannes

A. Relisez les documents et choisissez l'information correcte.

Depuis 1946, le Festival international du film de Cannes a lieu chaque année au mois de **mai/juin/juillet**. Pendant **8/10/12 jours**, des professionnels de la communication et quelques privilégiés sont invités à voir des films ou des projections privées au **palais des Congrès/palais des Festivals/palais de la Culture**. Un **comité/un jury une équipe**, dont le président est nommé tous les ans, décerne différents prix parmi les films en compétition. La plus haute récompense est **le Lion d'or/l'Ours d'or/ la Palme d'or** qui est décernée au meilleur film du festival.

FESTIVAL DE CANNES

B. Trouvez dans la liste suivante d'autres villes dont le nom est associé à un festival de cinéma.
Berlin – Rome – Venise – Londres – Toronto – Rio de Janeiro – Deauville – Marrakech

C. Dites s'il existe dans votre pays une manifestation similaire au festival de Cannes.

3
Écoutez l'enregistrement.
a) Dites qui parle.
b) Complétez la deuxième partie de la fiche du film (le synopsis).

Point **Langue**

› LES PRONOMS PERSONNELS APRÈS *de* ET *à*

a) **Observez les phrases suivantes et trouvez dans l'article quel mot les pronoms soulignés remplacent.**

On se souvient d'eux.   *Ils se sont adressés à eux.*
Il ne s'occupe pas de lui.   *Nous avons pensé à elle.*

b) Complétez les listes avec les verbes ci-dessus.

Verbes construits avec *de*		Verbes construits avec *à*	
parler			
avoir besoin	de quelqu'un	...	à quelqu'un
rêver			
se désintéresser		s'intéresser	
...	de quelqu'un	...	à quelqu'un
...			

c) **Complétez la règle des pronoms utilisés pour représenter des personnes.**
Rappel : La majorité des verbes de construction indirecte avec *à* fonctionnent avec les pronoms personnels indirects *me*, ..., .., *nous*, *vous*, ..., placés avant le verbe.
Ils ont parlé aux réalisateurs. ➜ *Ils leur ont parlé.*
Mais
– Pour les verbes pronominaux et le verbe ..., on utilise la construction *à* + pronom tonique (*moi*, *toi*, ... / ..., *nous*, *vous*, ... /*elles*).
– Pour tous les verbes construits avec *de*, on utilise les pronoms toniques.

S'EXERCER N° 1

Point **Langue**

› PARLER DU CINÉMA

Retrouvez les mots du cinéma dans les documents. Associez pour indiquer la fonction de chaque personne ou document.

Un acteur •   • présente les dialogues du film.
Un producteur •   • résume l'histoire du film.
Un réalisateur •   • présente le film en vidéo ou à la radio.
Un scénario •   • joue un rôle dans le film.
Une fiche technique • • donne des informations sur le film.
Un synopsis •   • fait/tourne le film.
Une bande-annonce •   • finance le film.

S'EXERCER N° 2

4
Imaginez ! Vous travaillez pour le magazine *Studio Ciné*. Rédigez la fiche de présentation d'un film de votre choix (fiche technique et synopsis).

EXPRIMER DES APPRÉCIATIONS SUR UN FILM

5 🎧
Écoutez l'enregistrement et complétez la dépêche de presse.

Palmarès Cannes 2005
...: L'Enfant des frères Dardenne
Prix d'interprétation masculine :
Tommy Lee Jones, pour son rôle dans son film Trois Enterrements
Prix d'interprétation féminine :
Hannah Laslo pour son rôle dans Free Zone d'Amos Gitaï

AIDE-MÉMOIRE

Annoncer un palmarès

Une personne ou un film **remporte/gagne/obtient** un prix ou une récompense.

Un prix ou une récompense est **attribué** / est **décerné** / **revient** à une personne ou un film.

ALLOCINE.COM
Par téléphone : 0 892 892 892

L'Enfant ➕ ajouter à **MES FILMS** ▸ aide

| Accueil | Séances | Bandes annonces | Galerie Photos | Casting complet | Secrets de tournage | Critiques presse | Critiques spectateurs | Box Office | Forums | Blogs | Disponible en DVD ! | Posters |

Critiques Spectateurs ▸ Ecrivez votre critique !

Pascal, *Paris* Magnifique ! Tout simplement magnifique ! Je ne suis pas près d'oublier certaines scènes du film ! Par exemple, la séquence où Bruno abandonne son enfant dans un appartement, ou bien encore quand il vient le récupérer chez des voyous. Pour moi, ce sont là de grands moments de cinéma.

Wahida, *Grenoble* C'est le film qui a remporté la Palme d'or, alors je suis allée le voir mais j'ai été très déçue : c'est plutôt un documentaire, il n'y a pas de vrai scénario, pas de musique, pour moi, ce n'est pas du cinéma ! Par contre, j'ai apprécié l'interprétation de la comédienne qui joue le rôle de Sonia.

Jérémy, *Marseille* Moi, j'avais lu certaines critiques négatives, mais j'ai voulu le voir parce que j'aime bien les réalisateurs. Et effectivement, j'ai trouvé ce film long et sans grand intérêt. Il y a de l'émotion, du suspens, mais je pense que le film ne méritait pas la Palme.

Flore, *Saint-Brieuc* Moi, j'ai été très émue, c'est réaliste, plein de sensibilité et d'émotion. J'ai ADORÉ ! Et puis Jérémie Rénier et Déborah François sont des acteurs formidables. À voir absolument !

Sandra, *Brest* Je ne suis pas une fanatique des frères Dardenne et je n'avais pas aimé les précédents films, je suis donc allée voir *L'Enfant* sans conviction... Et là, quelle surprise ! C'est un film riche et émouvant et les acteurs sont excellents ; il y a des scènes trop longues, mais c'est un film que je recommande !

6 👁

Lisez les commentaires des spectateurs à propos du film.

a) Trouvez le symbole correspondant à l'appréciation de chaque spectateur.

très positif ★★★★ – assez positif ★★★☆ – mitigé ★★☆☆ –
plutôt négatif ★☆☆☆

b) Identifiez les réactions de chaque personne.

	Enthousiasme	Déception	Surprise
Pascal			
Wahida			
Jérémy			
Flore			
Sandra			

Point **Langue**

› EXPRIMER DES APPRÉCIATIONS SUR UN FILM

Classez les formules suivantes en deux catégories : appréciations positives ou négatives.

– de grands moments de cinéma – il n'y a pas de vrai scénario – Je ne suis pas près d'oublier certaines scènes – j'ai apprécié l'interprétation de la comédienne – j'ai trouvé ce film long et sans grand intérêt – ce n'est pas du cinéma – à voir absolument ! – il y a des scènes trop longues – les acteurs sont excellents – c'est plein de sensibilité et d'émotion – c'est un film riche et émouvant – c'est un film que je recommande

S'EXERCER N° 3 🔗

7 👁

Relisez les commentaires et précisez sur quoi portent les appréciations ou réactions de chacun.

le jeu des acteurs – les sentiments dans le film – le rythme du film – certaines scènes – la mise en scène

8 PHONÉTIQUE

Écoutez l'intonation des réactions suivantes et dites quel sentiment elles expriment : enthousiasme, étonnement ou déception ?

9 👄

Jouez la scène.
Sélectionnez un film que vous avez vu, que vous avez aimé ou non. À la sortie du cinéma, vous dites au journaliste qui fait un micro-trottoir quel film vous venez de voir, puis vous exprimez vos réactions et appréciations.

10 ✏

Vous écrivez à un(e) ami(e) pour lui recommander ou deconseiller un film que vous avez vu. Indiquez le titre du film, le réalisateur et les acteurs principaux. Résumez brièvement l'histoire. Parlez (au choix) du jeu des acteurs, du scénario, de la mise en scène. Vous pouvez évoquer certaines scènes précises.

S'EXERCER

Leçon 3 — Dossier 4

› Les pronoms personnels complément après *de* et *à*

1. Complétez les phrases. Utilisez la préposition *de* ou *à* et le pronom qui convient.

*Exemple : – Marc Lambert ? Bien sûr, je me souviens très bien **de lui** !*

a. Le monsieur en uniforme, là-bas, je peux m'adresser ... pour avoir des informations ?

b. Johnny Depp ? Ma fille rêve ..., jour et nuit !

c. Ma petite amie ? Je pense ... sans arrêt !

d. Ses parents sont âgés, il s'occupe beaucoup ... .

e. Les Dumas ? Je ne m'intéresse pas du tout ... , ils sont antipathiques.

f. Madonna, toute la presse parle ... !

g. Je t'aime et j'ai besoin ... .

› Parler du cinéma

2. Complétez le texte avec les mots et expression suivants.

Bande-annonce — scénario — acteurs — producteur — réalisateur — synopsis.

Pop corn est le premier long métrage du jeune ... Yannick Vargas. Il y a un an, il était encore un inconnu et cherchait un/une ... pour financer son film. C'est alors que Léonard Golberg a lu les cent pages du/de la ... et a accepté tout de suite. À partir de mercredi, vous pourrez lire le/la ... du film et découvrir le nom des ... sur www.camera.com, où vous pourrez même visionner le / la ... !

› Exprimer des appréciations sur un film

3. a) Associez les appréciations de sens opposé.

b) Dites laquelle est positive et laquelle est négative.

1. Il y a beaucoup de longueurs.
2. Ce sont de grands moments de cinéma.
3. À voir absolument !
4. Les acteurs sont excellents.
5. J'ai trouvé le film sans grand intérêt.

a. C'est un film riche.
b. Je n'ai pas apprécié l'interprétation des acteurs.
c. Ce n'est pas du cinéma.
d. C'est un film que je ne recommande pas.
e. Le rythme est soutenu, on ne s'ennuie pas.

Carnet de voyage...

La presse en France

1.

Échangez en petits groupes.
Connaissez-vous ces magazines ? Existent-ils dans votre langue ?

a.

b.

c.

d.

2.

a) Faites un sondage dans la classe :
– Lisez-vous régulièrement des magazines ?
– Préférez-vous :
• les magazines d'information générale ;
• la presse féminine/masculine/jeunes ;
• les magazines spécialisés (sport, musique, cinéma, people, loisirs, sciences, automobile, économie, télévision, décoration, famille, informatique, voyages…).
b) Observez le schéma suivant et comparez les préférences des Français avec celles de votre classe.

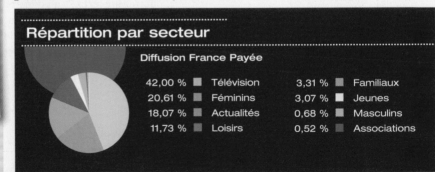

Répartition par secteur

Diffusion France Payée

42,00 %	Télévision		3,31 %	Familiaux
20,61 %	Féminins		3,07 %	Jeunes
18,07 %	Actualités		0,68 %	Masculins
11,73 %	Loisirs		0,52 %	Associations

Source OJD 2006

3.

Observez les noms des journaux suivants et faites des hypothèses : quels sont les quotidiens nationaux ? les quotidiens régionaux ? le journal sportif le plus lu en France ?

4.

Vrai ou faux ? Lisez les documents suivants et répondez. Justifiez vos réponses.

a) En France, les quotidiens les plus lus sont les journaux nationaux.

b) La presse régionale progresse.

c) La presse gratuite d'actualité est en baisse.

d) Dans le monde, ce sont les Français qui lisent le plus de magazines.

e) Les Français consomment plus de journaux que les Britanniques.

Presse

12,8 millions de journaux se sont vendus en France chaque jour en 2004, sans compter la presse professionnelle. Avec 762 208 exemplaires vendus, *Ouest-France* est le premier quotidien français payant.

La presse gratuite d'actualité progresse : avec 1,8 million d'exemplaires chaque jour, elle représente 15 % de la circulation globale de quotidiens.

5,7 millions de magazines sont vendus chaque jour ; la France bat des records mondiaux de consommation de ce type de presse. La presse consacrée à la télévision et à ses programmes domine avec 42 % de parts de marché.

En Europe, ce sont les Allemands et les Britanniques qui consomment le plus de journaux : près de 25 millions d'exemplaires vendus par jour dans ces deux pays.

D'après Le Point hors série n°4, 24 heures en France, sept.-oct. 2005

La vente des principaux quotidiens

Diffusion payante en France en 2004, du lundi au samedi.

Ouest-France	762 208
L'Équipe	355 135
Le Monde	330 768
Le Figaro	329 729
Le Parisien – Aujourd'hui en France	499 782
Sud-Ouest	317 728
La Voix du Nord	297 541
Nice Matin (groupe)	251 147
Le Dauphiné libéré	247 412
Le Progrès	238 185
La Nouvelle République du Centre-Ouest	228 236
La Dépêche du Midi	197 249
La Montagne	200 910
L'Est républicain	198 931
Le Télégramme	192 232
Dernières nouvelles d'Alsace	191 885
La Provence	159 921
Midi Libre	154 485
Le Républicain lorrain	149 704
Libération	139 957
Les Échos	116 856
L'Alsace – Le Pays	105 382
La Croix	95 014
France-Soir	62 097
L'Humanité	48 819

Source : OJD. Association de contrôle de la diffusion des médias. Le Point hors série n° 4, sept.-oct. 2005.

5.

En petits groupes, créez votre journal ! Déterminez s'il s'agit d'un journal national ou régional. Choisissez son titre et dessinez le bandeau titre. Fixez son prix de vente.

6.

Réunissez votre comité de rédaction. Décidez des principaux sujets à traiter dans l'édition de demain et préparez la une. Placez les gros titres, photos ou illustrations, débuts d'articles.

Votre travail dans le dossier 4

1 Qu'est-ce que vous avez appris à faire dans ce dossier ? Cochez les propositions exactes.

- ☑ comprendre un avis de recherche
- ☐ donner des informations sur un emploi
- ☐ raconter des événements de l'actualité
- ☐ comprendre des présentations critiques de films
- ☐ exprimer des souhaits
- ☐ exprimer des réactions de spectateur
- ☐ parler de souvenirs d'enfance

2 Quelles activités vous ont aidé(e) à apprendre ? Voici une liste de savoir-faire de communication. Notez en face de chaque savoir-faire le numéro de la leçon et de l'activité qui correspondent.

- comprendre un titre de presse — *L1-4, 5*
- comprendre un fait divers
- comprendre la présentation d'un film
- comprendre une information radio
- rapporter un événement à l'oral
- exprimer des réactions positives et négatives sur un film
- rédiger une fiche de présentation sur un film
- comprendre quelqu'un qui donne son avis sur un programme télévisé

Votre autoévaluation

1 Cochez d'abord les cases qui correspondent aux savoir-faire que vous êtes capable de réaliser maintenant et faites le test donné par votre professeur pour vérifier vos réponses. Puis, reprenez votre fiche d'autoévaluation, confirmez vos réponses et notez la date de votre réussite. Cette date vous permet de voir votre progression au cours du livre.

JE PEUX	ACQUIS	PRESQUE ACQUIS	DATE DE LA RÉUSSITE
comprendre une personne qui exprime ses réactions sur un film	☐	☐	
comprendre un court article de présentation critique de film	☐	☐	
comprendre un article de fait divers	☐	☐	
raconter un événement étonnant	☐	☐	
réagir à un événement public	☐	☐	
raconter l'histoire d'un film	☐	☐	
exprimer un point de vue sur un film ou sur les médias	☐	☐	

2 Après le test, demandez à votre professeur ce que vous pouvez faire pour améliorer les activités non encore acquises.

- ☐ exercices de compréhension orale
- ☐ exercices de compréhension écrite
- ☐ exercices de production orale
- ☐ exercices de production écrite
- ☐ exercices de grammaire
- ☐ exercices de vocabulaire
- ☐ exercices de phonétique
- ☐ autres (vidéo...)

Si votre institution possède un centre de ressources, demandez au responsable de vous conseiller sur les documents disponibles en livres, cassettes audio et vidéo, CD-ROM ou sites Internet.

DOSSIER **5**
Le monde est à nous !

■ **LEÇON 1** **RÊVER SA VIE**

> Envisager l'avenir
> Exprimer des souhaits, faire des suggestions

■ **LEÇON 2** **CONSTRUIRE SA VIE**

> Parler de ses centres d'intérêt, de ses engagements
> Présenter un projet, imaginer une situation hypothétique

■ **LEÇON 3** **RÉALISER SES RÊVES**

> Comprendre le résumé et la présentation d'un livre
> Donner son avis, justifier ses choix

■ **CARNET DE VOYAGE**

> Identités fictives

DELF

A2

ENVISAGER L'AVENIR

LE MONDE EST À NOUS !

Refrain :
On vous souhaite tout le bonheur du monde
Et que quelqu'un vous tende la main
Que votre chemin évite les bombes
Qu'il mène vers de calmes jardins.
On vous souhaite tout le bonheur du monde
Pour aujourd'hui comme pour demain
Que votre soleil éclaircisse l'ombre
Qu'il brille d'amour au quotidien.

Puisque l'avenir vous appartient
Puisqu'on n'contrôle pas votre destin
Que votre envol est pour demain
Comme tout c'qu'on a à vous offrir
Ne saurait toujours vous suffire
Dans cette liberté à venir
Puisqu'on n'sera pas toujours là
Comme on le fut aux premiers pas...

Refrain

Toute une vie s'offre devant vous
Tant d'rêves à vivre jusqu'au bout
Sûrement tant d'joie au rendez-vous
Libres de faire vos propres choix
De choisir quelle sera votre voie
Et où celle-ci vous emmènera
J'espère juste que vous prendrez l'temps
De profiter de chaque instant...

Refrain

J'sais pas quel monde on vous laissera
On fait d'notre mieux, seulement parfois,
J'ose espérer que ça suffira
Pas à sauver votre insouciance
Mais à apaiser notre conscience
Pour le reste j'me dois d'vous faire confiance...

Refrain

Paroles de M. D'Inca & Numéro 9
Musique Sinsemilia & Numéro 9
© SONY/ATV Music Publishing/Patouche éditions.

Sinsemilia
**en concert ce soir et demain
à 20 heures à l'Olympia.**

Le succès sourit à ce groupe de Grenoblois : en plus de la récente nomination de leur album *Debout les yeux ouverts*, aux 20e Victoires de la musique dans la catégorie Album reggae/ragga/world, ils peuvent se réjouir des 350 000 singles et des 250 000 albums vendus.

Après les deux concerts parisiens, ils partent en tournée dans toute la France. Vous trouverez les villes et les dates sur leur site www.sinsemilia.com. Vous pourrez aussi intervenir sur leur forum.

Apple France   .Mac   Amazon France   eBay France   Yahoo!   Informations ▾   Favo

les fiches artistes
TV5MONDE

en tournée

Sinsemilia
Groupe français

Nom de scène : ...

Lieu de naissance : ...

Début de carrière : ...

Style musical : ... / ...

Biographie

21 juin 1991, fête de la musique, à Grenoble. Sur un trottoir, dix copains fans de reggae, se lancent et donnent leur premier concert. Premier contact avec le public, premier déclic. C'est le début d'une longue histoire musicale pour cette bande d'amis.
Ils commencent dans les salles de la région. Puis, de salles de concert en studios d'enregistrement, ils séduisent un public de plus en plus large. Le groupe, qui est passé de dix à onze membres, enflamme le public.
Groupe très apprécié de la scène française, Sinsemilia a aujourd'hui une place bien à lui dans le paysage musical francophone, entre rock et reggae.

Discographie

1996 : *Première Récolte*
1998 : *Résistances*
2000 : *Tout c'qu'on a*
2002 : *Sinsemilia part en live*
2004 : ...

À consulter

Site officiel de Sinsemilia : www.sinsemilia.com

1
Regardez l'affiche, lisez l'article et la fiche « Artiste » du site de TV5. Complétez la fiche.

2
Échangez. Connaissez-vous le groupe Sinsemilia ? D'après ces informations vous font-ils penser à un/des groupe(s) de votre pays ?

POINT CULTURE

Les Victoires de la musique

A. Relisez l'article du journal puis retrouvez dans le texte suivant la date et la catégorie correspondant à la nomination de Sinsemilia.

Créées en 1985, les Victoires de la musique récompensent les meilleurs chanteurs de l'année. Elles décernent, par exemple, les titres de meilleur artiste interprète masculin/féminin de l'année, de meilleur album de l'année, dans différents genres musicaux : album chanson/variétés, album pop/rock, album rap/hip-hop/r'n'b, album reggae/ragga/world. La 21e édition des Victoires de la musique a eu lieu le 4 mars 2006 au Zénith de Paris. Depuis 1993, existent également les Victoires de la musique classique, et, depuis 2003, les Victoires du jazz.

B. Est-ce qu'il existe dans votre pays une manifestation similaire aux Victoires de la musique ?

3
Écoutez une chanson de Sinsemilia qui a obtenu un grand succès en France.

a) Repérez sa structure : retrouvez les passages identiques (= refrains) et les passages dont les paroles changent (= couplets).

b) Trouvez le titre de la chanson.
☐ *Tous les honneurs du monde*
☐ *Tout le tour du monde*
☐ *Tout le bonheur du monde*

4

a) Réécoutez la chanson et répondez.
– De quelle période parle-t-on dans l'ensemble de la chanson ?
☐ du présent ☐ de l'avenir ☐ du passé
– Dans « On vous souhaite… », qui s'adresse à qui ?
☐ des adultes à leurs enfants
☐ des enfants à leurs parents
☐ des adultes à d'autres adultes

b) Lisez les paroles pour confirmer vos réponses et relevez tous les passages qui justifient votre choix.

c) Trouvez dans quels passages les notions suivantes sont évoquées.
la liberté – la paix – le bonheur – l'amour

5
Relisez les paroles de la chanson.

a) Sélectionnez dans la liste ce qui est exprimé.
☐ des peurs ☐ des certitudes ☐ des souhaits ☐ des ordres ☐ des espoirs

b) Dites si la chanson vous semble optimiste ou pessimiste. Justifiez votre réponse avec certains passages.

6
Échangez.
Imaginez que vous participez à la sélection pour les Victoires de la musique de votre pays ; quel(s) artiste(s) ou album(s) choisissez-vous ? Pourquoi ?

Point **Langue**

> EXPRIMER UN SOUHAIT, UN ESPOIR

a) Associez pour retrouver les souhaits et espoirs exprimés dans la chanson.

On souhaite que •
*J'*espère que •

• *votre soleil* éclaircisse l'ombre, qu'il brille d'amour.
• *vous* prendrez le temps de profiter de chaque instant.
• *quelqu'un* vous tende la main.
• *votre chemin* évite les bombes, qu'il mène vers de calmes jardins.
• *cela* suffira.

b) Observez les formes verbales dans la deuxième partie de chaque phrase, puis choisissez la bonne réponse pour compléter la règle.
Lorsqu'on exprime un souhait, le verbe dans la deuxième partie de la phrase est
☐ à l'indicatif ☐ au subjonctif.
Lorsqu'on exprime un espoir, le verbe dans la deuxième partie de la phrase est
☐ à l'indicatif ☐ au subjonctif.
NB : On utilise *que* après le verbe de souhait ou d'espoir quand les sujets sont différents dans les deux parties de la phrase.

S'EXERCER N° 1

EXPRIMER DES SOUHAITS,

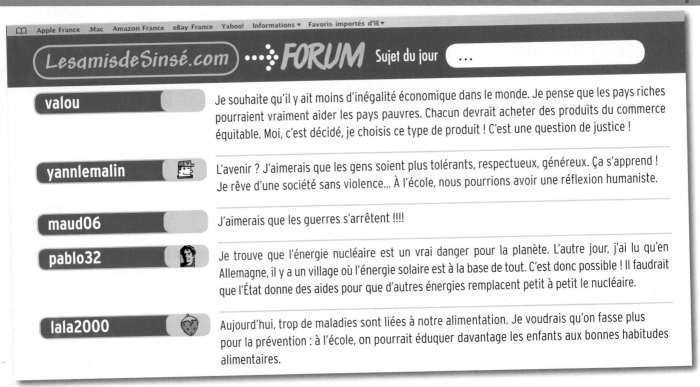

Apple France   .Mac   Amazon France   eBay France   Yahoo!   Informations ▾   Favoris importés d'IE▾

LesamisdeSinsé.com ····▸ **FORUM** Sujet du jour [...]

valou
Je souhaite qu'il y ait moins d'inégalité économique dans le monde. Je pense que les pays riches pourraient vraiment aider les pays pauvres. Chacun devrait acheter des produits du commerce équitable. Moi, c'est décidé, je choisis ce type de produit ! C'est une question de justice !

yannlemalin
L'avenir ? J'aimerais que les gens soient plus tolérants, respectueux, généreux. Ça s'apprend ! Je rêve d'une société sans violence... À l'école, nous pourrions avoir une réflexion humaniste.

maud06
J'aimerais que les guerres s'arrêtent !!!!

pablo32
Je trouve que l'énergie nucléaire est un vrai danger pour la planète. L'autre jour, j'ai lu qu'en Allemagne, il y a un village où l'énergie solaire est à la base de tout. C'est donc possible ! Il faudrait que l'État donne des aides pour que d'autres énergies remplacent petit à petit le nucléaire.

lala2000
Aujourd'hui, trop de maladies sont liées à notre alimentation. Je voudrais qu'on fasse plus pour la prévention : à l'école, on pourrait éduquer davantage les enfants aux bonnes habitudes alimentaires.

7

a) Lisez les interventions sur le forum Internet et dites quel est le sujet du jour.
☐ Vos certitudes et prévisions pour l'avenir
☐ Vos projets pour l'avenir
☐ Vos souhaits et suggestions pour l'avenir

b) Pour chaque intervention, choisissez le domaine concerné.
politique – santé – société – économie – environnement – personnel/familial

8

a) Parmi les souhaits exprimés sur le forum, sélectionnez ceux que vous partagez et citez-en deux qui sont très importants pour vous.

b) Repérez les suggestions des intervenants au forum et dites si elles vous semblent bonnes ou mauvaises, réalistes ou irréalistes.

Point **Langue**

> **LE CONDITIONNEL POUR EXPRIMER UN SOUHAIT, FAIRE UNE SUGGESTION**

Lisez ces phrases. Identifiez les souhaits, puis sélectionnez les phrases qui expriment un souhait ou une suggestion. Repérez les formes verbales utilisées.
Chacun devrait acheter des produits du commerce équitable. J'aimerais que les guerres s'arrêtent. Nous pourrions avoir une réflexion humaniste. Les pays riches pourraient aider les pays pauvres. On pourrait éduquer davantage les enfants. Je voudrais qu'on fasse plus pour la prévention.

> **LA FORMATION DU CONDITIONNEL**

a) Observez les verbes et trouvez les infinitifs.

J'aimerais	je voudrais	on devrait	on pourrait
			nous pourrions
			ils pourraient
...	...	...	...

b) Complétez la règle.
Le conditionnel se forme avec la base ☐ du présent ☐ de l'imparfait ☐ du futur et les terminaisons ☐ du présent ☐ de l'imparfait ☐ du futur.

c) Trouvez les formes manquantes pour les quatre verbes.

Attention ! Une seule forme pour *falloir (il faut)* → *il faudrait*

S'EXERCER N°ˢ **2 et 3**

FAIRE DES SUGGESTIONS

Exprimer un souhait

Je souhaite qu'il y ait moins d'inégalité.

J'aimerais que les gens soient plus tolérants.

Je voudrais que les guerres s'arrêtent.

Je rêve d'une société sans violence…

S'EXERCER N° 2

9 PHONÉTIQUE

a) Écoutez et répétez.

b) Écoutez et pour chaque numéro, identifiez la phrase au conditionnel : a) ou b) ?

Exemple : 1. a) *Ils pourraient les aider.*

b) *Ils pouvaient les aider.*

1. → *a).*

10

Échangez en petits groupes : listez vos souhaits et vos suggestions pour l'école de demain/la société de demain ou autre.

b) Vous participez à un forum de discussion sur un de ces thèmes. Rédigez votre intervention.

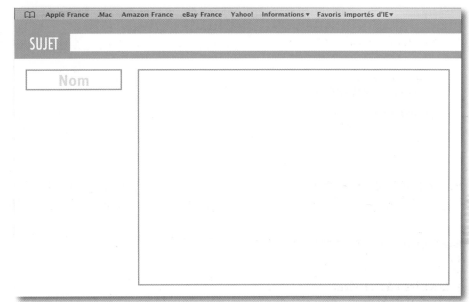

Leçon 1
Dossier 5

S'EXERCER

> Exprimer un souhait/ un espoir

1. Voici quatre situations :

à un mariage – avant un examen – au nouvel an – pour un départ à la retraite

Pour chacune d'elles, formulez des souhaits/des espoirs parmi les neuf proposés en commençant par : *je souhaite/nous souhaitons, j'espère/nous espérons*

a. que vous aimerez notre cadeau.

b. que vous profitiez de votre temps libre.

c. que vous soyez toujours heureux ensemble.

d. que tu n'auras pas de difficultés avec le sujet.

e. que vous sachiez trouver de nouvelles passions.

f. que vous soyez toujours en bonne santé.

g. que vous ayez beaucoup d'enfants.

h. que l'année soit belle et prospère.

i. que vous resterez en contact avec nous.

2. Formulez les souhaits des personnes suivantes comme dans l'exemple.

Exemple : Johan aimerait trouver un travail bien payé. Il voudrait que ses voisins soient plus tolérants.

Johan, 20 ans, étudiant

trouver un travail bien payé – faire le tour du monde – avoir des amis à l'étranger – des voisins plus tolérants – des propositions de la mairie pour des activités sportives gratuites

Sylvia, 36 ans, professeur

travailler à l'étranger – un ministre de l'Éducation qui comprend les problèmes des professeurs – discuter avec ses collègues plus souvent

Romain, 16 ans, lycéen

des parents plus généreux et moins exigeants – un ordinateur dans sa chambre – l'autorisation de ses parents de regarder la télévision tous les soirs

> Faire une suggestion

3. a) Conjuguez les verbes au conditionnel pour exprimer des suggestions.

Pour améliorer la circulation

Nous (devoir) circuler à vélo.

Les responsables politiques (pouvoir) limiter les voitures dans les centres-villes.

On (pouvoir) développer les transports en commun.

Pour prévenir les maladies

Les gens (devoir) consulter régulièrement le médecin.

Il (falloir) que tout le monde fasse du sport.

Nous (devoir) manger cinq fruits et légumes chaque jour.

Le ministère de la Santé (devoir) faire plus de prévention.

b) À vous ! Faites vos suggestions pour :

– limiter les accidents domestiques ;

– limiter les accidents de la route ;

– permettre à plus de gens de faire du sport ;

– développer l'enseignement des langues étrangères.

PARLER DE SES CENTRES D'INTÉRÊT,

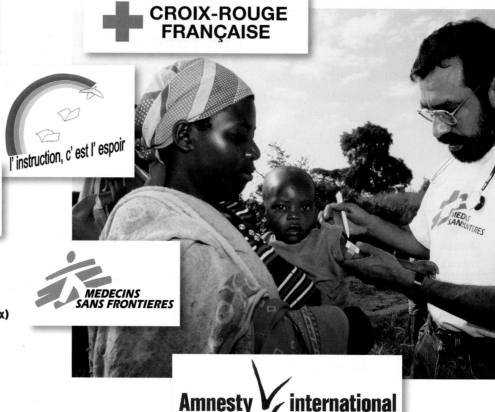

l' instruction, c' est l' espoir

1

Échangez.

Regardez ces logos d'ONG (organismes non gouvernementaux) qui sont implantés en France. Connaissez-vous ces ONG ? Lesquels sont aussi présents dans votre pays ?

2 👁

Trouvez dans la liste suivante le champ d'action de chaque ONG.

1. Créée en 1979, c'est l'une des plus importantes organisations humanitaires de lutte contre la faim dans le monde.

2. La section française de cette organisation internationale cherche à prévenir et empêcher les atteintes aux droits des personnes.

3. Cette ONG a pour objectif de faciliter la réadaptation physique et professionnelle des personnes en situation de handicap.

4. Depuis sa fondation, cette organisation a pour vocation de venir en aide à toutes les personnes en difficulté.

5. Organisation d'aide médicale d'urgence en cas de guerre ou de catastrophe.

6. Cette association a pour objectif la défense du droit à l'éducation, le développement de l'éducation.

AIDE-MÉMOIRE

Indiquer l'objectif d'une organisation/association

Cette organisation **lutte contre** la faim/**cherche à prévenir** les atteintes…

Cette organisation **a pour objectif de faciliter** la réadaptation/**a pour objectif la défense** du droit…

Cette association **a pour vocation de venir en aide** aux personnes/**a pour vocation l'aide** aux personnes en difficulté…

POINT CULTURE

Les ONG

Une ONG, c'est un organisme non gouvernemental d'intérêt public ou humanitaire. À la différence des organismes internationaux, les ONG ont d'abord des valeurs particulières : gratuité, bénévolat, désintéressement, partage et respect des droits de l'homme.

Ces associations veulent rester indépendantes des États et des gouvernements. Leurs principales actions sont : l'aide d'urgence, les projets de développement (agriculture, santé, éducation…).

En France, il y a environ 1 000 associations avec plus de 20 000 militants actifs.

Construire sa vie

DE SES ENGAGEMENTS

3

a) Lisez les deux annonces et dites de quel type de texte il s'agit.

☐ des offres d'emploi ☐ des appels à bénévolat ☐ des offres de service

b) Trouvez quel logo d'ONG manque pour accompagner chaque annonce.

Salon de l'aide internationale

Médecin, spécialiste en développement ou en logistique, vous maîtrisez l'anglais et savez vous adapter rapidement. Vous êtes disponible un an au minimum.

Vous êtes intéressé(e) par l'action humanitaire et êtes motivé(e) par la lutte contre la faim. Vous vous passionnez pour d'autres cultures.

Vous pourriez consacrer une année ou plus à l'étranger afin d'encadrer les équipes locales.

Envoyez votre CV sur notre site ou passez à notre stand au Salon.

Salon de l'aide internationale

Vous êtes enseignant(e) à la retraite ou vous avez exercé un métier en relation avec l'éducation, vous avez du temps libre.

Vous êtes passionné(e) par la musique, la littérature, les mathématiques, l'informatique. Vous vous intéressez aux projets éducatifs et vous aimez les enfants.

Donnez une partie de votre temps libre pour aider ceux qui n'ont pas la chance d'aller à l'école. Partez quelques semaines ou quelques mois afin que des enfants puissent découvrir le plaisir d'apprendre.

Contactez notre organisation au Salon de l'aide internationale ou sur notre site.

4

Relisez les annonces et dites dans quel ordre les éléments suivants apparaissent.

- les centres d'intérêt de la personne recherchée ;
- les façons de contacter l'organisation ;
- l'action proposée et ses objectifs ;
- le profil de la personne recherchée ;

5

Écoutez le témoignage de Jean-Pierre et dites à quelle annonce il a répondu.

AIDE-MÉMOIRE

Parler des centres d'intérêt

Vous êtes passionné par la musique.

Vous vous passionnez pour d'autres cultures.

Vous êtes intéressé par l'action humanitaire.

Vous vous intéressez aux projets éducatifs.

S'EXERCER N° 1

6

a) Réécoutez et dites si Jean-Pierre correspond au profil décrit dans l'annonce.

b) Relevez la motivation première de Jean-Pierre pour être bénévole, puis son action dans l'organisation et le but de cette action.

Point **Langue**

› EXPRIMER LE BUT

a) Relisez les annonces, réécoutez le témoignage et complétez les phrases suivantes avec une des expressions de but :

pour – pour que – afin de – afin que

Donnez une partie de votre temps libre ... aider ceux qui n'ont pas la chance d'aller à l'école.

Partez quelques mois ... des enfants puissent découvrir le plaisir d'apprendre.

Vous pourriez consacrer une année ou plus à l'étranger ... encadrer les équipes locales.

J'ai décidé de faire du bénévolat dans une association.... être utile et aider des gens.

Depuis février, je la diffuse chaque mois ... toutes les personnes de l'organisation soient régulièrement informées.

b) Complétez la règle.

On utilise *pour que/afin que* quand le sujet dans la deuxième partie de la phrase est ☐ le même que le premier ☐ différent du premier.

Le verbe après *pour que/afin que* est ☐ à l'infinitif ☐ au subjonctif.

Le verbe après *pour/afin de* est ☐ à l'infinitif ☐ au subjonctif.

S'EXERCER N° 2

7

Échangez. Si vous ou une personne que vous connaissez a fait une expérience de bénévolat, dites :

- dans quelle association/organisation ;
- les actions effectuées et leurs objectifs.

PRÉSENTER UN PROJET,

– *Ce matin, je reçois Frédéric Koskas et Ondine Khayat,* qui vont nous parler de leur projet de création d'un loto humanitaire… et planétaire ! Bonjour Ondine, bonjour Frédéric.
– *Bonjour !*
– *Bonjour !*
– *Je crois savoir que votre slogan, c'est « Parions pour un monde meilleur », et ça résume bien vos intentions…*
– *Oui, effectivement, notre but est de lutter contre la pauvreté dans le monde. C'est pour ça que nous avons eu l'idée de ce loto humanitaire.*
– *Et ça se présenterait sous quelle forme ?*
– *Eh bien, sur le modèle du loto français : il y aurait un tirage supplémentaire qui serait à vocation humanitaire.*
– *C'est-à-dire ?*
– *L'idée, c'est que tous les heureux gagnants donneraient 20 % de leurs gains à un collectif qui ensuite distribuerait l'argent en fonction des urgences.*
– *Donc, il y aurait redistribution de l'argent.*
– *C'est exact ; et puis, on passerait à l'échelle de la planète.*
– *Et ça, vous allez nous l'expliquer dans le détail après le flash infos de 9 heures. On se retrouve dans quelques instants…*

8

Écoutez l'enregistrement.
1. Dites quel est le lien avec la photo.
2. Choisissez la légende qui correspond le mieux à la photo.
☐ Ondine Khayat et Frédéric Koskas organisent le tirage du loto planétaire.
☐ Ondine Khayat et Frédéric Koskas lancent un projet de loto humanitaire.
☐ Après le loto, Ondine Khayat et Frédéric Koskas inventent le loto planétaire.

9

Réécoutez l'enregistrement et répondez.
Quel est le but de Frédéric Koskas et d'Ondine Khayat ? Quel est leur slogan ?

10

Réécoutez l'enregistrement et repérez comment ils imaginent le loto humanitaire.

11

En petits groupes, vous allez proposer un projet humanitaire à une ONG.
1. Définissez votre projet : dans quel domaine souhaitez-vous mener une action ? Quel est votre but ?
2. Élaborez votre projet (les actions envisagées, les étapes…).
3. Écrivez une lettre à une ONG de votre choix pour présenter votre projet.

Point **Langue**

› LE CONDITIONNEL
pour présenter un projet

a) Réécoutez l'enregistrement et choisissez les formes du verbe entendues :
Ça se présente/présentera/présenterait comment ?
Il y a/aura/aurait un tirage supplémentaire.
Tous les gagnants donnent/donneront/donneraient 20 % de leurs gains.
Un collectif distribue/distribuera/distribuerait tout l'argent.

b) Choisissez la bonne réponse.
Pour indiquer qu'un fait n'est pas encore réel, mais existe seulement à l'état de projet, on utilise
☐ le présent.
☐ le futur.
☐ le conditionnel présent.

S'EXERCER N° 3

Ambre Guarrisson,
26 ans, chargée de projets, Paris XIe

« C'est une excellente idée ! Ça peut ressembler à une goutte d'eau dans l'océan, mais c'est mieux que rien. Moi, si je gagnais une grosse somme, j'accepterais sans difficulté d'en donner le cinquième. Je suis convaincue que c'est par des actions concrètes comme celle-la qu'on pourra changer le monde. »

Denis Lefrançois,
38 ans, agent SNCF, Thiverny (60)

« Si ce type de loto existait, je ne participerais pas. Je me méfierais trop de l'utilisation qui pourrait être faite de mon argent. De toute façon, si je gagnais le gros lot, je préférerais faire un don à une petite association, comme "Les Nez Rouges" qui s'occupent des enfants hospitalisés. Comme ça, je saurais où irait mon argent. »

IMAGINER UNE SITUATION HYPOTHÉTIQUE

12

Lisez les témoignages puis répondez. Justifiez votre réponse.

1. La question posée aux personnes est :
☐ Seriez-vous prêts à participer à un loto humanitaire ?
☐ Participez-vous au loto humanitaire ?
☐ Participerez-vous au loto humanitaire ?

2. Les personnes évoquent une situation
☐ réelle ☐ imaginaire ☐ passée

13

a) Relisez et dites quelle est la position de chaque personne sur cette question : favorable ou non ? Justifiez votre réponse.
b) Relevez la réaction imaginée par chaque personne en cas de gros gain au loto.

14 PHONÉTIQUE

Écoutez et répétez.
Un grand cadre gris a croisé un groupe d'agriculteurs qui criaient. Une équipe de professeurs a créé un collectif pour encadrer la culture à l'école.

Point **Langue**

> IMAGINER UNE SITUATION HYPOTHÉTIQUE, IRRÉELLE

a) Observez.
Si ce type de loto existait, je ne participerais pas.
Si je gagnais une grosse somme, j'accepterais d'en verser le cinquième.

b) Choisissez la bonne réponse.
– Les deux personnes utilisent la structure *si* + imparfait, suivie du conditionnel présent pour
☐ faire une hypothèse qui concerne le passé et en imaginer la conséquence.
☐ faire une hypothèse qui concerne le présent (ou le futur) et en imaginer la conséquence.

– dans ces cas, le conditionnel présent exprime
☐ l'irréel dans le présent   ☐ l'irréel dans le passé   ☐ un potentiel dans le futur.

 S'EXERCER N° 4

15

a) Jouez la scène.
Vous êtes interviewé(e) par un journaliste. Répondez à la question du jour :
« Si vous gagniez le gros lot à un jeu, que feriez-vous de votre argent ? »

b) Écrivez les témoignages.
Vous êtes journaliste et vous avez interviewé des personnes pour la rubrique « Voix Express ». De retour au journal, vous écrivez leurs témoignages.

Leçon 2 Dossier 5

S'EXERCER

> Parler de ses centres d'intérêt

1. Transformez selon les modèles :
Ma passion ? l'éducation.
→ *Je me passionne pour/je suis passionné par l'éducation.*
Mes centres d'intérêt ? les langues.
→ *Je suis intéressé par les langues/ je m'intéresse aux langues.*
a. Votre passion : les actions humanitaires.
b. Vos centres d'intérêt : la défense de l'environnement.
c. Sa passion ? La recherche médicale.
d. Ses centres d'intérêt ? les médecines naturelles.
e. Nos centres d'intérêt : l'aide aux enfants en difficulté.

> Exprimer le but

2. Complétez avec *afin de – pour – afin que – pour que*.
a. Je pars à l'étranger … construire un nouveau centre médical.
b. Notre association développe l'agriculture locale … toute la population puisse manger.
c. Vous désirez travailler dans une ONG … vous sentir utile.
d. On a construit un hôpital … la population puisse être soignée.
e. Nous venons d'ouvrir une école dans ce pays … les enfants apprennent à lire et à écrire.
f. La Croix-Rouge a reçu de l'argent … venir en aide aux plus pauvres.

> Le conditionnel pour présenter un projet

3. Mettez les verbes au conditionnel.
Nous voulons ouvrir un centre pour les personnes en difficulté.

a. On les (accueillir) 24 heures sur 24.
b. On leur (offrir) un repas.
c. Elles (pouvoir) se reposer.
d. On les (écouter).
e. Nous (chercher) ensemble des solutions.
f. Des spécialistes les (aider) dans la recherche d'un emploi.

> Imaginer une situation hypothétique, irréelle

4. Mettez les verbes aux temps qui conviennent.
a. Si je (pouvoir) je (jouer) au loto humanitaire.
b. Tout (aller) mieux si les pays riches (être) plus généreux.
c. Si chaque personne (donner) 1€ à une ONG, la pauvreté (être) moins grande.
d. Si tu (économiser) un peu d'argent, tu (pouvoir) faire un don à un association.
e. Si vous (choisir) d'aider une ONG, vous (avoir) un comportement responsable.

LE MONDE EST À NOUS !

DOSSIER 5

Jérôme Bourgine

Le tour
du monde
en famille

récit

Presses
DE LA
RENAISSANCE

J'AI
LU

Nicolas Vanier

L'enfant
des neiges

*Aventurière de l'extrême
à deux ans*

S'éloigner de toute civilisation pour découvrir la beauté fascinante des terres sauvages du Grand Nord ; connaître le bonheur de glisser sur la glace en traîneau à chiens. Cette aventure, Nicolas Vanier en rêvait depuis longtemps. Avec Diane, sa femme, il a un jour décidé de la tenter. Et d'accomplir cet extraordinaire voyage avec leur petite fille de deux ans, Montaine.

Jérôme et Sandra, en se mariant, se promettent de faire un jour le tour du monde. Dix ans et trois enfants plus tard, ils se lancent dans un périple familial d'un an sur les cinq continents.

Avec humour et enthousiasme, Jérôme raconte cette formidable aventure à l'école de la vie, riche de rencontres et de découvertes inoubliables.

Préparer un tel voyage sans grands moyens financiers, partir pour une année sabbatique*, faire découvrir le monde à ses enfants, réaliser ses rêves avant tout, c'est possible : eux, ils l'ont fait !

9 782725 625119

13 euros
Prix france
TTC

BN 2-85616-946-5

9782725625119

18 euros
Prix france
TTC

* Année sans travailler.

Réaliser **ses rêves**

PRÉSENTATION D'UN LIVRE

1.

Observez les couvertures des deux livres. Regardez le catalogue du club de lecture sur Internet. Par deux, décidez dans quelle catégorie on peut placer ces livres.

www.lecture-club.fr

Apple France   .Mac   Amazon France   eBay France

Romans
Aventure
Policier
Science-fiction

Récits
Biographies
Voyages/aventures

Essais
Philosophie
Histoire

2.

Lisez les textes au dos des livres. Associez chaque texte au livre correspondant, puis répondez.
Quels sont les points communs et les différences entre ces deux livres ?

3.

Relisez les extraits. Dites quel livre vous attire le plus, et pourquoi.

Point **Langue**

❯ FAIRE UN RÉCIT DE VOYAGE

a) Classez les expressions suivantes par ordre chronologique.
réaliser/accomplir son rêve – rêver d'aventure – se lancer dans/tenter l'aventure

b) Relisez les textes et trouvez deux mots ou expressions qui peuvent désigner « un extraordinaire voyage ».
..., ...

c) Retrouvez le(s) verbe(s) associé(s) à chaque expression.
prendre/... une année sabbatique – ... un extraordinaire voyage – ... un périple – vivre/... une aventure – ... le tour du monde

S'EXERCER Nº 1

4.

Écoutez l'enregistrement. Dites quel livre est présenté et dans quel contexte.

5.

Réécoutez la présentation du livre. Dites si les précisions suivantes sont données.
le but du voyage – la durée du voyage – l'itinéraire – le mode de transport – le comportement des voyageurs

6.

Vous participez à l'émission « Une minute pour un livre ».
1. Vous présentez un livre que vous avez aimé devant la classe.
2. La classe désigne les meilleures présentations, celles qui donnent envie de lire le livre.

7.

Vous animez un club de lecture. Vous rédigez un court texte pour présenter et résumer le livre de la semaine.

Point **Langue**

❯ EXPRIMER LA CAUSE ET LA CONSÉQUENCE

a) Réécoutez l'enregistrement et retrouvez l'ordre chronologique des informations dans la présentation du livre :
– *car le narrateur part à la recherche de lui-même*
– *ce n'est pas qu'une suite de visites et d'anecdotes*
– *il y a des moments de crise*
– *c'est pourquoi le livre est plus qu'un simple récit*
– *ce sont des êtres qui nous ressemblent*
– *comme tout n'est pas simple dans cette aventure,*
– *alors, on se dit que nous aussi, on peut le faire*
– *on s'identifie donc aux personnes*

b) Complétez la liste des termes
– qui introduisent une cause : *car*, ...
– qui introduisent une conséquence : *c'est pourquoi*, ...

S'EXERCER Nºˢ 2 et 3

DONNER SON AVIS, JUSTIFIER SES CHOIX

*– Bon alors, à vous !
Quel est votre choix ?*
– Eh bien, moi, ma préférence va au livre de Jérôme Bourgine. En effet, l'auteur n'a pas écrit seulement un récit. Il est allé plus loin : c'est une véritable réflexion sur soi, c'est pour ça que ce livre m'a émue.
*– Oh, je ne suis pas du tout de votre avis ! Où est l'aventure dans ce livre ? Selon moi, l'auteur raconte juste des vacances en famille ! Bien sûr, c'est plein de bons sentiments, mais je trouve que l'ensemble manque de dynamisme ! Alors que Nicolas Vanier, au contraire !...
Partir dans le Grand Nord avec un enfant de 2 ans, ça c'est original !*
– Mais je ne suis pas d'accord avec vous ! C'est peut-être original, oui, mais..., à mon avis, un sujet, même original, ça ne suffit pas pour faire un bon livre, parce qu'il faut juger l'écriture aussi. C'est pour cette raison que je choisis sans hésiter Un tour du monde en famille. *Là, il y a un réel talent d'écrivain !*

ÇA SE PASSE DANS VOTRE RÉGION

LES ANGLES :
Grand Prix du livre d'aventure et de suspense
Ce soir, le maire du village des Angles annoncera le lauréat du Grand Prix du livre d'aventure et de suspense, à l'occasion de l'ouverture de la station de ski.

AIDE-MÉMOIRE
Donner son avis
Je pense que/Je trouve que l'ensemble manque de dynamisme.
D'après moi,/Selon moi, l'auteur raconte des vacances en famille, sans plus.
À mon avis, un sujet original ne suffit pas pour faire un bon livre.

Point **Langue**

› EXPRIMER L'ACCORD/LE DÉSACCORD
Classez les expressions dans le tableau.
Je suis tout à fait d'accord – je ne suis pas (du tout) de votre avis – je ne pense pas (du tout) comme vous – je suis tout à fait/complètement/entièrement de votre avis – je pense (vraiment) comme vous – je ne suis pas du tout/vraiment pas d'accord

Accord	Désaccord
Je suis tout à fait d'accord	Je ne suis pas du tout de votre avis
...	...

S'EXERCER N° 4

8
Lisez le titre de presse, écoutez l'enregistrement, puis répondez.
1. Quelle est la situation ?
2. Qui s'exprime ?
3. À propos de quels livres ?
4. Dans quel but ?

10
Pendant la réunion du jury, le président a noté les appréciations déjà exprimées. Réécoutez les dernières interventions et signalez les arguments donnés à nouveau.

	Arguments pour	Arguments contre
Un tour du monde en famille de Jérôme Bourgine	Personnalités passionnantes IIII Ouvrage de réflexion IIII Force de l'écriture IIII III	Manque de dynamisme II Aventure banale IIII
L'Enfant des neiges de Nicolas Vanier	Originalité de l'aventure IIII	Écriture banale IIII

9
Réécoutez l'enregistrement et dites pourquoi les personnes ne sont pas du même avis.

11 👁

En petits groupes, relisez les notes et décidez quel livre va gagner le prix.

12 PHONÉTIQUE

a) Réécoutez l'enregistrement et repérez les mots qui sont accentués.

Exemple : Oh, je ne suis pas du tout de votre avis !

b) Répétez chaque phrase en accentuant comme dans l'enregistrement.

13 😊

Formez des groupes de quatre ou cinq personnes pour choisir le dossier (1, 2, 3 ou 4) d'*Alter Ego 2* que vous avez préféré.

a) Chacun donne son avis, justifie ses choix. Vous exprimez votre accord ou votre désaccord. Vous faites un choix commun.

b) Chaque groupe communique son choix à la classe et explique ses raisons.

Point **Langue**

› L'EXPRESSION DE LA CAUSE/CONSÉQUENCE pour justifier ses choix

a) Observez ci-dessous les justifications du jury.

Ma préférence va au lire de Jérôme Bourgine.

En effet, l'auteur n'a pas seulement écrit...

C'est une véritable réflexion sur soi, c'est pour ça que j'ai été touchée.

Ça ne suffit pas pour faire un livre, parce qu'il faut juger l'écriture aussi.

Il faut aussi juger la manière d'écrire ; c'est pour cette raison que je choisis ...

b) Complétez la règle avec les mots *cause* et *conséquence*.

Pour exprimer la ..., on peut utiliser *en effet, parce que*.

Pour exprimer la ..., on peut utiliser *c'est pour ça (= cela) que,*
　　　　　　　　　　　　　　　c'est pour cette raison que.

S'EXERCER N° 5 🔋

S'EXERCER — Dossier 5

› Faire un récit de voyage

1. Remplacez les mots/expressions soulignés par un mot/expression de même sens.

Livia Delair nous raconte dans ce récit son voyage dans le monde entier, à vélo. Depuis longtemps, elle avait le projet de cette aventure sportive ; elle a pris une année sans travailler, a tenté l'aventure, et a réalisé son rêve en treize mois ! Elle est partie en juillet dernier pour un long trajet de 20 000 km sur tous les continents. Elle vient de rentrer de son extraordinaire voyage, riche de ses rencontres et découvertes.

› Exprimer la cause

2. Transformez comme dans l'exemple.

Exemple : Je n'ai pas acheté ce livre parce qu'il était trop cher.
→ Comme il était trop cher, je n'ai pas acheté ce livre.

a. Je suis partie en Thaïlande parce que j'adore ce pays.

b. On visitera la Norvège parce qu'il y a des paysages sublimes.

c. Nous habiterons chez l'habitant parce nous recherchons les contacts.

d. J'achète des guides parce que j'organise mon prochain voyage.

› Exprimer la conséquence

3. Choisissez *donc, alors, c'est pourquoi*, pour transformer comme dans l'exemple.

Exemple : J'ai adoré ce pays — j'y suis retourné. → J'ai adoré ce pays, donc/alors/c'est pourquoi j'y suis retourné.

a. Je voulais faire partager mon expérience — j'ai écrit un livre.

b. On a trois semaines de vacances — on part au Brésil.

c. Ils ont fait un long voyage — ils ont beaucoup de choses à raconter.

d. Tu es jeune — tu as le temps de réaliser tes rêves.

› Exprimer l'accord/ le désaccord

4. Complétez le dialogue suivant avec les expression de l'avis, de l'accord ou du désaccord.

— Tiens, regarde, je viens de le lire, le dernier roman de Julie Varga.

— Ah oui, je l'ai lu aussi. Qu'est-ce que tu en penses ?

— ... il est moins bon que les précédents ..., elle a voulu renouveler le succès avec le même type de scénario.

— Ah non, ... c'est son meilleur roman depuis le premier. Et le style ! ..., l'écriture est magnifique !

— Bon, là, je ..., c'est très bien écrit. Mais c'est l'histoire qui ne m'a pas plu.

› L'expression de la cause/ conséquence pour justifier ses choix

5. a) Identifiez dans les phrases suivantes la cause et la conséquence.

a. Je n'ai pas apprécié le livre — je n'ai pas cru à l'histoire.

b. Tout le monde a acheté ce livre — il a reçu un prix.

c. La majorité des membres du jury a voté pour le même livre — son histoire est originale.

d. C'est une histoire que les enfants vont aimer — elle est très simple à lire.

e. L'auteur a un vrai talent d'écriture — j'ai adoré son livre.

b) Reformulez les phrases en exprimant la cause avec *parce que/en effet*.

c) Reformulez les phrases en exprimant la conséquence avec *c'est pour ça que/ c'est pour cette raison que*.

Carnet de voyage...

Portraits chinois

Si vous étiez une couleur ?

Si vous étiez un lieu ?

Si vous étiez **un paysage** ?

Si vous étiez **une pièce de la maison** ?

Si vous étiez un personnage célèbre ?

Si vous étiez un **vêtement** ?

Si vous étiez **un animal** ?

Si vous étiez un sentiment ?

Si vous étiez une saison ?

1.
« Si j'étais une saison, je serais l'été ; si j'étais une couleur, je serais le bleu… ». Connaissez-vous le portrait chinois ? Est-ce que dans votre pays cette pratique est utilisée pour parler de soi, en s'imaginant objet, saison, couleur… ? Si oui, comment appelle-t-on ce type de portrait ?

La méthode des portraits imaginaires est simple. On pose à une personne des questions comme :
« Si vous étiez… une couleur ?
une pièce de la maison ? un animal ? etc. »
Elle répond, sans trop réfléchir. Ensuite, on fait un collage ou un dessin pour traduire ses réponses en images.

2.
Pour faire le portrait imaginaire, il faut trois personnes. Dites quel est le rôle de chacune.

3.
Écoutez les deux portraits chinois et dites à quelle personne correspond l'illustration.

4.
a) Deux personnes du groupe-classe répondent, l'une après l'autre, aux questions du portrait chinois posées par la classe.
b) En sous-groupes, choisissez un dessinateur pour faire le portrait de chacune des personnes, à partir des réponses entendues.
c) Affichez les portraits dans la classe et amusez-vous à les identifier !

Si j'étais...

Lorànt Deutsch, comédien, d'origine hongroise.

Roman Polanski, cinéaste, d'origine polonaise.

Zinédine Zidane, footballeur, d'origine algérienne.

Sylvie Vartan, chanteuse, d'origine bulgare.

5.

Lisez l'extrait et choisissez l'information juste.

a) La narratrice est :
□ française d'origine russe.
□ française d'origine polonaise.
□ française d'origine marocaine.
□ française d'origine tunisienne.

b) Que fait-elle dans cet extrait ?
□ Elle imagine la vie des français d'origine russe.
□ Elle décrit sa vie quotidienne.
□ Elle imagine sa vie avec une origine différente.

6.

La narratrice évoque Nabil, un ami qui habite dans le même quartier qu'elle.

a) Trouvez dans l'extrait une information qui indique de quelle origine est cet ami.

b) Observez le graphique et situez les parents de la narratrice et ceux de Nabil.

NB : Les jeunes étrangers nés en France deviennent français de plein droit à 18 ans.

① **Pays de naissance des immigrés de 18 ans ou plus**

Union européenne
Autres pays d'Europe
Maghreb
Autres pays d'Afrique
Asie
Amérique, Océanie

0   250   500   750   1 000   1 250   1 500   1 750
En milliers

□ 1999   ■ 2004

Source : Insee, chiffres recensements 2004.

7.

Comparez avec votre pays. Les personnes d'origine étrangère sont-elles issues des mêmes pays qu'en France ? (Reportez-vous au graphique.)

8.

Relisez et trouvez trois stéréotypes que la narratrice associe aux gens d'origine russe.

9.

Devenez quelqu'un d'autre le temps d'un rêve !

a) Si vous étiez d'origine... Imaginez-vous dans la peau d'une personne d'origine étrangère. Quel serait votre prénom ? Comment seriez-vous physiquement ? Quelles seraient vos activités préférées ?

b) Trouvez les personnes dans le groupe qui ont choisi la même origine que vous et comparez : avez-vous la même vision ?

« Parfois, j'essaie de m'imaginer ce que je ferais si j'étais d'origine polonaise ou russe au lieu de marocaine... Je ferais peut-être du patinage artistique mais pas dans des concours locaux à deux sous où on gagne des médailles en chocolat et des tee-shirts. Non, du vrai patinage, celui des Jeux olympiques, avec les plus belles musiques classiques, des mecs venus du monde entier qui notent tes performances comme à l'école, et de stades entiers qui t'applaudissent. [...]

Et puis, si j'étais russe, j'aurais un prénom super compliqué à prononcer et je serais sûrement blonde. Je sais, c'est des préjugés [...]. Ça doit exister des Russes brunes avec des prénoms hyper simples à prononcer, tellement simples qu'on les appellerait rien que pour le plaisir de dire un prénom aussi facile à prononcer. Et puis y a peut-être carrément certaines Russes qui ont jamais enfilé de patins de leur vie.

Bref, en attendant, tout le monde se casse* et moi je vais rester au quartier pour surveiller la cité** comme un chien de garde en attendant que les autres reviennent de vacances tout bronzés. Même Nabil a disparu. Peut-être que lui aussi est parti avec ses parents en Tunisie. »

Faïza Guène, *Kiffe kiffe demain,*
Le Livre de poche, Hachette Littératures, 2004.

Kiffe kiffe demain
Faïza Guène

ISBN 2-85616-946-5

9 782725 625119

4,50 euros
Prix france TTC

* Se casser : partir (registre familier).
* *Une cité : groupe d'immeubles situé en général dans les banlieues des grandes villes.

Votre travail dans le dossier 5

1 Qu'est-ce que vous avez appris à faire dans ce dossier ? Cochez les propositions exactes.

- ☑ parler de ses aspirations
- ☐ exprimer son accord
- ☐ critiquer un spectacle
- ☐ comprendre un récit autobiographique
- ☐ comprendre des faits divers
- ☐ écrire une chanson
- ☐ parler de ses centres d'intérêt

2 Quelles activités vous ont aidé(e) à apprendre ? Voici une liste de savoir-faire de communication. Notez en face de chaque savoir-faire le numéro de la leçon et de l'activité qui correspondent.

- comprendre une chanson — *L1-3*
- comprendre quelqu'un qui raconte ses engagements
- comprendre quelqu'un qui parle d'une situation hypothétique
- comprendre la présentation d'un livre
- exprimer des souhaits, des espoirs
- exposer un projet
- rédiger un témoignage pour un forum de discussion
- comprendre quelqu'un qui exprime des raisons
- justifier ses choix de lecture

Votre autoévaluation

1 Cochez d'abord les cases qui correspondent aux savoir-faire que vous êtes capable de réaliser maintenant et faites le test donné par votre professeur pour vérifier vos réponses. Puis, reprenez votre fiche d'autoévaluation, confirmez vos réponses et notez la date de votre réussite. Cette date vous permet de voir votre progression au cours du livre.

JE PEUX	ACQUIS	PRESQUE ACQUIS	DATE DE LA RÉUSSITE
comprendre une personne qui parle de ses lecures	☐	☐	
comprendre des échanges radiophoniques	☐	☐	
comprendre des personnes qui expriment leur accord ou leur désaccord	☐	☐	
comprendre un article sur l'histoire d'une association	☐	☐	
raconter l'histoire d'un livre	☐	☐	
exprimer un point de vue	☐	☐	

2 Après le test, demandez à votre professeur ce que vous pouvez faire pour améliorer les activités non encore acquises.

- ☐ exercices de compréhension orale
- ☐ exercices de compréhension écrite
- ☐ exercices de production orale
- ☐ exercices de production écrite
- ☐ exercices de grammaire
- ☐ exercices de vocabulaire
- ☐ exercices de phonétique
- ☐ autres (vidéo...)

Si votre institution possède un centre de ressources, demandez au responsable de vous conseiller sur les documents disponibles en livres, cassettes audio et vidéo, CD-ROM ou sites Internet.

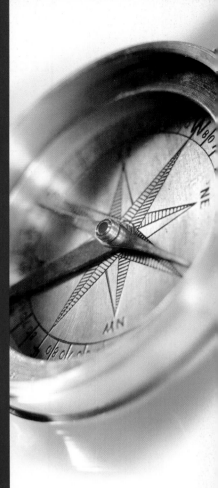

DOSSIER **6**
Alternatives

A2>B1

ÉVOQUER UN CHANGEMENT DE VIE

ALTERNATIVES

DOSSIER 6

www.mapageperso/commentreussir.com

Réussir sa vie

Changer de vie, prendre un nouveau départ : certains y pensent parfois, d'autres en rêvent. Pour se lancer dans l'aventure, il faut souvent que l'envie soit plus forte que la raison, que la confiance soit plus grande que la peur de l'inconnu…

Joëlle Kem-Lika, coach en développement personnel, témoigne : « Souvent, quand les personnes viennent me voir, elles expriment un malaise face à leur quotidien mais pensent que c'est une fatalité. On en parle ensemble et, au fil des séances, elles découvrent que vivre heureux, c'est possible. Je les aide à identifier leurs envies, je les accompagne dans la nouvelle voie. »

Pour Joëlle, le bonheur vient de la possibilité de faire ce qu'on aime et d'être soi-même. Elle en est la preuve : d'abord coach, elle a petit à petit développé ses talents artistiques. Devenue également peintre et décoratrice, elle crée des tableaux, dessins et panneaux décoratifs.

Ce chemin parcouru lui permet d'aider les autres à développer leurs propres talents. Pour Joëlle, le bonheur existe, mais il faut d'abord en avoir envie. Il faut y croire !

1 👁

Lisez le texte et répondez.

1. En quoi consiste le travail de coach de Joëlle ?

2. Pourquoi vient-on la consulter ?

3. Quelles sont ses autres activités ?

4. Quelle est, pour Joëlle, la condition pour réussir sa vie ?

AVANT

Point **Langue**

› LES PRONOMS INDIRECTS *y* ET *en*

a) Relisez le texte et dites de quoi on parle.

*Certains **y** pensent → Certains pensent …*

*D'autres **en** rêvent → Certains rêvent …*

*Il faut **en** avoir envie → Il faut avoir envie …*

*On **en** parle → On parle …*

*Il faut **y** croire → Il faut croire …*

b) Trouvez la bonne réponse.

Pour trouver ce que *y* remplace, il faut poser la question :

☐ à quoi ? ☐ de quoi ? ☐ à qui ? ☐ de qui ?

Pour trouver ce que *en* remplace, il faut poser la question :

☐ à quoi ? ☐ de quoi ? ☐ à qui ? ☐ de qui ?

c) Complétez la règle avec *y* et *en*.

Pour ne pas répéter un complément introduit par *à*, on utilise …

Pour ne pas répéter un complément introduit par *de*, on utilise …

d) Justifiez le pronom dans chacun des énoncés suivants.

je m'en occupe – j'y réfléchis – j'en ai besoin – je m'en souviens – je m'en sers

S'EXERCER N° 1

D'après www.la-lila.com

Point **Langue**

› LES MARQUEURS CHRONOLOGIQUES

Observez les phrases suivantes. Pour chaque expression soulignée, trouvez une expression équivalente dans le témoignage de Paul.

Pour indiquer le point initial : *Au départ, j'étais content d'être là.*

Pour indiquer un moment précis : *Après quelques mois, j'ai compris que quelque chose n'allait pas.*
C'est à ce moment-là que je suis allé voir Joëlle.

Pour indiquer une progression : *Petit à petit, j'ai compris que ma créativité viendrait avec le sentiment de liberté.*

Pour indiquer le point d'arrivée : *Pour finir, je suis toujours en France.*

S'EXERCER N° 2

3 😊

En petits groupes, listez des mots ou expressions autour de l'idée « Réussir sa vie ».

4 PHONÉTIQUE

Écoutez et répétez en faisant les enchaînements et les liaisons :
1. *Enchaînements* : On parle ensemble. Le bonheur existe. D'autres en rêvent. Certains y pensent.
2. *Liaisons* : Le bien‿être. On‿en parle. C'est‿à ce moment-là. Petit‿à petit.

5 😊

Échangez. En petits groupes, dites si vous connaissez quelqu'un qui a décidé de changer de vie et a réussi.

6 ✏️

Imaginez ! Écrivez un témoignage pour la revue *Changer tout*. Comme Julie et Paul, expliquez :
1. votre situation initiale et pourquoi vous avez décidé de changer ;
2. les résultats positifs du changement.

2 👂

Écoutez deux personnes qui témoignent sur le site de Joëlle et complétez les fiches.

O Q R V

Fiche de : Paul Onais

Situation initiale :

Problème qui a amené à consulter :

Résultats :

Fiche de : Julie Vrouvert

Situation initiale :

Problème qui a amené à consulter :

Résultats :

- APRÉS -

*Ce soir, à 20 h 50,
sur France 2,
un documentaire à ne
pas manquer : La Force du rêve.
Le héros, c'est celui qui vient
d'être élu « personnalité préférée
des Français » : Yannick Noah.
Une star hors du commun,
un parcours brillant, une
reconversion spectaculaire !
C'est ce que le documentaire
de ce soir retrace.
Né en 1960 d'un père camerounais
et d'une mère française, il gagne
Roland-Garros à l'âge de 23 ans
et devient alors le joueur de tennis
préféré des Français. En 1988,
il s'engage dans l'humanitaire,
en créant avec sa mère
l'association « Les enfants
de la Terre », qui agit dans
le cadre de la protection de
l'enfance. Il devient capitaine
de l'équipe de France de tennis
en 1991. La même année, il mène
son équipe à la victoire en coupe
Davis. Après avoir été entraîneur,
il devient... chanteur !
L'année 2000 marque un nouveau
départ dans sa carrière : son
premier album remporte un grand
succès. Trois ans plus tard, il
séjourne un moment au Népal,
avant de lancer son deuxième
album l'année suivante. Et le
succès continue, avec Métisse(s),
son dernier CD !*

France 2

19.05	On a tout essayé
19.50	Samantha
	"Spéciale Noël".
19.55	Météo 2 / Journal / Météo 2
20.41	Tirage du Loto
20.45	Plus jamais comme ça
20.50	**Yannick Noah :**
	la force du rêve

Documentaire. Yannick Noah,
champion de tennis, chanteur
et activiste humanitaire, est l'une des
personnalités préférées des Français :
retour sur son brillant parcours.

7

**Écoutez l'enregistrement et identifiez
la situation : qui parle ? de quoi ?**

8

**Réécoutez l'enregistrement et complétez
le mél.**

De :	christine.mourlat@free.fr
A :	josianne.lincas@hotmail.com
Objet :	URGENT

Coucou
Notre chanteur préféré vient d'être
élu ... ! Et il passe à la télé ce soir,
mais je ne serai pas chez moi.
Peux-tu enregistrer le documentaire
pour moi, s'il te plaît ? ça s'appelle
... et ça passe à ... h, sur...
N'oublie pas ! On le regardera
ensemble le week-end prochain.
Merci !
Bisous
C.

9

**a) Lisez l'extrait de programme télé.
Trouvez quelles activités du parcours
de Yannick Noah sont citées.
b) Réécoutez l'enregistrement et
comparez. Trouvez l'activité oubliée
dans le programme.**

10

**Réécoutez et complétez les dates dans
la biographie de Yannick Noah.
Justifiez vos réponses.**

Yannick Noah
un parcours

- **1960 :** naissance à Sedan,
  dans les Ardennes
- **1963 :** installation de la famille
  à Yaoundé au Cameroun
- **1971 :** arrivée en France –
  lycée sport-études de tennis
  à Nice
- **... :** victoire à Roland-Garros
- **1988 :** création de l'association
  « Les enfants de la Terre »
  avec sa mère
- **... :** capitaine de l'équipe
  de France de tennis
- **... :** victoire de l'équipe
  en coupe Davis
- **2000 :** sortie de l'album *Yannick Noah*
- **... :** séjour au Népal
- **... :** sortie de l'album *Pokhara*
- **2005 :** sortie de l'album *Métisse(s)*

Point **Langue**

> LES MARQUEURS CHRONOLOGIQUES DANS UNE BIOGRAPHIE

Remplacez les éléments soulignés par les expressions suivantes :
à l'âge de ... ans – ... ans plus tard/après – l'année suivante – la même année

Je suis née en 1963. J'ai commencé à travailler quand j'avais 23 ans. En 1989, j'ai suivi une formation. En 1990, j'ai changé de profession. En 1991, j'ai obtenu un poste à l'étranger. Je suis rentrée en France en 1995. En 1995, je me suis mariée. Mon premier enfant est né en 1997.

S'EXERCER N° 3 ⟳

> INDIQUER LA CHRONOLOGIE DE DEUX ACTIONS

a) Observez et trouvez l'ordre chronologique des deux actions :
*Noah devient chanteur **après avoir été** entraîneur.*

N°... N°...

***Avant de lancer** son deuxième album, il séjourne au Népal.*

N°... N°...

b) Complétez la règle.

***Après** + verbe à l'infinitif passé indique : une action ☐ accomplie ☐ à venir.*
On le forme avec ... + participe passé.
Avec *avant de*, on utilise un verbe à ... .

S'EXERCER N° 4 ⟳

11

Échangez.
En petits groupes, dites si vous connaissez d'autres exemples de personnalités qui ont un parcours varié comme Yannick Noah.
Présentez une de ces personnalités et expliquez ses différentes activités.

12 ✎

Imaginez !
Cette personnalité est à la une de l'actualité.
Pour son site Internet, vous présentez l'événement, vous rappelez sa biographie et son parcours.

> Les pronoms *y* et *en*

1. Complétez avec *en* et *y* comme dans l'exemple.
Exemple : – Est-ce qu'on choisit facilement une nouvelle carrière ?
– Oui, si on (réfléchir) sérieusement.
→ Oui, si on y réfléchit sérieusement.
a. – Pour réaliser le projet, il faut consulter un spécialiste.
– Je (s'occuper) cette semaine, si tu veux.
b. – Tu connais des techniques de relaxation ?
– Oui, je (se servir) régulièrement.
c. – Elle défend très bien son projet !
– Oui, elle (croire) vraiment !
d. – Tu voudrais changer de travail ?
– Oui, je (rêver) depuis longtemps !
e. – Ton coach te donne des conseils ?
– Oui, et je (avoir besoin) !
f. – Tu crois que tu vas faire le même travail toute ta vie ?
– Je ne sais pas, je (ne jamais penser) !

> Les marqueurs chronologiques

2. Retrouvez la chronologie de la vie de Vincent puis reconstituez son témoignage. Utilisez : *au bout de quelques années – petit à petit – au départ – finalement – c'est alors que.*
J'ai appris le sens de la vraie vie grâce à elle.
J'en ai eu assez de mon quotidien.
J'étais chirurgien esthétique à Paris et j'avais une clientèle de « people ».
Je suis devenu médecin de campagne comme elle, et nous habitons en Bretagne.
J'ai rencontré Anna, un médecin de campagne.

3. Réécrivez la biographie en évitant les répétitions de dates.
a. Il est né en 1950 au Portugal.
b. En 1960, il est arrivé en France avec sa famille.
c. En 1970, il est entré à l'université.
d. En 1974, il a eu un diplôme de sociologie.
e. En 1978, il a commencé à enseigner la philosophie dans un collège.
f. En 1981, il a écrit un livre sur son enfance bilingue.

g. En 1989, il a découvert une nouvelle passion : l'alpinisme.
h. En 1990, il est parti dans l'Himalaya.
i. En 1995, il est revenu en France.
j. En 1995, il a ouvert une école d'alpinisme.

> Indiquer la chronologie de deux actions

4. Transformez selon le modèle.
Il vit à Paris pendant deux ans, puis il s'installe à Londres.
→ Il s'installe à Londres après avoir vécu deux ans à Paris.
→ Avant de s'installer à Londres, il vit deux ans à Paris.
a. J'ai fait des études littéraires, puis j'ai travaillé dans une maison d'édition.
b. Il est passé plusieurs fois à côté de la chance, puis il a remporté le prix du Meilleur Acteur.
c. Vous avez été acteur, puis vous êtes devenu réalisateur.
d. Elle passe par Tahiti, puis elle continue son voyage jusqu'au Japon.
e. Ils se sont perdus de vue, puis ils se sont retrouvés par hasard.
f. J'ai hésité longtemps, puis j'ai changé de travail.

RAPPORTER UNE CONVERSATION

1 👁️👁️

Échangez.

a) Observez cette publicité pour une agence de travail par intérim et expliquez la situation évoquée.

b) En petits groupes, faites la liste des « métiers d'homme » dans votre pays, puis la liste des « métiers de femme ». Comparez vos listes.

2 👂

Écoutez l'enregistrement. Dites quelle est la situation et de qui on parle, puis identifiez le lien avec la publicité.

3 👂

a) Réécoutez l'enregistrement et complétez le mél que Frédérique envoie.

b) Choisissez quelle photo elle envoie avec le mél.

De :	fred18@wanadoo.fr
A :	paulaurence@free.fr

Salut les cousins !
Eh oui ! Je suis bien … depuis une … !
Sur la photo, je suis devant la caserne,
le premier jour où j'ai porté l'… de … .
Alors, vous êtes fiers de moi ?
Bises
Frédérique

Arrêtons le gâchis

Cette femme veut être jardinière, mais ce n'est pas facile parce qu'on pense encore que c'est un métier d'homme.

LAISSONS LEURS CHANCES AUX COMPÉTENCES

ADIA
460 JOBSTORES

www.adia.fr

Photo 1

Photo 2

4 👂

Vrai ou faux ? Réécoutez et répondez.

1. Frédérique est la cousine de Laurence.
2. Elle est pompier bénévole.
3. Elle a suivi une formation pour devenir pompier.
4. Elle a changé de profession.

5 👂

Réécoutez l'enregistrement et reconstituez la conversation entre Laurence et sa cousine Frédérique.

Défi de filles !

Point **Langue**

> LE DISCOURS RAPPORTÉ AU PASSÉ

Observez les phrases de la conversation en direct (1re colonne) et de la conversation rapportée (2e colonne), puis complétez la règle (3e et 4e colonne) avec les temps des verbes.

Paroles en direct (entre Frédérique et Laurence)	Discours rapporté (de Laurence à Paul)	Pour rapporter	On utilise
– Qu'est-ce que tu **fais** dans cette tenue ? C'**est** un déguisement ?	Je lui **ai demandé** ce qu'elle **faisait** dans cette tenue, si c'**était** un déguisement.	– un fait actuel, exprimé avec le …	➜ le …
– J'en **rêvais**.	Elle m'**a expliqué** qu'elle en **rêvait**.	– une situation ancienne, exprimée avec le …	➜ le …
J'**ai suivi** une formation et je **suis** pompier depuis une semaine.	Elle m'**a dit** qu'elle **avait suivi** une formation et qu'elle **était** pompier.	– un fait passé, exprimé avec le …	➜ le …
– Paul (ne) **va** pas me croire !	Je lui **ai dit que** tu n'**allais** pas me **croire**.	– un fait futur, exprimé avec le …	➜ le …
– Je vous **enverrai** une photo.	Elle **a dit qu**'elle nous **enverrait** une photo.	– un fait futur, exprimé avec le …	➜ le …

S'EXERCER Nos **1 et 2**

6

Écoutez l'enregistrement et trouvez quelle profession (traditionnellement masculine ou féminine) exercent les personnes.

	Homme	Femme
1		
2		
3		

7 🖊

Vous avez rencontré Claire (ou Martine) à l'occasion d'un stage d'alpinisme (ou de musique). Elle vous a parlé de sa vie et vous a raconté son « exploit » professionnel. Vous décrivez la rencontre et rapportez la conversation dans une lettre à un(e) ami(e).

Cher /Chère …

J'espère que tu vas bien. Moi, je rentre de vacances, où j'ai fait un stage de … . J'ai fait la connaissance de …, qui était la … pendant mon stage. Une femme … ! Elle m'a raconté comment …

Elle m'a expliqué que …

SOCIÉTÉ

Elles réussissent dans des « métiers d'homme »

Elles sont pilote de chasse, chef d'orchestre, torero, chauffeur de camion… : autant de métiers traditionnellement réservés aux hommes. Rencontre avec dix femmes d'exception qui n'ont pas hésité à relever le défi des carrières « masculines ».

Claire, *chef d'orchestre*
« Seule femme dans les cours de direction d'orchestre. » « Il me faut une autorité sans faille. »

Martine, *guide de haute montagne*
« J'ai épousé un guide savoyard à vingt ans. Dix ans après j'ai passé le concours et j'ai été la première femme à devenir guide. »

D'après *Le journal des femmes*, *L'internaute*, janvier 2005.

RAPPORTER UN EXPLOIT

Stage Incendie

13ᵉ jour de stage

Les journées passent très vite, le moral change au fil des heures...

Je trouve ça très dur physiquement et moralement, quelquefois j'ai envie de tout arrêter. Hier, on a dû faire un parcours militaire chronométré : j'ai cru que je n'y arriverais pas, j'ai failli arrêter. Mais finalement, j'ai réussi à surmonter ma peur et je l'ai terminé ! J'étais soulagée et j'ai décidé que je ne me découragerais plus ! Je suis au milieu du stage, et certains ont déjà abandonné.

Chers parents,

Ce matin, nous avons appris les résultats de notre stage. C'était un moment très solennel, j'étais émue ! J'ai réussi, JE SUIS POMPIER ! En plus, on m'a dit que j'étais bien classée... Pas mal pour une "vieille" de 30 ans, non ? Je suis fière de moi ! Très heureuse d'avoir enfin terminé, mais l'ambiance du stage me manque déjà. J'ai hâte de partir pour une intervention d'urgence !
Je vous appelle quand je rentre.
Bisous, Fred

MONSIEUR ET MADAME LELONG

14, rue des Oiseaux

|0|6|3|0|0| Nice

De : fred18@wanadoo.fr
A : lelongfamille@free.fr

Salut les parents,
2ᵉ jour de mon stage incendie, le dernier de la formation.
Je suis contente de commencer enfin ce stage, mais 4 semaines ça risque d'être long... Accepter la discipline, c'est dur ! En plus, je suis une des plus âgées, et on n'est que 7 filles pour 30 gars ! Hier, j'étais démoralisée, découragée...
Mais, je l'ai voulu, il faut que je tienne bon, c'est le dernier stage.
Bisous, je vous tiens au courant.
Fred

8

Lisez les trois documents.
1. Dites de quels types de documents il s'agit, qui les a écrits et dans quelles circonstances.
2. Trouvez dans quel ordre chronologique ils ont été écrits.

9

a) Relisez les trois documents et dites, pour chacune des trois étapes du stage, si l'état d'esprit de Frédérique est : très négatif/plutôt négatif/mitigé/plutôt positif/très positif. Justifiez votre réponse.

b) Trouvez un mot pour caractériser la personnalité de Frédérique.

Point **Langue**

› RAPPORTER UN EXPLOIT / EXPRIMER DES SENTIMENTS ET RÉACTIONS

a) Relisez les documents et trouvez dans quel ordre Frédérique a ressenti les sentiments suivants.
Puis classez-les.
J'étais ...
émue – démoralisée, découragée – contente – soulagée – fière

Négatif	Positif

b) Classez les expressions suivantes selon qu'elles expriment le découragement ou la détermination.
j'ai réussi à surmonter ma peur – il faut que je tienne bon – j'ai failli arrêter – accepter la discipline, c'est dur ! – j'ai cru que je n'y arriverais pas – j'ai décidé que je ne me découragerais plus – j'ai envie de tout arrêter

Découragement	Détermination

S'EXERCER Nº 3 G

10 PHONÉTIQUE

a) Écoutez et répondez : découragement ou détermination ? Puis répétez avec la même intonation.

1. Quatre semaines, c'est pas long !
2. J'ai décidé que je n(e) me décourag(e)rais plus !
3. J(e) crois qu(e) j'y arriverai pas !

b) Écoutez et indiquez, d'après l'intonation, si on exprime le découragement ou la détermination.

POINT CULTURE

La féminisation des professions

Prenez connaissance des chiffres et comparez avec la situation dans votre pays.

Les dix métiers les plus féminisés (en pourcentage de femmes dans la profession)

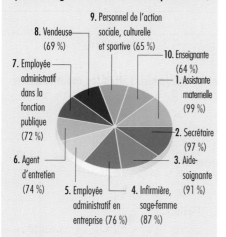

8. Vendeuse (69 %)
9. Personnel de l'action sociale, culturelle et sportive (65 %)
10. Enseignante (64 %)
7. Employée administratif dans la fonction publique (72 %)
1. Assistante maternelle (99 %)
2. Secrétaire (97 %)
6. Agent d'entretien (74 %)
3. Aide-soignante (91 %)
5. Employée administratif en entreprise (76 %)
4. Infirmière, sage-femme (87 %)

Les dix métiers les moins féminisés (en pourcentage de femmes dans la profession)

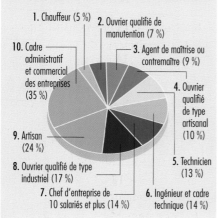

1. Chauffeur (5 %)
2. Ouvrier qualifié de manutention (7 %)
3. Agent de maîtrise ou contremaître (9 %)
10. Cadre administratif et commercial des entreprises (35 %)
4. Ouvrier qualifié de type artisanal (10 %)
9. Artisan (24 %)
5. Technicien (13 %)
8. Ouvrier qualifié de type industriel (17 %)
7. Chef d'entreprise de 10 salariés et plus (14 %)
6. Ingénieur et cadre technique (14 %)

Source : Insee et Dares, janvier 2005.

11 ✍

Imaginez ! Elles ont réalisé un exploit. Rédigez un extrait de leur journal de bord.

Maud Fontenoy : première femme à réussir la traversée de l'océan Pacifique à la rame et en solitaire.
Après 74 jours de mer, elle atteint les îles Marquises (2005).

Claudie André-Deshays : première femme française cosmonaute (1996).

S'EXERCER

Leçon 2
Dossier 6

> Le discours rapporté au passé

1. Conjuguez les verbes aux temps qui conviennent.

— Tu te souviens de Farida ? Je l'ai rencontrée dans le métro. Elle a beaucoup minci, je ne l'avais pas reconnue !
— Tu lui as demandé ce qu'elle (faire) pour maigrir ?
— Oui. Elle m'a expliqué qu'elle (faire) beaucoup de course à pied, et qu'elle (courir) le marathon de Paris ! Elle a même dit qu'elle (aller) à New York pour le marathon l'an prochain !

2. Lisez le dialogue et écrivez le récit.

— Salut Elsa, qu'est-ce que tu fais dans la région ?
— Je fais du parachutisme, il y a un centre ici.
— Ah bon ! Depuis quand ?
— Depuis un an. Mes amis m'ont offert un stage pour mon anniversaire et j'ai adoré ça ! J'ai fait plusieurs stages, et maintenant je viens une fois par mois pour sauter.
— Je viendrai te voir sauter un jour, si tu veux bien.

→ *J'ai rencontré Elsa hier. Je lui ai demandé …*

> Rapporter un exploit/ exprimer des sentiments et réactions

3. a) Complétez avec : soulagé – ému – fier – content – découragé

a. J'ai réussi à surmonter ma peur : je suis … !
b. J'ai envie de tout arrêter : je suis … !
c. J'ai réussi : je suis … !
d. Ouf ! J'ai fait le plus dur : je suis … !
e. J'ai les larmes aux yeux : je suis … !

b) Complétez avec les expressions suivantes.

il faut que je tienne bon – j'ai envie de tout arrêter – j'ai décidé que je ne me découragerais plus – j'ai failli arrêter – j'ai réussi à surmonter ma peur

a. C'était dangereux, mais … et je suis allé jusqu'au bout.
b. Je n'ai plus de force, … !
c. Il ne reste que 20 mètres avant l'arrivée : … !
d. Je sais que j'ai pu le faire, alors … !
e. À mi-chemin, je ne sentais plus mes jambes et …, mais finalement je suis reparti !

IMAGINER UN PASSÉ DIFFÉRENT

– Nous allons écouter un autre témoignage. Je vous rappelle le thème de l'émission d'aujourd'hui : « La chance était au rendez-vous ! ». Nous avons en ligne Lucie… Bonjour, Lucie, nous vous écoutons.
– Oui, bonjour ! Eh bien voilà, c'était il y a six mois et ce soir-là, je n'avais pas très envie de sortir, je n'avais pas le moral. Mais mon amie Camille avait réussi à m'entraîner dans un resto. Pendant le repas, je lui expliquais que j'allais chaque jour à l'ANPE pour chercher du travail, mais que ce n'était pas évident – oui, il faut dire que je suis dans le secteur du tourisme… Et juste à la table d'à côté, il y avait deux messieurs ; un des deux s'est adressé à moi et m'a dit : « Excusez-moi, mais j'ai entendu votre conversation. Je suis directeur de l'agence Caraïbes…, voilà ma carte ! Passez me voir demain à dix heures, si vous voulez. »
– Et ça a marché ?
– Oui, j'ai été engagée tout de suite ! Et ce qui est extraordinaire dans cette histoire, c'est que si mon amie n'avait pas insisté pour que je sorte, je n'aurais sans doute jamais rencontré mon directeur, et… je serais peut-être encore au chômage !
– C'est formidable ! Merci Lucie, au revoir ! Benjamin, bonjour, c'est à vous ! (…)

1

Écoutez l'enregistrement et répondez.
1. Quel est le thème de l'émission de radio ?
2. Que font les personnes interviewées ?

2

Réécoutez et repérez, pour chaque personne, la situation de départ, l'événement lié au hasard et ses conséquences. Complétez le tableau avec les précisions données par chacun.
Il/Elle…
a rencontré un directeur d'agence dans un restaurant – partait à un rendez-vous professionnel à Paris – a revu et a épousé la personne rencontrée – était au chômage et n'avait pas envie de sortir le soir – a retrouvé un emploi – a fait une rencontre amoureuse dans un train

	Personne n° 1	Personne n° 2
Situation de départ		
Événement heureux		
Conséquence		

3

Réécoutez et observez les agendas de Lucie et de Benjamin. Faites les modifications en fonction des imprévus évoqués.

FÉVRIER

Mercredi 15	Jeudi 16	Vendredi 17	Samedi 18
9	9	9	
(ANPE) 10	ANPE 10	10	
11	11	11	
envoyer CV 12	12	12	
13	13	13	
14	14	14	
15	envoyer CV 15	15	Dimanche 19
16	16	16	
17	17	17	
18	18	18	
19	19	19	
20	20	20	

Rétrospectives

Juin	Lundi *9*		Mardi *10*		Mercredi *11*	
	7 h 22 TGV	7:00		7:00		7:00
	– Paris	8:00		8:00		8:00
		9:00	RV Directeur	(9:00)		9:00
	réunion hebdomadaire	(10:00)	agence de Lyon	10:00		10:00
	au siège	11:00		11:00		11:00
		12:00	Visite des ateliers	(12:00)		12:00
		13:00		13:00		13:00
		14:00		14:00		14:00
		15:00		15:00		15:00
		16:00		16:00		16:00
		17:00		17:00		17:00
		18:00		18:00		18:00
	21 h 03 Retour Lyon		20 h Cinéma Patrick			

5

**Vous pouvez, vous aussi, refaire le monde !
Faites des hypothèses concernant un passé
différent et imaginez les conséquences.**

– Si les dinosaures n'avaient pas disparu, …

6

**Imaginez ! Pour la première page de
vos mémoires, vous imaginez des points
de départ différents dans votre vie
(lieu/époque de naissance, parents,
famille, choix professionnels, etc.)
et les conséquences sur votre vie passée
et/ou actuelle.**

4

**Réécoutez la fin de deux témoignages
et répondez. Justifiez votre choix.**
Pour souligner la chance qu'elles ont eue,
les personnes...
☐ résument ce qui s'est réellement passé
ce jour-là
☐ imaginent la suite de ce jour-là
sans intervention de la chance
☐ évoquent un autre jour de chance

AIDE-MÉMOIRE

**Situer un événement
dans un récit au passé**

Quand nous nous sommes rencontrés,
je venais de rater mon train *(juste avant),*
J'allais être en retard à un rendez-vous
à Paris *(juste après).*

Point **Langue**

› *Si* + PLUS-QUE-PARFAIT POUR IMAGINER UN PASSÉ DIFFÉRENT

Observez les déclarations des personnes, puis choisissez et complétez
pour expliquer la règle.
Si mon amie **n'avait pas insisté** pour que je sorte, **je n'aurais** sans doute
jamais rencontré mon directeur.
Si je n'avais pas raté mon train, **nous ne serions pas** mari et femme maintenant.
La personne qui déclare « *Si je n'avais pas raté...* » = ☐ a raté le train
☐ n'a pas raté le train
On utilise la structure *Si* + plus-que-parfait pour faire une hypothèse
☐ qui concerne le présent ☐ qui concerne le passé.
Dans la première phrase, la personne utilise le conditionnel passé
pour imaginer une conséquence ☐ actuelle ☐ passée.
Dans la deuxième phrase, la personne utilise le conditionnel présent
pour imaginer une conséquence ☐ actuelle ☐ passée.
Dans les deux cas, il s'agit de faits ☐ réels ☐ irréels.
On forme le conditionnel passé avec l'auxiliaire *(avoir* ou *être)* au ... + le ... .

S'EXERCER N° 1

EXPRIMER UN REGRET

Forum psycho

| Sujet : Vos regrets | La question de : Caroline | Date : 10/04 |

Bonjour,
Je prépare actuellement pour le magazine *Psychomag* un dossier sur les REGRETS. J'ai donc besoin de vos témoignages :
– Avez-vous des regrets ?
– Que regrettez-vous d'avoir fait ou de ne pas avoir fait, d'avoir été ou de ne pas avoir été ?
L'article doit paraître dans le *Psychomag* de juillet.
Merci de votre coopération.
Caroline

Document 1

Forum psycho

Vos réponses   Sujet : Vos regrets

Huguette, 64 ans, retraitée, Chanac (48)   Date : 10/04

Mon grand regret ? J'aurais voulu voyager, découvrir des horizons nouveaux. Je serais allée très loin, en Afrique, en Chine, j'aurais découvert d'autres manières de vivre. Mais avant, on ne se déplaçait pas comme maintenant ! Et puis, surtout, il fallait avoir les moyens, et moi je n'ai jamais eu beaucoup d'argent, alors je suis restée dans ma province natale… Je ne suis allée qu'une seule fois à Paris, pour le mariage de mon neveu.

José, 22 ans, étudiant, Bordeaux (33)   Date : 10/04

Je suis fils unique et j'ai eu une enfance solitaire ; ça n'a pas été drôle tous les jours. J'aurais voulu avoir des frères et sœurs, j'aurais aimé jouer avec eux, parler… On se serait souvent disputés, mais réconciliés aussitôt.

Lucien, 41 ans, cultivateur, Issoire (63)   Date : 10/04

Moi, j'ai commencé à travailler à l'âge de 14 ans dans la ferme familiale, je n'ai pas eu le choix et je regrette d'avoir été obligé de travailler si tôt, de ne pas avoir fait d'études. J'aurais aimé passer mon bac, puis je serais allé à la fac, j'aurais suivi des études scientifiques pour devenir ingénieur. C'est dommage… mais on ne peut pas toujours faire ce qu'on veut dans la vie !

Document 2

7

Écoutez l'enregistrement.
a) Identifiez les deux moments.
b) Sélectionnez le sentiment exprimé :
☐ satisfaction ☐ insatisfaction
c) Repérez le mot clé qui explique le sentiment global des personnages.

8

a) Réécoutez et dites de quelle nature sont les regrets de Julien et de Muriel.
b) Vrai ou faux ? Répondez.
1. Si Julien avait été un artiste :
– il aurait été pauvre ;
– sa vie aurait été monotone.
2. Si Muriel avait épousé un homme riche :
– elle aurait pu voyager en 1re classe ;
– elle aurait acheté un palace ;
– elle se serait offert des produits de luxe.

9 PHONÉTIQUE

a) Écoutez et dites si on exprime la satisfaction ou le regret.
b) Réécoutez et répétez avec la même intonation.

10

Lisez le premier document et répondez.
Où peut-on lire ce texte ? Qui l'a écrit et dans quel but ?

11

Lisez les réponses de trois personnes et complétez les fiches de Caroline.

Nom : _____
Âge : _____
Profession : _____
Informations sur sa vie : _____
_____

Nature des regrets :
☐ amour ☐ famille ☐ profession
☐ loisirs ☐ autre

12 👁

Relisez et repérez les regrets que chaque personne exprime.

Point **Langue**

› EXPRIMER UN REGRET

a) Observez et complétez.

La personne qui déclare : *J'aurais voulu avoir des frères et sœurs*

☐ a eu des frères et sœurs.

☐ n'a pas eu de frères et sœurs.

Le regret s'exprime avec le verbe … au conditionnel ☐ présent
☐ passé.

Rappel : Ce même verbe au conditionnel présent exprime un souhait, un désir (voir p. 78).

b) Cherchez dans les témoignages, deux autres verbes pour exprimer le regret.

J'aurais voulu + infinitif

… + infinitif

… + *de* + infinitif passé (action accomplie)

c) Reformulez le regret suivant avec les formules identifiées.

J'aurais voulu voyager

…

…

S'EXERCER N° 3 (G

13 ✎

En petits groupes, choisissez une personnalité (monde du spectacle, politique, affaires...) et rédigez un extrait de ses mémoires en respectant le plan suivant :
- informations sur sa vie ;
- regrets.

14 ✎

Imaginez !
Muriel, la femme que vous avez entendue dans le dialogue (activité 7 p. 102) envoie son témoignage à *Psychomag*. Rédigez le mél où elle parle de sa vie et de ses regrets.

› Imaginer un passé différent

1. Transformez selon le modèle.

Exemple : Je n'ai pas révisé et j'ai raté mon examen.

➜ *Si j'avais révisé, je n'aurais pas raté mon examen.*

a. Ils sont allés voir ce film et ils se sont ennuyés.

b. Tu ne m'as pas donné ton numéro de téléphone, je n'ai donc pas pu t'inviter.

c. Vous n'avez pas composté votre billet et vous avez eu une amende.

d. J'ai pris ma voiture et je suis arrivé en retard.

e. Elle l'a épousé et elle a dû déménager.

2. Imaginez une conséquence (présente ou passée).

Exemple : Si je ne t'avais pas réveillé, tu aurais dormi toute la journée/ tu dormirais encore.

a. Si tu étais resté chez toi, … .

b. Si je n'avais pas dîné dans ce restaurant, … .

c. S'ils avaient été correctement habillés, … .

d. Si vous n'étiez pas partis sans payer, … .

e. Si vous n'aviez rien dit, … .

› Exprimer un regret

3. Imaginez leurs regrets. Formulez-les comme dans l'exemple

Il a fait des études d'ingénieur parce que ses parents le voulaient. Il n'est pas devenu reporter international, il n'a pas fait le tour de monde. ➜ *Il aurait voulu/ aurait aimé être reporter international ; il aurait fait le tour du monde.*

a. Il a raté sa carrière de champion olympique. Il n'a pas gagné de médaille d'or, il n'est pas monté sur les podiums.

b. Elle faisait de l'équitation, mais un accident l'a obligée à arrêter. Elle n'a pas pu participer aux concours internationaux.

c. J'ai dû arrêter mes études, je ne suis pas devenu avocat. Je n'ai pas pu défendre de grandes causes.

d. J'étais malade, je ne suis pas allé voir le spectacle. Je voulais demander un autographe aux chanteurs.

e. On voulait aller avec vous à Cannes, mais on avait trop de travail. Dommage, on n'a pas vu les acteurs.

S'EXERCER

Dossier 6

Carnet de voyage...

Double sens

1.

Vrai ou faux ? Observez les quatre dessins et répondez.

1. C'est une page de bande dessinée.
2. Le personnage rapporte les paroles d'une autre personne.
3. Le personnage qui s'exprime est un enfant.
4. Les dessins montrent comment on peut comprendre des expressions idiomatiques.

On m'a dit qu'il fallait se meubler l'esprit.

Ma femme m'a dit que parfois je perdais la tête.

Mes collègues m'ont dit que souvent je leur cassais les pieds.

Ma femme m'a dit que j'avais pris un coup de vieux.

2.

Trouvez la signification des quatre expressions idiomatiques rencontrées.

se meubler l'esprit •
perdre la tête •
casser les pieds à quelqu'un •
prendre un coup de vieux •

• agacer quelqu'un
• vieillir subitement
• se cultiver
• devenir fou

3.

Observez ces autres dessins et associez-les aux textes.

a. J'ai entendu dire qu'il avait le bras long.

b. Il faut bien posséder la langue française.

c. Ce week-end, on fera le pont.

Imaginez le sens véritable de ces expressions. Vous pouvez vérifier avec le dictionnaire ou en demandant à votre professeur.

4.

Comparez avec votre langue : est-ce qu'il existe des expressions imagées dans votre langue pour dire la même chose ? Traduisez ces expressions en dessins et en français (mot à mot) pour la classe.
Exemples :

En français, on dit « il pleut des cordes » quand il pleut très fort.

En anglais, on dit « it's raining cats and dogs ».

5.

Imaginez d'autres illustrations !
a) Trouvez le sens des expressions idiomatiques suivantes :
- dévorer un livre
- avoir un chat dans la gorge
- poser un lapin à quelqu'un
- avoir une fièvre de cheval
Aidez-vous du dictionnaire ou sollicitez encore votre professeur.
b. Utilisez ces expressions dans un petit texte.
On m'a dit …
Mon mari m'a dit …
Mon professeur a dit …
c. Imaginez et décrivez (ou dessinez) l'illustration pour accompagner chaque texte.

Votre travail dans le dossier 6

1 Qu'est-ce que vous avez appris à faire dans ce dossier ? Cochez les propositions exactes.

- ☑ parler d'un changement de vie
- ☐ exprimer des regrets
- ☐ comprendre une courte biographie
- ☐ écrire une lettre formelle
- ☐ décrire une innovation
- ☐ raconter un exploit
- ☐ comprendre un manifeste

2 Quelles activités vous ont aidé(e) à apprendre ? Voici une liste de savoir-faire de communication. Notez en face de chaque savoir-faire le numéro de la leçon et de l'activité qui correspondent.

— comprendre quelqu'un qui parle de choix de vie   *L1-1, 2*

— comprendre l'évocation de la vie d'une personne   _____

— rapporter les paroles de quelqu'un par écrit   _____

— comprendre quelqu'un qui décrit les conséquences d'un événement   _____

— raconter des changements de vie réussis   _____

— rédiger une biographie : présenter une personnalité, son parcours   _____

— formuler des regrets   _____

— comprendre des statistiques sur les professions   _____

— exprimer des sentiments, des réactions par rapport à un exploit   _____

Votre autoévaluation

1 Cochez d'abord les cases qui correspondent aux savoir-faire que vous êtes capable de réaliser maintenant et faites le test donné par votre professeur pour vérifier vos réponses. Puis, reprenez votre fiche d'autoévaluation, confirmez vos réponses et notez la date de votre réussite. Cette date vous permet de voir votre progression au cours du livre.

JE PEUX	ACQUIS	PRESQUE ACQUIS	DATE DE LA RÉUSSITE
comprendre une personne qui raconte une aventure exceptionnelle	☐	☐	_____
comprendre les regrets, les sentiments d'une personne	☐	☐	_____
comprendre les informations importantes d'articles informatifs	☐	☐	_____
comprendre le résumé d'un film	☐	☐	_____
raconter une expérience passée	☐	☐	_____
exprimer des sentiments et des regrets	☐	☐	_____
justifier des sentiments ou des points de vue	☐	☐	_____

2 Après le test, demandez à votre professeur ce que vous pouvez faire pour améliorer les activités non encore acquises.

- ☐ exercices de compréhension orale
- ☐ exercices de compréhension écrite
- ☐ exercices de production orale
- ☐ exercices de production écrite
- ☐ exercices de grammaire
- ☐ exercices de vocabulaire
- ☐ exercices de phonétique
- ☐ autres (vidéo...)

Si votre institution possède un centre de ressources, demandez au responsable de vous conseiller sur les documents disponibles en livres, cassettes audio et vidéo, CD-ROM ou sites Internet.

DOSSIER 7
(Éduc)actions

A2>B1

DELF

(ÉDUC)ACTIONS

DOSSIER 7

COMPRENDRE UN MANIFESTE/INCITER À AGIR

Université verte de Toulouse
Association universitaire écologiste

pour un monde écologiste et solidaire !

Nous savons tous que la planète est en danger, que l'humanité est menacée...

Parce que nous constatons que :
– le climat est bouleversé
– les ressources naturelles s'épuisent
– la pollution ne cesse d'augmenter
– la biodiversité est attaquée

nous sommes conscients que la Terre ne nous appartient pas, elle appartient aux générations futures.

Nous, écologistes de l'université, appelons à l'engagement.

**Il faut réagir, vite, pour les générations futures :
il est temps que chacun prenne conscience de son impact sur l'environnement et que chacun agisse !**
– Il est important de développer le tri sélectif des déchets.
– Il est essentiel d'utiliser les transports en commun, de diversifier les types d'énergie.
– Il est urgent d'économiser l'eau, de plus en plus rare.
– Il faut préserver les milieux naturels pour empêcher la disparition des espèces animales et végétales.
– Il est primordial que les consommateurs choisissent les produits qui respectent l'environnement.
– Il est nécessaire que chacun économise les ressources naturelles, qui diminuent de jour en jour.
– Il est indispensable que nous apprenions aux enfants les économies d'énergie au quotidien.

Avec nous, ENGAGEZ-VOUS !

Ensemble, avec le réseau **Université verte**, « écologisons » l'université !
Pour que votre prise de conscience devienne un véritable engagement concret,
faites des gestes concrets pour la planète !

**Assistez à nos rendez-vous hebdomadaires.
Retrouvez-nous sur Internet : www.univerte.org**

1

Lisez le manifeste.

a) Trouvez
ses auteurs – son thème – son objectif –
les destinataires

**b) Expliquez le choix de la couleur verte
dans le nom de l'association.**

2

**Relisez le manifeste et repérez son plan.
Donnez un titre à chaque partie en
choisissant dans la liste suivante.**
mesures, actions nécessaires – prévisions
sur la situation future – incitation à
s'engager – constat sur la situation
– historique de l'association
1re partie : ...   2e partie : ...   3e partie : ...

3

**a) Relisez le manifeste et relevez toutes
les actions écologistes nécessaires.**

**b) Lisez « Les bons gestes au quotidien »
du *Défi pour la Terre* de Nicolas Hulot.
Reliez les gestes aux actions nécessaires
indiquées dans le manifeste.**

Défi pour la **Terre**

Les bons gestes au quotidien

1. J'éteins la lumière et les appareils électriques sans les laisser en position veille.

2. Je baisse le chauffage.

3. Je prends une douche rapide plutôt qu'un bain.

4. Je n'utilise l'eau chaude que quand j'en ai vraiment besoin.

5. Je ne gaspille pas le papier, par exemple, j'utilise les deux faces d'une feuille.

6. J'achète des produits respectueux de l'environnement.

7. Je trie mes déchets.

8. Je ne jette pas les piles, les médicaments ou les ampoules avec les autres déchets.

9. Je me déplace à pied ou à vélo pour les petits trajets.

10. Si je le peux, pour les grands voyages, je choisis le train.

www.defipourlaterre.org/juniors

Point **Langue**

› INDIQUER LA NÉCESSITÉ D'AGIR

Observez et complétez la règle.

Il est   important
essentiel ▸ *de développer le tri.*
urgent

Il faut   préserver les milieux naturels.

Il est   nécessaire ▸ *que chacun économise les ressources naturelles.*
primordial

Il est   indispensable   que nous apprenions les économies d'énergie.

En général, on exprime la nécessité avec :
Il faut + verbe …
Il est important/nécessaire/indispensable/essentiel … + verbe … .
Pour une personne ou un groupe spécifique, on exprime la nécessité avec :
Il faut que + sujet + verbe … .
Il est important/nécessaire/indispensable/essentiel … + sujet + verbe … .

S'EXERCER N° 1

4

Échangez.
Y a-t-il dans votre pays des initiatives similaires au Défi pour la Terre ? Pensez-vous que ces initiatives peuvent être efficaces ? Quels gestes écologistes êtes-vous prêts ou n'êtes-vous pas prêts à faire dans votre vie quotidienne ?

5

Imaginez !
En petits groupes, écrivez le manifeste d'une association que vous avez créée. Faites le constat de la situation et des problèmes. Indiquez les actions nécessaires. Incitez les gens à l'engagement.
Exemples :
– association des bébés en poussette,
– association des amis du cirque,
– association des pigeons voyageurs,
– association pour la protection des moutons, etc.

Point **Langue**

› PARLER DE L'ENVIRONNEMENT ET DE L'ÉCOLOGIE

a) Faites la liste de tous les éléments de l'environnement cités.
b) Trouvez le mot ou l'expression correspondant aux définitions suivantes.

Les êtres vivants dans la nature ➔ …   *La variété des êtres vivants* ➔ …
Le pétrole, le gaz naturel, le bois, etc. ➔ …   *La météo et les températures* ➔ …

c) Placez les verbes suivants dans la bonne colonne. (Plusieurs réponses sont possibles.)

disparaître – diminuer – être bouleversé – développer – économiser – s'épuiser – préserver – diversifier – être attaqué

	Phénomènes	Action écologiste	
les ressources naturelles	…	…	l'eau
les espèces animales	…	…	les milieux naturels
le climat	…	…	les ressources naturelles
la biodiversité	…		
		…	l'énergie
		…	le tri sélectif
		…	les énergies

S'EXERCER N° 2

PRENDRE POSITION, EXPRIMER UNE OPINION

– Bon voilà, nous, on a eu l'idée suivante : c'est de coller des affiches un peu partout dans la ville, avec des slogans de ce genre, regardez.

– Oui ! On pense qu'on peut éveiller les consciences avec des formules choc comme ça.

– Faites voir : « Soyez écolo ! », « Homme en devenir »… Ouais, bof ! Mais pourquoi vous vous adressez surtout aux jeunes ?

– Oh ! Simplement parce que je ne crois pas qu'on puisse atteindre facilement tous les publics. Mais on peut modifier le comportement des jeunes si on les informe très tôt. Et c'est eux qui pourront faire passer le message dans leurs familles.

– Oui, il a raison, je suis certaine que c'est bien de viser surtout les jeunes.

– Bon, ils sont pas mal, vos slogans…, mais pour celui-là, je trouve que vous êtes très optimistes ! Ça m'étonnerait que les gens veuillent laisser leur voiture. On sait bien que le nombre de voitures est en augmentation !

– Et alors ? Nous, on veut simplement que les gens soient sensibilisés au problème. C'est la première étape !

– Non, écoutez, votre idée de slogan n'est pas mauvaise, mais si vous voulez qu'on agisse vraiment, je propose qu'on devienne des ambassadeurs de la fondation Nicolas Hulot. On va écrire pour se renseigner.

6

Écoutez la conversation dans une réunion de l'association Université verte de Toulouse et répondez.

1. Les personnes commentent :
☐ un article de journal sur l'écologie
☐ une proposition de nouveau manifeste
☐ des slogans écologistes

2. Les textes s'adressent :
☐ à tous les publics
☐ surtout aux jeunes
☐ à des responsables d'association

3. Les personnes :
☐ ont toutes la même opinion
☐ n'ont pas d'opinion
☐ ont des opinions différentes

4. Les personnes :
☐ font partie de la fondation Nicolas Hulot
☐ désirent en faire partie
☐ n'en font plus partie

7

**Réécoutez et dites sur quels slogans portent les commentaires.
Justifiez vos réponses.**

LE VÉLO, C'EST BEAU.
L'AUTO,
C'EST PAS RIGOLO !

10 GESTES AU QUOTIDIEN,
POUR LE BIEN DE DEMAIN.
FUTURS ÉCOLOS, AU BOULOT !

HOMMES EN DEVENIR,
PENSEZ À VOTRE AVENIR !

Soyez écolo, économisez l'eau !

SAUVONS LA PLANÈTE !
ENFANTS, éduquez vos parents !

Point **Langue**

› PRENDRE POSITION, EXPRIMER UNE OPINION

a) Indiquez pour chaque phrase la nuance de sens : opinion – certitude – doute – volonté – constat

On pense qu'on peut éveiller les consciences. – Je ne crois pas qu'on puisse atteindre facilement tous les publics. – Je suis certaine que c'est bien de viser surtout les jeunes. – Je trouve que vous êtes très optimistes ! Ça m'étonnerait que les gens veuillent laisser leur voiture. – Vous voulez qu'on agisse – On sait bien que le nombre des voitures est en augmentation. – Je propose qu'on devienne…

b) Complétez le tableau avec les verbes utilisés, puis trouvez la règle.

Opinion pure : *croire que* … …	Doute : *ne pas penser que* *ne pas trouver que* … …
Certitude : *être sûr(e) que* … …	Volonté : … …
Constat : *constater que* *être conscient que* …	

– Après une expression d'opinion, de certitude, de constat, on utilise ☐ l'indicatif ☐ le subjonctif.

– Après une expression de doute, de volonté, on utilise ☐ l'indicatif ☐ le subjonctif.

S'EXERCER N° 3

8

a) Lisez le mél suivant et dites quel est le lien avec l'enregistrement précédent.

b) Réécoutez et complétez le mél.

De : univerte.toulouse@tele2.fr

À : info@defipourlaterre.org

Bonjour,
À l'université de Toulouse,
nous sommes un petit groupe qui
s'intéresse à … . Nous avons pris
connaissance de votre campagne
« … » et nous nous engageons à faire
les … gestes au quotidien. Mais nous
souhaitons aller plus loin, en devenant
… du Défi pour la Terre.
Nous voudrions avoir des précisions
sur le rôle de ces … et la façon
de le devenir. Merci de nous envoyer
toutes les informations.
Les étudiants de l'association …

Les Français et l'environnement

A. Un militant connu des Français

Journaliste et reporter aventurier, Nicolas Hulot s'est fait connaître du grand public par ses émissions de télévision sur la nature. Il a fondé en 1995 la fondation Nicolas Hulot pour la nature et l'homme. En mai 2005, il a lancé une opération de mobilisation nationale, le Défi pour la Terre, avec l'ADEME*.

B. Quelques chiffres

En France, un habitant produit en moyenne 360 kg de déchets par an (chiffres ADEME, en constante augmentation).

Deux enquêtes, de l'IFEN (Institut français de l'environnement) et de l'ADEME, montrent une évolution positive du comportement des Français dans leurs pratiques environnementales. Le tri des déchets et l'attention portée à la consommation d'eau ou d'énergie s'installent dans la vie quotidienne : trois ménages sur quatre affirment trier régulièrement leurs déchets (verre, piles, papiers, emballages). L'arrêt systématique de la veille de la télévision (69 %) ou l'apport d'un sac réutilisable pour faire ses courses (72 %) sont assez répandus.

Source : novethic.fr

*ADEME : Agence de l'environnement et de la maîtrise de l'énergie

9 PHONÉTIQUE

a) Écoutez et dites quelle est la forme entendue.

1. Que j'aie. Que j'aille.
2. Que tu aies. Que tu ailles.
3. Qu'il ait. Qu'il aille.
4. Que nous ayons. Que nous allions.
5. Que vous ayez. Que vous alliez.
6. Qu'ils aient. Qu'ils aillent.

b) Écoutez et répétez.

10

Échangez. En groupes, relisez les slogans de l'activité 7 et exprimez votre opinion. Afficher ces slogans dans la ville, est-ce une bonne idée ? Avez-vous d'autres propositions pour sensibiliser l'opinion à l'écologie ?

S'EXERCER — Leçon 1 — Dossier 7

> Indiquer la nécessité d'agir

1. a) Reformulez comme dans l'exemple. Utilisez les expressions *il est important/essentiel/urgent/primordial/nécessaire/indispensable de* + infinitif.

Exemple : Prenons conscience des faits
➜ *Il est important de prendre conscience des faits.*

a. Éduquons les enfants et enseignons-leur des gestes quotidiens !
b. Développons le tri sélectif !
c. Utilisons les transports en commun !
d. Protégeons les espèces animales !

b) Transformez comme dans l'exemple.

Exemple : Il est urgent de savoir économiser l'eau. ➜ *les enfants*
Il est urgent que les enfants sachent économiser l'eau.

a. Il est essentiel d'être respectueux de l'environnement. ➜ les citoyens
b. Il est indispensable de veiller à diversifier les types d'énergie.
➜ les responsables

c. Il est nécessaire de choisir des produits naturels pour son alimentation.
➜ les consommateurs
d. Il est indispensable d'aller moins vite sur les routes. ➜ les automobilistes

> Parler de l'environnement et de l'écologie

2. Compléter avec *diminuer/diversifier/disparaître/préserver/s'épuiser/économiser/être bouleversé.*

Stop, ça ne peut plus durer comme ça. Le climat …, les espèces animales …, les ressources naturelles …, les réserves d'eau … chaque année un peu plus … .
Il faut … les énergies et … l'environnement ; nous devons … l'eau.

> Prendre position, exprimer une opinion

3. Faites correspondre les éléments *1* à *4* et *a* à *d* (plusieurs combinaisons sont possibles).

1. Je suis sûr que …
2. Les pouvoirs publics veulent que …
3. Je ne crois pas que …
4. On est conscient que …

a. l'avenir de la planète est entre nos mains
b. tout le monde soit prêt à changer ses habitudes
c. les enfants sont plus écologistes que leurs parents
d. on prenne le métro ou le bus plutôt que la voiture

4. Complétez avec *vouloir/être sûr/ne pas croire/être conscient*, aux formes qui conviennent.

Je … que chaque petit geste écologique est important mais je … que ce soit très efficace de conseiller seulement ces gestes, au contraire, je … qu'il faut imposer aux citoyens une discipline si on … que les comportements soient plus responsables.

RACONTER LES ÉTAPES D'UN ÉVÉNEMENT

DOSSIER 7 (ÉDUC)ACTIONS

le Ministère de la **Culture** et de la **Communication** présente

lire en fête
14,15,16 octobre 2005

www.lire-en-fete.culture.fr

Livre

17e édition de Lire en fête les 14, 15 et 16 octobre 2005

le programme

Littératures européennes

Des lectures, des rencontres, des représentations théâtrales et des opérations transfrontalières.

Le Festin du livre

- **La littérature gourmande et gastronomique au cœur de la vie des Français !**
- **Lectures sur les marchés à Paris et en région.**

La Nuit des libraires

- **Ouverture du festival**
- **Lectures inattendues, rencontres avec des auteurs, concerts-signatures, débats à côté de chez soi.**

La Fête du livre de science

- **Au cœur de la Cité des sciences et de l'Industrie de Paris et dans de nombreuses capitales régionales.**

Apple France   .Mac   Amazon France   eBay France   Yahoo!   Informa

lire en fête
14,15,16 octobre 2005

Plan du site
Contacts

Accueil   Programme   Vidéo & Visuel   Presse   Organisateurs   Partenaires

Historique

La fête du livre et de la lecture existe depuis 1989. Cette année-là, Jack Lang, ministre de la Culture, crée la « Fureur de lire » qui permet, un week-end par an, de faire la promotion de la lecture.

À partir de 1994, la « Fureur de lire » change de nom et devient le « Temps des livres ». La manifestation dure alors quinze jours pour permettre des actions durables, en milieu scolaire et universitaire.

« Lire en fête » est le nouveau nom, donné en 1998 à la manifestation. L'objectif est plus large : faire la promotion de la lecture sous toutes ses formes : livre, presse, textes de théâtre, etc.

Dès sa création en 1989, cet événement culturel a remporté un grand succès auprès d'un large public.

1

Échangez.

a) Observez l'affiche et écoutez l'enregistrement. Identifiez ce qui est annoncé et dites s'il existe un événement semblable dans votre pays.

b) Lisez le programme et choisissez la (ou les) manifestation(s) qui vous attire(nt) le plus. Expliquez pourquoi.

2

Lisez l'historique de « Lire en fête » et repérez ses différentes étapes. Complétez le tableau.

Noms donnés à l'événement	Dates	Objectifs
-		
-		
-		

PARLER DE SES LECTURES

Point **Langue**

› LES MARQUEURS TEMPORELS

Associez les éléments des deux colonnes, puis trouvez la règle.

La fête du livre et de la lecture existe •   • à partir de 1994.

La « Fureur de lire » change de nom •   • dès sa création en 1989.

Cet événement culturel a remporté un grand succès •   • depuis 1989.

À partir de + date indique •   • l'origine d'une action/ d'une situation qui dure

Dès + événement/date indique •   • le point de départ d'une action

Depuis + date/durée indique •   • l'événement ou date qui marque l'apparition d'une action

S'EXERCER Nº 1

3

Lisez cet extrait de sondage et donnez un titre à l'enquête dont il fait partie.

a) Commentez les informations. Y a-t-il des informations qui vous étonnent ?

b) Échangez. En petits groupes, dites si vous aimez lire et répondez aux deux questions de l'enquête.

En moyenne, combien de livres lisez-vous chaque année (sans les journaux, magazines et revues) ?	
Aucun	16 %
1 ou 2	21 %
Entre 3 et 5	23 %
Entre 6 et 10	18 %
Entre 11 et 20	12 %
Plus de 20	10 %

Quels sont vos moments préférés pour lire ?	
Le soir	61 %
En vacances	30 %
Dans la journée	23 %
Le week-end	14 %
La nuit	10 %
Le matin	9 %
ne se prononcent pas	3 %

Total supérieur à 100 %, les interviewés ayant pu donner deux réponses.

Extrait du *Parisien*, 25 septembre 2004.

4

a) Écoutez l'enregistrement et choisissez quelles informations les deux amies échangent.

le nombre de livres lus – les lieux où trouver ses livres – les moments privilégiés pour la lecture – le type de livres lus – la méthode pour sélectionner un livre

b) Réécoutez l'enregistrement et retrouvez dans l'enquête les habitudes de lecture des deux personnes.

5

Réécoutez et relevez ce que dit chaque personne sur l'origine de son goût pour la lecture et sa façon de choisir les livres.

Point **Langue**

› DEPUIS QUE, DÈS QUE, JUSQU'À CE QUE

a) Associez

Les livres, c'est devenu ma passion •   • *jusqu'à ce qu'un passage retienne mon attention.*

Je n'ai plus beaucoup le temps de lire •   • *dès que j'ai su lire.*

Je feuillette le livre •   • *depuis que je travaille.*

b) Associez pour formuler la règle.

Dès que + phrase indique •   • la limite de l'action principale

Depuis que + phrase indique •   • l'événement qui provoque l'action principale

Jusqu'à ce que + phrase indique •   • l'origine de l'action principale

c) Choisissez la bonne réponse.

Jusqu'à ce que	est suivi	☐ de l'indicatif	☐ du subjonctif.
Depuis que	est suivi	☐ de l'indicatif	☐ du subjonctif.
Dès que	est suivi	☐ de l'indicatif	☐ du subjonctif.

S'EXERCER Nº 2

6

Échangez. À la manière des deux amies, parlez des livres et de la lecture.
Si vous aimez lire, précisez depuis quand ; quel genre de lectures ; votre méthode pour sélectionner un livre.
Et... si vous n'aimez pas lire, précisez pourquoi.

DEMANDER LE PRÊT D'UN OBJET

7 🎧
Écoutez l'enregistrement et répondez.

1. Barbara demande à son amie Karine :
☐ de lui prendre un livre à la bibliothèque.
☐ de lui prêter un livre.
☐ de lui redonner le livre qu'elle lui avait prêté.

2. Karine :
☐ accepte immédiatement.
☐ hésite un peu.
☐ refuse catégoriquement.

Justifiez vos réponses.

8 🎧
Réécoutez la conversation. Choisissez la fiche bibliothèque qui correspond à la situation.

BIBLIOTHÈQUE *Municipale*
N° 322 344
Genre : essai
Titre : Astérix et Cléopâtre

Retour : mardi 10 octobre

BIBLIOTHÈQUE *Municipale*
N° 322 344
Genre : BD
Titre : Astérix, Le ciel lui tombe sur la tête
Retour : jeudi 12 octobre

BIBLIOTHÈQUE *Municipale*
N° 322 344
Genre : essai
Titre : Astérix héros français

Retour : mercredi 11 octobre

9 👁
a) Lisez le mél suivant et dites quel est le lien avec la conversation précédente.

De :	karine.92@hotmail.com
A :	thomas.penfornis@free.com
Objet :	Zut !

Thomas,
Je suis furieuse contre Barbara ! Je dois récupérer d'urgence une BD d'Astérix : je la lui avais prêtée pour deux jours et elle ne me l'a toujours pas rendue. Et je n'arrive pas à la joindre sur son portable ! Il faut que ta sœur m'appelle ! Si tu la vois, dis-le lui !
À + Karine

b) Relisez le mél et sélectionnez le passage où Karine explique le problème rencontré.

Point **Langue**

› USAGE ET PLACE DES DOUBLES PRONOMS

a) Observez.

Tu peux **me la** prêter ? On **me l'**a prêtée.
Tu **me la** prêtes ? Je **te la** rends demain.
Ne **me la** rends pas en retard.
Je **la lui** avais prêtée.

Rends-**la moi** demain.
Rends-**la lui** demain.
Dis-**le lui**.

b) Complétez le tableau avec les pronoms et observez leur place.

	À qui ?	Quoi ?	
	Pronoms COI (1re et 2e pers.)	Pronoms COD (3e pers.)	
Sujet	... ... *nous* *vous*	*le (l')* ... *les*	Verbe conjugué ou verbe à l'infinitif

	Quoi ?	À qui ?	
	Pronoms COD (3e pers.)	Pronoms COI (3e pers.)	
Sujet	*le (l')* ... *les*	... *leur*	Verbe conjugué ou verbe à l'infinitif

Attention !	Quoi ?	À qui ?	
	Pronoms COD (3e pers.)	Pronoms COI	
Verbe à l'impératif affirmatif	*le (l')* ... *les*	.../ *nous* .../ *leur*	

S'EXERCER N° 3

Point **Langue**

› PARLER DU PRÊT D'UN OBJET

Associez pour trouver la définition.

Je demande un livre à quelqu'un. •

Je donne un livre pour quelques jours à quelqu'un. •

Je redonne un livre à son propriétaire. •

• *J'emprunte un livre à quelqu'un.*

• *Je rends un livre à quelqu'un.*

• *Je prête un livre à quelqu'un.*

S'EXERCER Nº 4 ←

---

10 PHONÉTIQUE

a) Écoutez et repérez les *e* non prononcés.

Ce CD, tu peux me le prêter ? Je ne l'ai pas encore écouté. Tu me le prêtes ?
Tu me le passes aujourd'hui et *je te le rends demain. Je te le promets.*
Si tu ne me le rends pas, je serai embêté parce qu'on me l'a prêté.

b) Observez et écoutez les énoncés en italiques. Choisissez la règle correcte.

☐ On ne prononce aucun *e*.
☐ On prononce un *e* sur deux.

c) Réécoutez et répétez les trois phrases complètes.

11

Jouez la scène par deux. Imaginez une situation de prêt d'objet, en vous aidant du scénario suivant.

1. Vous demandez à un(e) ami(e) de vous prêter un objet.
2. Votre ami(e) refuse et en donne la raison.
3. Vous insistez : vous lui proposez une condition.
4. Il/elle exprime des réserves.
5. Vous insistez encore.
6. Il/elle finit par accepter et pose des conditions.
7. Vous acceptez les conditions et remerciez votre ami(e).

---

12 ✎

Imaginez !

Vous avez prêté un objet à un(e) ami(e) et il (elle) ne vous l'a pas encore rendu. Vous écrivez un mél à une personne qui le/la connaît bien pour lui expliquer la situation et lui demander de l'aide.

› Les marqueurs temporels

1. Entourez la forme correcte.

Notre bibliothèque est ouverte au public depuis/à partir de/dès décembre 2002. Elle comptait déjà plus de mille inscrits depuis/à partir de/dès 2003. Nous allons agrandir nos locaux depuis/à partir de/dès 2006 pour pouvoir accueillir cinq cents inscrits de plus.

› *Depuis que, dès que, jusqu'à ce que*

2. a) Complétez avec les formes qui conviennent.

a. Je lis tous les soirs tard, ... je m'endorme.
b. Je lis énormément... j'ai plus de temps libre.
c. ... j'ai un peu d'argent, j'achète des livres.

b) Complétez les phrases.

a. Je ne lis plus de romans depuis que ... .
b. Je lis dès que... .
c. À la librairie, je feuillette les livres jusqu'à ce que ... .

› Usage et place des doubles pronoms

3. a) Complétez avec les pronoms qui conviennent.

1. —Tu peux me prêter tes notes de cours ?
— Désolé, mais je ... ai déjà passées à Sonia et elle doit ... rendre demain.
— Alors je pourrai ... emprunter après ?
— Si tu veux.
2. Elle avait acheté deux livres pour ses enfants et elle voulait ... offrir pour Noël mais on ... a volés !
3. — Elle m'a emprunté un livre et elle ne veut pas ... rendre !
— Demande ... gentiment !

b) Transformez comme dans l'exemple. Utilisez l'impératif.

Exemple : Vous pouvez me le prêter jusqu'à demain ? → prêtez-le-moi jusqu'à demain
a. Vous ne devez pas me le rendre en retard. →
b. Il faut que tu la lui prêtes jusqu'à demain. →
c. Je veux que tu me les rendes immédiatement. →
d. Tu dois les leur redonner ce soir. →

› Parler du prêt d'un objet

4. Complétez avec *prêter/rendre/emprunter*.

a. Vous pouvez ... deux livres par mois à la bibliothèque mais vous devez les ... à la date indiquée.
b. Moi, je ne veux plus ... mes livres parce que les gens oublient de me les ... .

EXPRIMER OPINIONS ET SENTIMENTS

(ÉDUC)ACTIONS

DOSSIER 7

TU COMPTES FAIRE QUELQUE CHOSE DE SPÉCIAL POUR LA JOURNÉE DE LA FEMME ?

JE VAIS CHANGER L'EAU DES FLEURS QUE JE T'AI OFFERTES POUR LA SAINT VALENTIN...

Ranson

Extrait de *Le Parisien* du 8 mars 2005.

1 👁

Observez le dessin.

1. Expliquez pourquoi il est paru dans *Le Parisien* à la date indiquée.

2. Interprétez le comportement et les paroles des personnages.

3. Dites quel thème est illustré avec humour par ce dessin.

2 👄

Échangez. La journée de la femme existe-t-elle dans votre pays ? Si oui, que fait-on de spécial ce jour-là ? Êtes-vous favorable à une telle manifestation ? Pensez-vous que cela est utile pour promouvoir l'égalité entre les hommes et les femmes ?

3 👁

a) Lisez le test et répondez individuellement, puis comparez vos réponses avec votre voisin.

b) Donnez un titre au test.

PARITÉ
Le test

1 Vous êtes persuadé(e) que l'égalité entre les hommes et les femmes est à peu près réalisée .... ◯

... ou bien vous craignez qu'il y ait encore beaucoup de choses à faire. .... ☐

2 Vous espérez qu'un jour une femme dirigera votre pays .... ☐

... ou bien vous préférez qu'il y ait seulement des hommes au pouvoir. ... ◯

3 Vous n'êtes pas certain(e) que les hommes soient assez actifs dans la participation aux tâches ménagères .... ☐

... ou bien vous êtes sûr(e) que le comportement des hommes a assez évolué à la maison. .... ◯

4 Vous avez peur qu'il y ait de plus en plus de divorces parmi les couples parce que les femmes sont plus indépendantes .... ◯

... ou bien vous êtes convaincu(e) que les hommes et les femmes vont s'aimer mieux s'il y a une réelle égalité entre eux. .... ☐

5 Selon vous, il est probable qu'on arrivera bientôt à une réelle parité en matière de salaires hommes/femmes .... ☐

... ou bien il est improbable ou même impossible qu'il puisse y avoir un jour une égalité hommes/femmes dans ce domaine. .... ◯

6 Vous souhaitez qu'il y ait davantage de manifestations en faveur de l'égalité entre les hommes et les femmes .... ☐

... ou bien vous regrettez qu'on fasse tant de polémique autour de ce sujet. ... ◯

Réponses

• Vous avez entre 4 et 6 ☐ : vous croyez à la parité.
• Vous avez 3 ◯ et 3 ☐ : vous commencez à prendre conscience de l'importance du rôle de la femme.
• Vous avez entre 4 et 6 ◯ : vous ne croyez pas encore (!) à l'égalité entre l'homme et la femme.

Objectif **parité**

4 👁

a) Choisissez dans les listes. Justifiez vos réponses.

1. Les différents domaines abordés dans le test sont :
la politique – la vie en couple – les loisirs – l'éducation – la vie professionnelle – la santé.

2. Les idées ou sentiments personnels exprimés sont :
la joie – la certitude – la peur – l'espoir – le doute – la probabilité certaine et incertaine – le souhait – la tristesse – la préférence – le regret – la possibilité.

b) Trouvez dans le texte un mot de même sens que « égalité ».

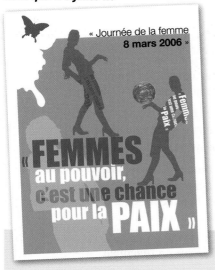

« Journée de la femme 8 mars 2006 »

« FEMMES au pouvoir, c'est une chance pour la PAIX »

Point **Langue**

> ### EXPRIMER OPINIONS ET SENTIMENTS
L'utilisation de l'indicatif et du subjonctif

a) Relisez le test et complétez le tableau avec les formules rencontrées

Certitude : *être certain que*	Doute, incertitude : *douter que*
	...
Probabilité : ...	Probabilité faible : *il est peu probable/ improbable que*
	Possibilité : *il est possible que/il se peut que*
	Impossibilité : *il est ...*
	Souhait : ...
Espoir : ...	Peur : *craindre que*
	...
	Regret : ...
	Volonté/préférence : *vouloir que*
	...

b) Trouvez la règle.
Après une expression de certitude, de probabilité, d'espoir, on utilise ☐ l'indicatif ☐ le subjonctif.
Après une expression de doute, de possibilité/impossibilité, de souhait, de peur, de regret, de volonté/préférence, on utilise ☐ l'indicatif ☐ le subjonctif.

S'EXERCER Nᵒˢ 1, 2 ET 3 ⟳

POINT CULTURE

La Journée de la femme

Les Nations-Unies ont commencé à observer une Journée internationale de la femme le 8 mars 1975. En France, la journée du 8 mars prend un caractère officiel en 1982 à la suite d'une décision du gouvernement de F. Mitterrand. Depuis 2001, un site Internet permanent est consacré à cette manifestation : www.journeedelafemme.com

Vers la parité

En France, la question de l'égalité entre les hommes et les femmes est plus que jamais d'actualité. Le 8 mars 2004, Mᵐᵉ N. Ameline, ministre déléguée à la Parité et à l'égalité professionnelle, a remis la *Charte de l'égalité* au Premier ministre. Dans ce document, la France fixe des objectifs concernant l'égalité sur différents plans : politique, social, professionnel, droits du citoyen… Près de trois cents engagements figurent dans cette charte, qui représente une formidable nouveauté, aidée par l'Europe.

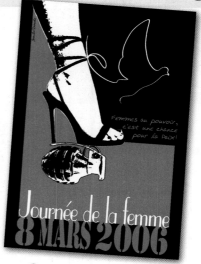

Femmes au pouvoir, c'est une chance pour la Paix !

Journée de la femme 8 MARS 2006

5 ✏

Formez des groupes dans la classe. Chaque groupe écrit un court article dans un journal, le 8 mars, pour faire part de sa position concernant la parité hommes/ femmes. Dans votre texte, vous exprimez vos opinions et sentiments concernant la situation actuelle et à venir.

ÉVOQUER DES DIFFÉRENCES

Égaux oui...
mais si différents !

À l'heure actuelle, nous élevons et éduquons garçons et filles de la même manière. Nous avons tort: les études scientifiques ont montré que les deux sexes ont des cerveaux totalement différents! Voici quelques exemples dans lesquels vous vous reconnaîtrez certainement ...

Les hommes sont incapables de trouver les choses à l'endroit où elles sont. Par contre, les femmes n'ont pas de difficulté à les trouver. Les hommes veulent du pouvoir et de la réussite, alors que les femmes veulent des relations affectives et de la stabilité. Les femmes reprochent aux hommes de ne pas écouter, de ne pas communiquer, alors que les hommes reprochent aux femmes de trop parler sans jamais aller droit au but.

D'un côté, les femmes critiquent les hommes parce qu'ils ne peuvent faire qu'une seule chose à la fois, alors qu'elles parlent en faisant d'autres tâches en même temps. D'un autre côté, les hommes critiquent la manière de conduire des femmes, disent aussi qu'elles sont incapables de lire une carte routière et qu'elles ne savent pas s'orienter.

Autant de différences qui s'expliquent par une évolution différente des structures cérébrales des deux sexes. Le psychologue américain Alan Pease a écrit différents ouvrages (avec sa femme !) à ce sujet.

D'après A. et B. Pease, *Pourquoi les hommes n'écoutent jamais et les femmes ne savent pas lire les cartes routières*, First Edition, 2001.

6 👁
Lisez le chapeau de l'article et expliquez son titre.

7 👁
Lisez l'article et dites si les différences évoquées sont acceptées par le sexe opposé. Justifiez vos réponses.

8 👁
Relisez l'article et faites la liste des différences entre les hommes et les femmes.

AIDE-MÉMOIRE

Marquer une différence, un contraste

Les hommes sont incapables de trouver … **Par contre,** les femmes n'ont pas de difficulté à les trouver.

Les hommes veulent du pouvoir, **alors que** les femmes veulent des relations affectives.

D'un côté, les femmes critiquent les hommes parce que… **D'un autre côté,** les hommes critiquent la manière de conduire des femmes.

Décrire un jugement

Les femmes **reprochent** aux hommes de ne pas parler.

Les hommes **critiquent** la manière de conduire des femmes.

9 🎧
Écoutez l'enregistrement. Expliquez brièvement la situation et dites quelle partie de l'article est illustrée.

10 🎧
Réécoutez et identifiez les réactions de l'homme et de la femme.

Point **Langue**

> **EXPRIMER SON IMPATIENCE, SON AGACEMENT, FAIRE UNE CRITIQUE**

Observez les phrases et indiquez ce qu'elles expriment : Faire une critique – Exprimer son agacement, sa colère – Exprimer son impatience

> ...
> – Ben réponds !
> – Alors, ça vient ?

> ...
> – Mais tu (ne) vois pas que je suis en train de conduire !
> – Arrête de me parler sur ce ton !

> ...
> – C'est (ce n'est) pas compliqué !
> – C'est (ce n'est) pas possible d'être aussi maladroite !

S'EXERCER N° 4

11 PHONÉTIQUE

a) Écoutez et d'après l'intonation, dites si la personne fait une demande simple ou si elle exprime son agacement.
1. Comment tu fais pour télécharger ce document ?
2. Quelle direction il faut prendre pour Rouen ?
3. Tu pourrais m'apporter mon café s'il te plaît ?

b) Réécoutez et répétez chaque énoncé en changeant l'intonation. (expression de l'agacement ➜ demande simple ; demande simple ➜ expression de l'agacement). Puis écoutez l'enregistrement pour vérifier.

12

Échangez.

a) Êtes-vous d'accord avec l'analyse faite dans l'article sur les différences entre hommes et femmes ?

b) Avez-vous remarqué d'autres différences entre les hommes et les femmes ? Lesquelles ?

13

Jouez la scène.

Consultez la liste des différences entre les hommes et les femmes faite dans les activités 8 et 12. Par deux, choisissez une de ces différences et mettez-la en scène.
Imaginez une situation précise (un homme, une femme, dans un lieu et un moment précis) où l'un critique le comportement de l'autre, l'autre s'énerve.

> **Exprimer opinions et sentiments**

1. Mettez les verbes à l'indicatif ou au subjonctif comme il convient .

Je suis persuadé que la Journée internationale de la femme ... (être) une journée exceptionnelle mais je regrette qu'il y ... (avoir) seulement une journée dans l'année. Je souhaite que les gouvernements ... (faire) des efforts pour promouvoir la parité hommes/femmes et j'espère que dans un avenir prochain les femmes ... (être) vraiment les égales des hommes.

2. Classez les phrases suivantes selon leur degré de probabilité, du plus (+) au moins (-).
1. Il est peu probable qu'on obtienne l'égalité des salaires.
2. Il est possible qu'on obtienne l'égalité des salaires.
3. Il est probable qu'on obtiendra l'égalité des salaires.
4. Il est impossible qu'on obtienne l'égalité des salaires.

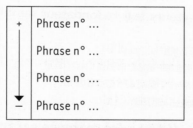

+	Phrase n° ...
	Phrase n° ...
	Phrase n° ...
−	Phrase n° ...

3. Lisez ces affirmations et réagissez en exprimant, au choix : une certitude, un souhait, un espoir, un doute ou une crainte.

Exemple : À l'avenir, il n'y aura plus d'écarts de salaires entre les hommes et les femmes.
➜ *J'espère qu'il n'y aura plus...*
➜ *Je doute qu'il y ait plus...*
À l'avenir...
a. les hommes et les femmes se partageront équitablement les tâches ménagères.
b. on verra de plus en plus de femmes au pouvoir.
3. les femmes et les hommes exerceront les mêmes métiers.
4. les femmes gagneront autant que les hommes.

> **Exprimer son impatience, son agacement, faire une critique**

4. Complétez chaque dialogue avec une des répliques suivantes : *Arrête de me parler sur ce ton ! – C'est pourtant pas compliqué ! – Alors, ça vient ?*
a. – Tu pourrais m'apporter mon café, s'il te plaît ?
– (silence)
– ...
– Oui, oui ! Oh mais ... .
b. – ... . Je n'arrive pas à télécharger le document.
– Mais comment tu fais ? ...
c. – Mais regarde, il est juste devant toi, le beurre ! Je me demande parfois si tu fais attention !
– Oh, mais ! ... .

Carnet de voyage...

Les livres préférés des Français

Les livres fondateurs des Français

Le 6 octobre 2004 – Réalisée dans le cadre de la 7e édition de « En train de lire » organisée à l'occasion de « Lire en fête » pour la SNCF, notre étude dresse la liste des 100 ouvrages qui ont le plus marqué les Français.

Top 10 des 100 livres les plus cités

1. La Bible *ex aequo* avec *Les Misérables de* ...
2. *Le Petit Prince de* ...
3. *Germinal de* ...
4. *Le Seigneur des anneaux de* ...

5. *Le Rouge et le Noir de Stendhal*
6. *Le Grand Meaulnes d'Alain-Fournier*
7. *Vingt Mille Lieues sous les mers de* ...
8. *Jamais sans ma fille de Betty Mahmoody*
9. *Les Trois Mousquetaires d'Alexandre Dumas, La Gloire de mon père de Marcel Pagnol, Le Journal d'Anne Frank*

La palme d'or des « moins de 35 ans » est remportée par *Le Seigneur des anneaux.*

Les Français gardent un souvenir impérissable de leurs livres préférés.

Pour de nombreux lecteurs, le livre fondateur semble avoir un impact certain sur eux :

– en les touchant profondément (47 %)
– en leur donnant le goût d'un auteur, d'un genre littéraire (37 %)
– en leur permettant de découvrir ou de comprendre certaines choses sur le monde (36 %)
– en leur donnant le goût de la lecture et en leur faisant aimer les livres (28 %)
– en influençant leurs croyances, leurs idées et leurs valeurs (24 %)

La majorité des Français (64 %) a été marquée par trois livres qualifiés de fondateurs.
18 % des Français retiennent deux livres, 8 % en citent un, et enfin 10 % n'en citent aucun.
L'âge moyen de lecture du livre de référence est de 24 ans : 39 % des lecteurs le lisent
une fois, 39 % de deux à trois fois et 19 % quatre fois ou plus.

Plus d'informations : Fabienne SIMON/Carine MARCÉ
Tél : 33 (0) 1 40 92 47 18/27 60 - Fax : 33 (0) 1 40 92 46 60 - politique&opinion@tns-sofres.com

Source : Sondage TNS-SOFRES pour la SNCF, 2004.

1.
Lisez ces résultats de l'étude et dites dans quel contexte elle a été faite.

2.
Échangez en petits groupes.
a) Regardez les titres des livres et dites si vous en connaissez certains, ou si vous les avez lus dans votre langue.
b) Ensemble, retrouvez les auteurs manquants dans la liste suivante.
Émile Zola - Victor Hugo - JRR Tolkien -
Antoine de Saint-Exupéry - Jules Verne

3.

Quizz. Formez des équipes.

a) Associez les livres et les dates de publication.

Les Misérables •	• 1943
Le Petit Prince •	• 1862
Le Seigneur des anneaux •	• 1954
Le Journal d'Anne Frank •	• 1947

b) Pouvez-vous trouver, dans la liste suivante le genre de chaque livre ?

conte-roman-récit fantastique-récit autobiographique-roman réaliste-roman policier

4.

a) Faites votre propre liste : les deux ou trois livres qui vous ont marqué(e).

b) Échangez : dites pourquoi ils vous ont marqué(e), quand vous les avez lus, combien de fois, etc.

Un parcours scolaire

Apple France   .Mac   Amazon France   eBay France   Yahoo!   Informations ▾   Favoris importés d'IE▾

MENU >   RADIOS   THEMATIQUES   ACTUALITE   CONCERTS   RADIO FRANCE   SERVICES

france inter

Podcast
Aide
Comment nous écouter ?
Contact
Médiateur
La boutique
Ocora, concerts...

RF Sport

Les Cahiers Multimédias

Web Radio du Goût

Regards Francophones

Le 14 septembre 2005, parmi les invités du journal de la mi-journée sur France Inter, Mohamed Diaby :

Mohamed Diaby, *Moi, Momo, 14 ans, Ivoirien et plus jeune bachelier de France* Jean-Claude Gawsewitch (15 septembre 2005) :

Résumé : Il s'appelle Mohamed Diaby, mais ses copains l'appellent "MOMO" et ce garçon fait tout plus vite que les autres jeunes de son âge. À tout juste 14 ans, il a été le plus jeune bachelier de France en juin 2004, alors qu'il ne connaissait rien du système scolaire français découvert huit mois plus tôt. Aujourd'hui, il n'a pas encore 16 ans et il vient de commencer sa seconde année de classe prépa maths au lycée Charlemagne. Et comme si cela ne lui suffisait pas, Momo vient aussi d'écrire un livre dans lequel il raconte son histoire, celle d'un jeune Ivoirien arrivé en France à 13 ans pour son année de terminale – son père estimant que c'était le meilleur moyen de faire de grandes études...

5.

Lisez le résumé sur le site de la radio France Inter et dites pourquoi Mohamed Diaby a été interviewé.

6.

Relisez le résumé et observez le tableau du système scolaire en France.

Trouvez dans quelle classe Mohamed est entré à son arrivée en France et quel examen il a passé. Expliquez le titre de son livre.

7.

Trouvez la classe où il étudie au moment de la sortie de son livre et choisissez.

L'année prochaine Momo souhaite :

☐ entrer dans une université. ☐ trouver un emploi.

☐ intégrer une grande école.

8.

Comparez avec le système scolaire dans votre pays.

À quel âge entre-t-on à l'école ? L'enseignement secondaire est-il organisé de la même façon ? Est-ce que les « grandes écoles » existent ?

Le système éducatif français

Enseignement pré-élémentaire et élémentaire	École maternelle *3 à 6 ans*					
	École élémentaire *6 à 11 ans*	CP : cours préparatoire				
		CE 1 : cours élémentaire 1ère année				
		CE 2 : cours élémentaire 2e année				
		CM 1 : cours moyen 1ère année				
		CM 2: cours moyen 2e année				
Enseignement secondaire	Collège *11 à 14/15 ans*	Enseignement général	5e / 6e		1ère année	
			4e		2e année	
			3e Brevet des collèges		3e année C.A.P.	
	Lycée *14/15 à 17/18 ans*		2e	Lycée professionnel	1ère année	
			1ère		2e année B.E.P.	
			Terminales Baccalauréat général/technologique, B.T.			
Enseignement supérieur	Lycées		Concours	Grandes écoles	I.U.T. (Institut universitaire de technologie)	Universités U.E.R. (unité d'enseignement et de recherche)
	BTS	Classes préparatoires				L 1 / DEUG
					DUT	L 2
					-	L 3 / Licence
					-	Master 1 / Master 1 (L.M.D.)
					-	Master 2 / Master 2
				diplômes des Grandes Écoles	-	Doctorat / Doctorat

C.A.P. : Certificat d'aptitude professionnelle – **B.E.P. :** Brevet d'études professionnelles – **B.T. :** Brevet de technicien – **B.T.S. :** Brevet de technicien supérieur – **D.U.T. :** Diplôme universitaire de technologie – **D.E.U.G :** Diplôme d'études universitaires générales

Votre travail dans le dossier 7

1 Qu'est-ce que vous avez appris à faire dans ce dossier ? Cochez les propositions exactes.

- ☑ comprendre un manifeste
- ☐ exprimer un but personnel
- ☐ demander un service
- ☐ comprendre quelqu'un qui exprime une opinion
- ☐ proposer de l'aide
- ☐ écrire une lettre de demande d'informations
- ☐ parler de l'environnement

2 Quelles activités vous ont aidé(e) à apprendre ? Voici une liste de savoir-faire de communication. Notez en face de chaque savoir-faire le numéro de la leçon et de l'activité qui correspondent.

- — comprendre des nécessités d'agir — *L1-2, 3*
- — comprendre des prises de position — ____
- — comprendre quelqu'un qui explique un problème — ____
- — comprendre un sondage sur les habitudes de lecture — ____
- — exprimer son opinion sur l'écologie — ____
- — retrouver les étapes d'un événement — ____
- — rédiger un message pour demander de l'aide — ____
- — comprendre un phénomène de société polémique — ____
- — prendre position par écrit — ____

Votre autoévaluation

1 Cochez d'abord les cases qui correspondent aux savoir-faire que vous êtes capable de réaliser maintenant et faites le test donné par votre professeur pour vérifier vos réponses. Puis, reprenez votre fiche d'autoévaluation, confirmez vos réponses et notez la date de votre réussite. Cette date vous permet de voir votre progression au cours du livre.

JE PEUX	ACQUIS	PRESQUE ACQUIS	DATE DE LA RÉUSSITE
comprendre des réactions sur un phénomène de société	☐	☐	
comprendre l'histoire d'une action littéraire	☐	☐	
comprendre l'évocation d'un problème écologique	☐	☐	
écrire un article sur les causes et les conséquences d'un problème	☐	☐	
réagir sur l'environnement	☐	☐	
présenter un souhait	☐	☐	
exprimer un point de vue et le justifier	☐	☐	

2 Après le test, demandez à votre professeur ce que vous pouvez faire pour améliorer les activités non encore acquises.

- ☐ exercices de compréhension orale
- ☐ exercices de compréhension écrite
- ☐ exercices de production orale
- ☐ exercices de production écrite
- ☐ exercices de grammaire
- ☐ exercices de vocabulaire
- ☐ exercices de phonétique
- ☐ autres (vidéo...)

Si votre institution possède un centre de ressources, demandez au responsable de vous conseiller sur les documents disponibles en livres, cassettes audio et vidéo, CD-ROM ou sites Internet.

DOSSIER **8**
Attitudes urbaines

- **LEÇON 1** **PAS FACILE DE COHABITER !**
  - > Comprendre des arguments, commenter un fait de société
  - > Se plaindre, protester

- **LEÇON 2** **ATTENTION, RÉBELLION !**
  - > Exprimer son indignation
  - > Faire un reproche

- **LEÇON 3** **CONTROVERSES**
  - > Exprimer son point de vue de manière nuancée
  - > Donner son point de vue sur un sujet polémique

- **CARNET DE VOYAGE**
  - > Événements festifs en ville

A2>B1

ATTITUDES URBAINES

COMPRENDRE DES ARGUMENTS

LE TABAC REND DÉPENDANT.

FUMER ENTRAÎNE
DES MALADIES GRAVES.

LA CIGARETTE PROVOQUE
DES INCENDIES, ÇA NUIT
À L'ENVIRONNEMENT.

LE TABAC EST DANGEREUX
POUR LA FEMME ENCEINTE.

LA CIGARETTE PERMET DE SE
CONCENTRER, ÇA FACILITE
LE TRAVAIL INTELLECTUEL.

FUMER AGGRAVE
LES PROBLÈMES DE SOUFFLE.

FUMER FAVORISE
LES CONTACTS.

FUMER AMÉLIORE LES
PERFORMANCES SPORTIVES.

LE TABAC JAUNIT
LES DOIGTS, C'EST MAUVAIS
POUR LA PEAU.

LE TABAC EMPÊCHE
D'APPRÉCIER LE GOÛT
DES ALIMENTS.

1 👁

La loi oblige les fabricants de cigarettes à inscrire un message de prévention sur chaque paquet. Lisez les messages suivants et éliminez ceux qui ne peuvent pas apparaître sur les paquets. Justifiez votre choix.

2 👁

a) Relisez les avertissements et dites quels arguments concernent :
– la santé ;
– l'écologie ;
– l'esthétique ;
– la psychologie ;
– la condition physique.

b) Trouvez dans chaque argument l'élément qui indique une conséquence.

Point **Langue**

› EXPRIMER UNE CONSÉQUENCE

a) Relisez les arguments et complétez avec d'autres exemples.

Sujet/*c'*+ *est* + adjectif + pour	*C'est bon pour* ≠ ... ...
Sujet/*ça* + *rend* + adjectif	...

b) Classez les verbes suivants dans le tableau.

aggraver – favoriser – entraîner – faciliter – provoquer – empêcher – améliorer – permettre

Structure	Conséquence négative	Autre conséquence
Sujet/*ça* + verbe + nom		
Sujet/*ça* + verbe + *de* + verbe infinitif		

S'EXERCER N° 1

Pas facile de **cohabiter** !

COMMENTER UN FAIT DE SOCIÉTÉ

3 🗣

Échangez en petits groupes.
Est-ce que la prévention sur les paquets de cigarettes existe dans votre pays ? D'après vous, est-ce une bonne idée ? Quels arguments trouvez-vous les plus efficaces ? Pouvez-vous en imaginer d'autres ?

4 ✏

En petits groupes, imaginez et rédigez les arguments d'une campagne :
- de promotion du sport ;
- de promotion des fruits et légumes ;
- de prévention contre la consommation d'alcool.

5 👁 👂

Observez le dessin de presse et écoutez l'information à la radio. Dites si la situation est identique en France et en Italie (en 2006).

10 JANVIER 2005

L'ITALIE DIT NON A LA CIGARETTE

Après l'Irlande, l'Italie adopte une loi interdisant la cigarette dans tous les lieux publics (y compris dans les bars et les restaurants).

6 👂

Réécoutez le flash radio et répondez.
- Les personnes qui ont manifesté sont
☐ des fumeurs   ☐ des anciens fumeurs
☐ des non-fumeurs.
- Ils demandent ☐ le respect de la loi qui existe
☐ une nouvelle loi   ☐ la suppression de la loi.

7 👂

Réécoutez et trouvez les causes de l'action du collectif et les précisions sur la loi évoquée.

Point **Langue**

> ### USAGE DU PARTICIPE PRÉSENT

a) Identifiez les participes présents. Transformez les phrases avec *parce que* ou *qui* selon les cas.
*Une manifestation **réunissant** une centaine de personnes ...*
*Ils subissent la fumée, la loi n'**étant** pas souvent respectée.*
***Estimant** que leur santé est menacée, ils demandent le vote d'une loi **interdisant** de fumer.*

b) Complétez.
Les participes présents peuvent servir à :
– donner une précision sur un nom   *Exemples : ...*
– exprimer la cause   *Exemples : ...*
Attention !
Les participes présents des verbes *être*, *avoir* et *savoir* sont irréguliers :
étant – ayant – sachant.

S'EXERCER N° 2 ➡

POINT CULTURE

La législation sur le tabac

Réécoutez et complétez le texte suivant avec les noms des pays qui conviennent.
En Europe, la législation sur le tabac est extrêmement variable selon les pays. Voici la situation en 2006 : en ... et en ..., il est interdit de fumer dans tous les lieux publics, y compris restaurants et bars. En Belgique et en Espagne, on est moins radical : il est interdit de fumer sur les lieux de travail et dans les espaces publics mais pas dans les bars et restaurants. En France, la loi Evin de 1992 interdit la cigarette dans les hôpitaux, les gares et les aéroports et oblige les établissements (lieux de travail, restaurants…) à offrir des zones fumeurs séparées. Mais elle n'est pas totalement appliquée. Cependant, selon un sondage IFOP d'octobre 2005, 80 % des Français sont favorables à une loi interdisant la cigarette dans tous les lieux publics. Depuis 2007, il est interdit de fumer dans tous les lieux publics (délai supplémentaire pour les bars, hôtels, restaurants et discothèques).

8 ✏

Imaginez et rédigez une dépêche de presse à l'occasion d'un des événements suivants :
- manifestation en faveur de l'ouverture des services administratifs le week-end ;
- manifestation en faveur de la gratuité des transports en commun.
Expliquez qui a manifesté, pour quelle raison et pour obtenir quoi.

PÉTITION

Monsieur le Maire,

Nous, les habitants du quartier de la Bastide, sommes victimes jour et nuit de nuisances sonores, provoquées par les vingt et un chiens de madame Joubert, habitant au 14, rue des Buissières à Mende. Étant donné que ces aboiements incessants durent depuis six mois et puisque toutes les démarches faites sont restées sans résultat, nous nous adressons à vous.

Plusieurs fois déjà, des voisins sont allés voir madame Joubert pour lui demander de faire quelque chose et de trouver une solution, mais comme elle ne voulait rien entendre, nous avons déposé une plainte à la gendarmerie le 3 février dernier. À ce jour, rien n'a changé : les chiens continuent d'aboyer et nous subissons cette situation insupportable.

Par conséquent, nous demandons à la municipalité de faire le nécessaire pour que notre quartier retrouve enfin sa tranquillité.

NOM	Prénom	Signature
VITTEL	Michel	
LÉONARDI	Claudine	
ROLLAND	Julien	R. Julien
PINEAU	Jeanne	Pineau
Renaudin	Paul	

1/30

SE PLAINDRE, PROTESTER

GENDARMERIE DE MENDE

Dépot de plainte

Date :
Procès verbal N° :

Plainte contre M/Mme/Mlle.............

Demeurant.............

Plainte déposée par.............

Objet de la plainte.............

Fait à Mende, le.............

9

Écoutez l'enregistrement et répondez.
1. Quel est le point commun entre les trois situations ?
2. Quelle est la réaction des personnes ?

10

Vrai ou faux ? Lisez le document et répondez. Justifiez vos réponses à l'aide des éléments du texte.
1. Les personnes envoient une pétition au maire de leur ville.
2. Elles se plaignent du bruit que font des chiens perdus.
3. Elles demandent à madame Joubert de déposer une plainte à la gendarmerie.
4. Elles demandent à la municipalité de s'occuper de l'affaire.

Point **Langue**

> METTRE EN ÉVIDENCE LA CAUSE, LA CONSÉQUENCE

a) Observez ces phrases et trouvez la règle.

Étant donné que ces aboiements durent depuis 6 mois et *puisque* toutes les démarches faites sont restées sans résultat, ▶ nous faisons appel à vous.
Comme elle ne voulait rien entendre, nous avons déposé une plainte.
Étant donné que/puisque/comme sont utilisés pour indiquer :
□ la cause   □ la conséquence
L'ordre d'apparition dans la phrase est : □ 1) la conséquence 2) la cause
□ 1) la cause 2) la conséquence

b) Relisez la conclusion de la pétition et complétez la liste.
C'est pourquoi/ ... servent à conclure en disant la conséquence.

S'EXERCER Nᵒˢ **3** ET **4**

11 👁
Relisez la pétition et remplissez la déclaration de plainte.

12 👁
Relisez la pétition et retrouvez le plan du texte. Remettez les parties dans l'ordre.
- Les habitants rappellent l'historique du conflit.
- Ils annoncent l'objet de la pétition.
- Ils réclament que les autorités règlent leur problème.

13 👁
Relisez la pétition et sélectionnez les passages qui expliquent que le problème n'a pas été réglé.

14 PHONÉTIQUE
Écoutez les protestations et répétez avec la même intonation.

15 ✏
Par deux, choisissez une situation où le bruit peut gêner (animaux bruyants, circulation automobile, aéroport, travaux, tapage nocturne, café ouvert la nuit, etc). Vous êtes victimes d'une de ces nuisances. Vous écrivez au maire une lettre pour vous plaindre. Vous exposez les raisons de votre mécontentement et demandez l'intervention des pouvoirs publics pour régler votre problème.

S'EXERCER
Leçon 1
Dossier 8

› Exprimer la conséquence

1. Complétez avec un des verbes suivants à la forme qui convient.
provoquer/entraîner – permettre de – améliorer – empêcher de – favoriser/faciliter – rendre – aggraver
Alimentation
a. Pour certaines personnes, le café … dormir.
b. Une bonne alimentation … être en bonne santé.
c. Le chocolat peut … dépendant.
d. La consommation excessive d'alcool … des maladies graves.
e. Une boisson chaude … la digestion.
f. Une alimentation trop riche en sucres … souvent un surpoids.
Sur la route
g. La vitesse … souvent des accidents.
h. La pluie … les risques d'accident.
i. Avoir une voiture en bon état … la sécurité.
j. Téléphoner en conduisant … se concentrer et … une baisse des réflexes.

› Usage du participe présent

2. a) Transformez en indiquant la cause avec un participe présent.
Exemple : Les députés ont voté la loi antitabac parce qu'ils savent que la cigarette est dangereuse. → Sachant que la cigarette est dangereuse, les députés ont voté la loi antitabac.

a. Les non-fumeurs expriment leur mécontentement parce qu'ils ne veulent plus subir les cigarettes des autres.
b. Les habitants se sont adressés à leur maire parce qu'ils espèrent une solution rapide à leur problème.
c. Les patrons de bars sont favorables à la loi antitabac parce qu'ils désirent satisfaire la clientèle des non-fumeurs.

b) Transformez en donnant une précision avec un participe présent.
Exemple : Les médecins insistent sur les dangers qui menacent la santé des fumeurs. → Les médecins insistent sur les dangers menaçant la santé des fumeurs.
a. Le gouvernement est sensible aux arguments des personnes qui réclament une loi antitabac.
b. Ceux qui sont allergiques à la fumée recherchent des restaurants qui disposent de salles non-fumeurs.
c. Les pouvoirs publics ont pris une décision qui respecte et qui protège les non-fumeurs.

› Mettre en évidence la cause, la conséquence

3. a) Transformez les phrases en indiquant la cause, comme dans l'exemple. Utilisez *étant donné que* ou *comme*.

Exemple : Les voisins sont d'accord avec moi – On va tous signer la pétition.
→ Comme les voisins sont tous d'accord avec moi, on va tous signer la pétition.
a. Je ne pouvais pas dormir – J'ai demandé à ma voisine d'arrêter de faire du bruit.
b. J'ai appelé la police – Le bruit ne s'arrêtait pas.
c. La police est arrivée – La musique a cessé.
d. Il n'y avait plus de bruit – J'ai pu me rendormir.

b) Transformez les phrases en indiquant la conséquence comme dans l'exemple. Utilisez : *par conséquent* ou *c'est pourquoi*.
Exemple : Les voisins sont d'accord avec moi – on va tous signer la pétition
→ Les voisins sont d'accord avec moi, par conséquent on va tous signer la pétition.

4. Exprimez la cause. Reformulez comme dans l'exemple.
Il y a trop de bruit, alors je m'en vais.
→ Puisqu'il y a trop de bruit, je m'en vais.
a. Vous êtes à la campagne, alors vous vivez au calme.
b. On va construire un aéroport, alors il y aura encore plus de bruit.
c. J'ai seulement des poissons rouges, alors mes animaux ne font pas de bruit.
d. On va construire un mur antibruit alors on devrait avoir moins de bruit.

LEÇON 2

EXPRIMER SON INDIGNATION

ATTITUDES URBAINES

Il arrive à chacun de nous de ne pas respecter la loi, parfois sans le savoir. Mais si on se fait prendre, gare aux sanctions ! Citadins, lisez, car il vaut mieux connaître les règles !

D'après « Tous gangsters », article d'Élisabeth Fournier paru dans Femina, supplément du Journal du Dimanche du 30 mai 2005.

Tous gangsters ?

Je traverse en dehors du passage piéton.

Parfois, c'est tentant de traverser directement plutôt qu'aller plus loin pour emprunter le passage piétons... La sanction : une contravention de 11 euros pour ne pas avoir respecté le code de la route. Seule exception : s'il n'existe pas de passage pour piétons dans les 50 mètres, vous pouvez traverser n'importe où.

Je jette mon mégot de cigarette par la fenêtre.

Manque de chance, un policier lève la tête à ce moment-là ! La sanction : une amende maximale de 38 euros pour avoir lancé un objet sur la voie publique. Si vous avez blessé quelqu'un, la condamnation peut aller jusqu'à deux ans d'emprisonnement et 30 000 euros d'amende !

Je cueille des fleurs dans un jardin public.

Impossible de résister à l'envie de prendre discrètement quelques belles tulipes ?

Dommage, car le gardien vous a vu ! La sanction : pour avoir cueilli même une seule fleur, vous aurez droit à une amende de 38 euros maximum.

Je roule à vélo sur le trottoir.

Quand vous aviez moins de 8 ans, vous en aviez le droit. Aujourd'hui, on vous autorise juste à marcher en tenant le vélo à la main. Mais interdiction de monter dessus, sauf à l'arrêt ! Vous risquez jusqu'à 375 euros d'amende et, si vous avez votre permis de conduire (automobile), jusqu'à trois ans de suspension.

DOSSIER 8

1 👁

Lisez le texte et répondez.

1. Le document concerne
☐ un lieu public.
☐ le domicile privé.
☐ la ville.

2. Ce texte est
☐ un règlement.
☐ un article de presse.
☐ un projet de loi.

3. Le but de ce texte est
☐ d'informer sur des règles.
☐ de raconter une anecdote.
☐ de décrire des comportements.

2 👁

Vrai ou faux ? Relisez et répondez. Justifiez votre réponse avec un passage du texte.

1. Il est toujours interdit de traverser en dehors d'un passage signalé pour piétons.
2. On va toujours en prison si on jette une cigarette allumée par la fenêtre.
3. On doit payer une contravention si on prend des fleurs dans un jardin public.
4. Les enfants de 6 ans peuvent rouler à vélo sur les trottoirs.
5. On peut interdire de conduire une voiture aux adultes qui roulent à vélo sur les trottoirs.

3 👁

Relisez le texte et complétez le tableau.

	Sanctions pour délits urbains			
	Traverser en dehors des passages piétons	Lancer un objet dans la rue	Cueillir des fleurs dans un jardin public	Rouler à vélo sur les trottoirs
Contraventions			38 € maximum	
Emprisonnement				
Autres				

Attention, **rébellion** !

Point **Langue**

› L'INFINITIF PASSÉ pour indiquer la cause

a) Reformulez les parties soulignées. Aidez-vous du texte.

Il paie une contravention <u>parce qu'il a cueilli</u> des fleurs ➜ pour...

Il a une sanction <u>parce qu'il n'a pas respecté</u> le code de la route ➜ pour...

Il a une amende <u>parce qu'il a roulé</u> à vélo sur le trottoir ➜ pour...

Il est sanctionné <u>parce qu'il est monté</u> dans le bus sans ticket ➜ pour...

b) Complétez la règle.

On utilise *pour* + verbe ... pour indiquer la cause s'il s'agit d'une action ... .

S'EXERCER N° 1

Point **Langue**

› RÈGLES ET SANCTIONS

Pour chaque mot/expression trouvez l'explication ou le synonyme qui convient.

J'ai le droit de faire (quelque chose). = ☐ On m'autorise à faire (quelque chose).
☐ On m'interdit de faire (quelque chose).

Une amende = ☐ Une condamnation
☐ Une contravention

Une interdiction de conduire = ☐ Une suspension de permis
☐ Un emprisonnement

S'EXERCER N° 2

4

Échangez. Est-ce que ces règles existent aussi dans votre pays ? Indiquez les comportements interdits en ville et les sanctions possibles, si vous les connaissez.

5

Imaginez ! En petits groupes, mettez-vous d'accord sur les règles d'une ville imaginaire. Rédigez le dépliant de la municipalité pour informer les habitants.

6

Écoutez l'enregistrement.

1. Dites où ça se passe et quel est le lien avec l'article.

2. Associez chaque dialogue à un paragraphe de l'article.

7

Réécoutez l'enregistrement et dites quel sentiment domine dans chaque dialogue.

la peur – l'indignation – la surprise – la joie

AIDE-MÉMOIRE

Exprimer son indignation

– Mais il est fou !

– Il ne se rend pas compte !

– Il a du culot !*

– Ça va pas non !*

– Vous exagérez !

– C'est scandaleux ! `

– C'est dingue ça !*

– Si c'est pas malheureux !

– Tu te rends compte !

* Registre familier.

8 PHONÉTIQUE

Écoutez les protestations et répétez en reproduisant l'intonation.

9

Réécoutez les trois situations et relevez les arguments justifiant la réaction des personnes.

Point **Langue**

› LE CONDITIONNEL PASSÉ pour protester

*Ça **aurait pu** me tomber sur la tête.*

*Vous **auriez pu** me brûler !*

*Vous **auriez pu** renverser cet enfant !*

a) Observez ces phrases et répondez.

Dans ces phrases, on parle :

☐ d'un événement qui s'est produit (on le raconte).

☐ d'un événement qui ne s'est pas produit (on l'imagine).

☐ d'un événement qui va se produire (on le prévoit).

b) Complétez la règle.

Pour indiquer a posteriori une conséquence/un événement imaginé(e), on utilise le verbe ... au conditionnel ☐ présent ☐ passé + verbe infinitif.

S'EXERCER N° 3

10

Jouez la scène.

Par deux ou en petits groupes, imaginez une situation en ville : un comportement qui provoque l'indignation, qui fait réagir les gens.

Déterminez :

– vos personnages (sexe, âge, personnalité) ;

– le lieu précis ;

– ce qui provoque l'indignation ;

– les arguments des personnes, leurs réactions (conséquences imaginées, etc.).

FAIRE UN REPROCHE

Dialogue 1
– *Bonjour, monsieur !*
– *Vous… avez vu l'heure, Lambert ?*
– *Oui, je sais, monsieur, je vous prie de m'excuser, mais il y a une grève des transports aujourd'hui, et j'ai dû attendre un train pendant presque une heure. C'est pour ça que…*
– *Mais enfin, Lambert, c'était pas une grève surprise ! Elle était annoncée depuis longtemps, cette grève ! Vous auriez pu vous organiser ! Vous auriez dû…, je ne sais pas moi, partir plus tôt ou prendre votre voiture… Prenez vos précautions la prochaine fois !*
– *Oui, monsieur, excusez-moi encore !*

Dialogue 2
– *Ah, Lambert ! Bravo, Lambert, de mieux en mieux ! Une heure quinze de retard aujourd'hui !*
– *Mais je suis vraiment confus, monsieur, mais la neige… J'ai dû abandonner ma voiture sur l'autoroute…*
– *Mais enfin, Lambert !*
Il fallait regarder la météo, on annonçait de la neige ! Vous n'auriez pas dû prendre votre voiture !
– *Mais l'autre jour, vous m'aviez dit de…*
– *Écoutez, Lambert, c'est la dernière fois que vous arrivez en retard ! À pied, à cheval, en avion, mais arrivez à l'heure !*
– *Bien, bien, monsieur…*

11
Écoutez les titres de radio et dites quel est leur point commun.

12
Écoutez les deux dialogues.
1. Décrivez la situation pour chaque dialogue (qui ? quoi ? où ? quand ?).
2. Dites à quel titre de radio chaque dialogue correspond.

13
Réécoutez les dialogues.
1. Dites comment vous imaginez la personnalité de chacun.
2. Relevez les justifications de M. Lambert.
3. Relevez les reproches de son directeur.

14 PHONÉTIQUE
a) Écoutez les reproches et répétez.
b) Écoutez et répétez.
Exemple : Un ami heureux, c'est mieux.

Point **Langue**

> ### > L'IMPARFAIT OU LE CONDITIONNEL PASSÉ pour faire un reproche

1. Il **fallait** regarder la météo.
2. Vous **auriez pu** vous organiser !
3. Vous **auriez dû** partir plus tôt ou prendre votre voiture.
4. Vous **n'auriez pas dû** prendre votre voiture !

a) Observez ces phrases et répondez.
Le patron fait des reproches sur
☐ une attitude habituelle   ☐ une action passée   ☐ une action habituelle.

b) Pour chaque reproche, choisissez ce qui s'est réellement passé :
☐ Il a regardé la météo.   ☐ Il n'a pas regardé la météo.
☐ Il s'est organisé.   ☐ Il ne s'est pas organisé.
☐ Il est parti assez tôt.   ☐ Il est parti trop tard.
☐ Il a pris sa voiture.   ☐ Il n'a pas pris sa voiture.

c) Observez les temps des verbes et proposez une autre formulation pour chaque reproche.
Il fallait regarder la météo → Vous…
Attention !
– Vous auriez dû/pu prendre… → les deux verbes sont possibles.
– Vous n'auriez pas dû prendre… → à la forme négative, seul le verbe *devoir* est possible.

S'EXERCER Nº 4

15

Jouez la scène.
Par deux, choisissez une des situations de retard. Imaginez les excuses et reproches des personnes :
– un(e) marié(e) en retard à son mariage ;
– un homme/ une femme en retard à un rendez-vous amoureux ;
– un jeune qui rentre chez lui au milieu de la nuit ;
– autre (à vous d'imaginer).

Leçon 2
Dossier 8

S'EXERCER

> L'infinitif passé pour indiquer la cause

1. Reformulez en exprimant la cause comme dans l'exemple.
Exemple : Il a voyagé sans ticket ; il a eu une amende. → Il a eu une amende pour avoir voyagé sans ticket.
a. Ils ont cambriolé une banque, alors ils ont été condamnés.
b. Elle est entrée dans le métro sans ticket, alors elle a eu une contravention.
c. Ce conducteur est passé plusieurs fois au feu rouge, alors il a eu une suspension de permis.
d. À Noël, cet homme a coupé un sapin dans le parc municipal, alors il a dû payer une amende.

> Règles et sanctions

2. Complétez avec les mots suivants :
sanction – emprisonnement – condamnation – contravention – amende – suspension

Vous prenez le bus sans ticket
Attention à la … ! À la station suivante, si un contrôleur monte et vous demande votre titre de transport, vous devrez payer une … de 36 €. Et si c'est une habitude chez vous : à partir de dix … dans l'année que vous oubliez de payer, vous risquez jusqu'à six mois de … et 7 500 € de … .
Vous ne respectez pas le code de la route
Automobilistes, si vous dépassez la vitesse autorisée, plusieurs … sont possibles : si vous dépassez de 20 à 30 km/heure : 2 points retirés sur les 12 de votre permis de conduire et une … de 135 €. Si vous dépassez de 50 km ou plus : 6 points, 3 750 € de … ; la … peut aller jusqu'à trois mois de … et trois ans maximum de … de permis.

> Le conditionnel passé

3. Protestez comme dans l'exemple.
Exemple : Mais fais attention ! Je (tomber)
→ *J'aurais pu tomber !*

a. Regarde comme il roule vite !
Il (provoquer un accident) !
b. Tu as traversé au feu vert, tu (avoir une amende) !
c. Vous n'avez pas surveillé votre chien.
Il (mordre quelqu'un) !

> L'imparfait ou le conditionnel passé pour faire un reproche

4. Formulez le reproche pour chacune des situations, comme dans l'exemple.
Exemple : Une mère reproche à son fils… de ne pas avoir téléphoné.
→ *Tu aurais pu/Tu aurais dû téléphoner !/ Il fallait téléphoner !*
… d'avoir oublié son anniversaire.
→ *Tu n'aurais pas dû oublier mon anniversaire !*
a. Dans le bus, un contrôleur reproche à un passager de ne pas avoir pris de ticket.
b. Un employé reproche à son collègue d'être parti avant la fin de la réunion.
c. Un policier reproche à des motocyclistes de ne pas avoir mis leur casque.

EXPRIMER SON POINT DE VUE

ATTITUDES URBAINES

DOSSIER 8

Document 1

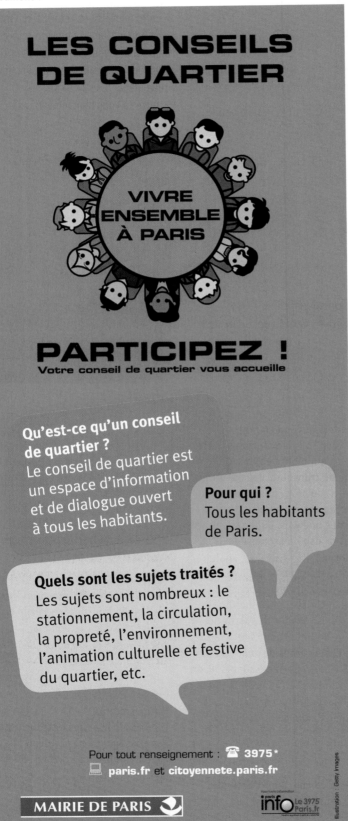

Document 2

Compte rendu du conseil de quartier

Réunion publique à
l'école Max-Forestier
quartier du Sentier, le mardi 5 mars

Ordre du jour : concertation lancée par la Mairie de Paris : projets prioritaires pour l'avenir dans le cadre du Plan de déplacements de Paris (PDP).

Synthèse des débats
(70 participants)

Mise en place d'une navette* de transport sur la Seine.
La majorité est favorable à cette proposition. En effet, les avantages sont très nombreux : diminution de la circulation automobile, amélioration de la qualité de l'air, rapidité des trajets. Cependant, les participants ont souligné que ce type de transport ne devrait pas coûter plus cher que le métro.

1 👁

Lisez le document 1 et répondez : qui s'adresse à qui ? dans quel but ?

2 👁

a) Lisez le compte rendu (document 2) et complétez la première partie de la fiche de synthèse.

MAIRIE DE PARIS 🦅

FICHE DE SYNTHÈSE

Consultation sur ....

Conseil du quartier ....

Date : ....

Les projets prioritaires pour l'avenir	
1	
2	
3	
4	

Controverses

DE MANIÈRE NUANCÉE

Interdiction de la circulation automobile sur les voies sur berges.**
Cette proposition est très controversée. La majorité apprécie les déplacements à pied ou à vélo au bord de la Seine. Pourtant, tous citent les conséquences néfastes : la fermeture des voies sur berges entraîne à chaque fois des embouteillages importants et, par conséquent, plus de pollution.

Réduction de la vitesse à 30 km/h en dehors des grands axes.
Bien que cette mesure revienne sans cesse dans les propositions des pouvoirs publics, elle est fortement rejetée par les participants au conseil.

Création de voies rapides réservées aux taxis et aux bus.
Malgré le succès de ce type de mesure dans certains quartiers, beaucoup de personnes y sont opposées. Pour elles, il est indispensable que les projets soient étudiés consciencieusement, pour éviter des problèmes comme sur le boulevard Saint-Marcel actuellement.

---

* Navette : transport assurant la liaison entre deux points.
** Voies sur berge : voies rapides le long de la Seine.

b) Relisez le compte rendu. Repérez les projets discutés pendant la réunion et classez-les dans la fiche de synthèse par ordre de priorité, en fonction des opinions exprimées.

3

Relisez et répondez : les opinions exprimées sont-elles très nettes, ou plutôt nuancées ? Justifiez votre réponse.

Point **Langue**

> ### LES EXPRESSIONS D'OPPOSITION/DE CONCESSION
pour exprimer des réserves

a) Observez les opinions suivantes et repérez les expressions qui introduisent une réserve.

Les avantages sont très nombreux. Cependant, les participants ont souligné que ce type de transport ne devrait pas coûter plus cher que le métro.
La majorité apprécie les déplacements à pied ou à vélo au bord de la Seine. Pourtant, tous reconnaissent que les conséquences sont néfastes.
Complétez : On peut exprimer l'opposition avec les adverbes … et … .

b) Lisez les opinions suivantes et répondez.

Bien que cette mesure revienne sans cesse dans les propositions des pouvoirs publics, elle est fortement rejetée par les participants.
Malgré le succès de ce type de mesure dans certains quartiers, beaucoup de personnes s'y opposent.
Le lien entre la deuxième partie et la première partie de la phrase est :
□ une suite logique   □ une suite inattendue.

c) Repérez l'expression qui permet de comprendre ce lien et complétez la règle.

On exprime la concession avec *bien que* + verbe au … ou avec *malgré* + … .

S'EXERCER N°s 1 ET 2

AIDE-MÉMOIRE

Rapporter un point de vue
La majorité **est favorable à** cette proposition. Beaucoup de personnes **sont opposées à** cette mesure.

Cette proposition **est très controversée**. Cette mesure **est fortement rejetée** par les participants.

---

4 PHONÉTIQUE
Écoutez et répétez.
1. Il y a du travail pour le mariage.
2. L'embouteillage embêtait Jean.
3. Aurai-je une bonne oreille ?
4. D'ailleurs, il nous accueille à la Bastille avec Edwige.
5. C'est le dernier sentier forestier que j'ai suivi.

5

La mairie de votre ville souhaite aménager un lieu non utilisé actuellement. Elle organise une consultation publique pour faire un choix entre les utilisations suivantes :
- activités sportives ;
- activités culturelles ;
- autre.
Imaginez quels projets précis pourraient être proposés. Établissez une liste.

6

Imaginez !
En conseil de quartier, vous avez discuté les projets envisagés dans l'activité 5. Rédigez le compte rendu de la réunion, avec vos points de vue et les priorités.

DONNER SON POINT DE VUE

– *Techno Parade 8e édition, c'est demain, comme vous le savez. Elle provoque, comme chaque année, une polémique. Pour ou contre, nous accueillons aujourd'hui, dans notre émission (…)*
– *Bien sûr, je suis pour ! C'est l'occasion de faire la fête mais aussi de défendre… le statut professionnel des disc-jockeys.*
– *Oui, je suis favorable à la Parade, d'ailleurs je serai en tête du défilé demain. J'aime beaucoup la techno et je tiens à apporter mon soutien aux musiques électroniques. Il est temps que les conflits cessent !*
– *Ben alors, vous vous rendez pas compte ! L'année dernière, c'était insupportable : un bruit infernal, une foule immense, la circulation bloquée jusqu'à la Seine… Et je n'ai rien vendu ! Pas un chat dans la boutique ! Non, la Techno Parade, moi, je suis radicalement contre ! Et d'ailleurs, je ne suis pas la seule à m'y opposer !*
– *Vous exagérez, madame ! Heureusement que ça existe, la liberté d'expression ! La Techno Parade, moi, j'adore ! Chaque année, je viens exprès de province pour assister au défilé. Les chars sont top ! Il y a une super ambiance. La fête, quoi !*

7 🔊
Écoutez le premier enregistrement et dites quel événement est annoncé.

8 🔊 👁
Réécoutez l'enregistrement et lisez le document suivant. Corrigez les trois erreurs.

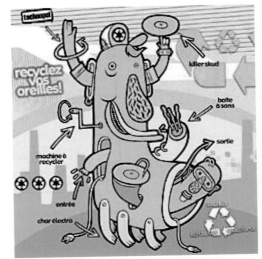

Paris 2005 - 8ème édition

Après la fête de la musique, TV5 soutient la Techno Parade, la grande fête de la rue et de la musique électronique : les chars suivront un parcours exceptionnel dans la capitale, et la Parade sera plus musicale que jamais.
Rendez-vous samedi 8 septembre dès minuit au départ de la place de la Concorde. Et pour tous, la scène musicale francophone électronique est aussi sur TV5 !

POINT CULTURE

La Techno Parade

Lisez le document de TV5 et complétez le texte suivant.

Le concept est simple : faire la fête au son de toutes les musiques électroniques et faire du bruit pour transmettre les revendications des acteurs de la scène électronique française.
La Parade a été créée en 19… par l'association Technopol. Complètement adoptée par le grand public, elle est devenue l'occasion unique de faire la fête dans la … au grand jour. Chaque année au mois de …, le cortège constitué d'une trentaine de chars suit un … à …, attirant une foule d'amateurs de musiques électroniques.

D'après www.technopol.net

SUR UN SUJET POLÉMIQUE

9
Écoutez l'enregistrement.
Dites dans quel ordre ces personnes prennent la parole :
- Bertrand Saltron, député.
- Myrtille Maine, fan de techno.
- David Lescot, disc-jockey.
- Colette Tabey, commerçante.

10
Dites si ces personnes sont pour ou contre la Techno Parade, et pourquoi. Justifiez vos réponses.

11 PHONÉTIQUE
Écoutez et répétez en reproduisant l'intonation.

AIDE-MÉMOIRE

Donner son point de vue sur un sujet polémique/réagir

Bien sûr, **je suis pour** ! Oui, **je suis favorable à** la Parade.
La Techno Parade, moi **je suis radicalement contre** ! Et d'ailleurs **je ne suis pas la seule à m'y opposer** !
Vous ne vous rendez pas compte !
Vous exagérez !
Heureusement que ça existe, la liberté d'expression !

S'EXERCER N° 3

12
Échangez. En petits groupes, vous participez à une table ronde sur un des sujets suivants :
- la journée sans voiture ;
- la journée sans tabac ;
- la journée pour les jeunes ;
- autre.
Vous donnez votre point de vue ou réagissez à celui des autres.

S'EXERCER
Leçon 3
Dossier 8

> Les expressions d'opposition/ concession pour exprimer des réserves.

1. Reliez les deux séries de phrases en exprimant une opposition avec *pourtant* ou *cependant*.
Exemple : La majorité des personnes est favorable à la journée sans voiture, cependant le nombre de voitures circulant en ville ne diminue pas.
1. *La majorité des personnes est favorable à la journée sans voiture.*
2. La circulation dans la capitale est de plus en plus difficile.
3. Il y a plus de cyclistes dans la ville.
4. La fréquence des trains a augmenté.
5. Les gens déclarent prendre davantage les transports en commun.

a. *Le nombre de voitures circulant en ville ne diminue pas.*

b. Les pistes cyclables sont insuffisantes.
c. Les banlieusards continuent à voyager debout.
d. Les embouteillages ne diminuent pas.
e. Les gens continuent à venir travailler en voiture.

2. Complétez les opinions.
a. La loi a été votée malgré … .
b. Le conseil a manifesté son opposition bien que … .
c. Ils se sont réunis malgré … .
d. Le Maire a choisi d'augmenter les tarifs de stationnement bien que … .

> Donner son point de vue sur un sujet polémique/réagir

3. Complétez les déclarations avec les expressions *être pour/être favorable à* ; *être contre/s'opposer à*. (Faites les transformations nécessaires.)

À propos de la traversée de Paris à roller le vendredi soir
— Un adepte du roller : « Moi, je… ! »
— Le Maire : « Cela demande une organisation importante, cependant je … cette manifestation hebdomadaire qui connaît un grand succès ! »
— Un chauffeur de taxi : « Tous les vendredis soirs, je suis gêné par les rollers, alors la même chose toutes les semaines, je… ! »
À propos d'un projet de construction du tramway
— Une personne habitant sur le parcours prévu : « Les travaux vont durer deux ans au minimum, la circulation va être impossible ; je…. ! »
— un écologiste : « Je … tramway, ça va diminuer la pollution dans la capitale. »

Carnet de voyage...

Culture et fête en ville

1.
Connaissez-vous
ces manifestations
festives ? Existent-
elles dans votre pays ?
Savez-vous dans quelle
ville elles ont été
créées pour la première
fois ? Observez bien
la page du site de
la *Nuit blanche* pour
trouver la réponse.

2.
Pour mieux découvrir les deux
événements, lisez les textes
suivants.
a) Associez textes et affiches.
b) Dites à quelle manifestation
vous avez déjà participé ou
vous avez envie de participer.

Imaginée en 1981, par le ministre
de la Culture français, sa première
édition a eu lieu le 21 juin 1982. Elle
a pour vocation de promouvoir la
musique de deux façons :
Avec le slogan *Faites de la musique !*,
elle encourage les musiciens amateurs
à se produire dans les rues.
Grâce à l'organisation de nombreux
concerts gratuits, d'amateurs mais
aussi de professionnels, elle permet à
un public large d'accéder à des musiques
de toutes sortes et de toutes origines.
Elle a lieu dans plus de cent pays sur
les cinq continents.

3.
Vous vous occupez des affaires
culturelles pour votre ville. Vous
décidez d'organiser une manifestation
festive. En petits groupes, choisissez le
thème, le moment de l'année, l'organisation,
et décidez du nom de l'événement. Présentez
votre projet à la classe.

Manifestation annuelle qui permet au public de visiter
différents lieux et d'assister à diverses manifestations
culturelles pendant la nuit du premier samedi au premier dimanche d'octobre. La première édition s'est
tenue en 2002. Elle est également organisée à Bruxelles depuis 2002, à Rome depuis 2003, et elle a vu le
jour à Montréal en 2004.

8e PRINTEMPS DES POÈTES

Manifestations en France et à l'étranger www.printempsdespoetes.com / 01 53 800 800

du 4 au 12 mars 2006
le chant des villes

Le Printemps des poètes en mars

Créé en 1999, le Printemps des poètes fêtera en 2006 sa huitième édition. Chaque année, plus de 12 000 manifestations voient le jour en France et à l'étranger à l'occasion de cette semaine festive.

Édition du 4 au 12 mars 2006 :
Le chant des villes

De nouvelles initiatives

Autour de ce thème, dix textes ont été commandés à dix grands poètes. Ces textes explorent l'imaginaire de la ville en traitant soit de la ville en général, soit d'un de ses caractères.

Ville

Il ne suffit pas d'un tas de maisons pour faire une ville
Il faut des visages et des cerises
Des hirondelles bleues et des danseuses frêles
Un écran et des images qui racontent des histoires

Il n'est de ruines qu'un ciel mâché par des nuages
Une avenue et des aigles peints sur des arbres
Des pierres et des statues qui traquent la lumière
Et un cirque qui perd ses musiciens [...]

Tahar Ben Jelloun. – Paris 11 novembre 2005.

Courir le monde

Par la seule magie de leurs noms
il est des villes perdues ou non
d'Aden à Zanzibar
qui chantent dans nos mémoires.

Ô cette rumeur de l'inconnu
au coin des rues de la terre
à Samarkand comme à Shanghaï
avant même que d'y être...

Le refrain qui a ouvert la route
parle au cœur et aux songes
de Tombouctou, de Bénarès, de Louxor
et d'Antioche-sur-Oronte :

c'est à l'oreille aussi
qu'il faut courir le monde.

André Velter – Paris, 7 juin 2005.

Éditions 2006 du *Printemps des poètes*,
Dix poèmes inédits sur le chant des villes.

Le chant des villes

Je m'attache aux pulsations de la ville
À leur existence mouvementée
Je respire dans leurs espaces verts
Je me glisse dans leurs ruelles
J'écoute leurs peuples de partout
J'ai aimé les cités Le Caire ou bien Paris
Elles retentissent dans mes veines
Me collent à la peau

Je ne pourrai me passer
D'être foncièrement :
Urbaine.

Andrée Chedid – Paris, 2005.

4.

Lisez les poèmes et retrouvez le thème de chacun.
les noms de villes qui font rêver
- ce qui fait une ville - la relation
avec les villes

5.

Relisez les poèmes « Ville » et « Le chant des villes ».
a) Relevez tous les éléments spécifiques des villes.
b) Relevez tout ce qui évoque la vie et le mouvement dans la ville.

6.

À vous de proposer votre poème inédit !
Choisissez votre thème. Vous pouvez vous aider du point de départ d'un des poèmes.
a) Il ne suffit pas de ... pour faire une ville.
   Il faut ... .
b) Je m'attache à/aux ... de la ville.
   À ... .
   Je ... dans ...
c) Par la seule magie de leurs noms,
   il est des villes qui ... .

Votre travail dans le dossier 8

1 Qu'est-ce que vous avez appris à faire dans ce dossier ? Cochez les propositions exactes.

☑ parler de nuisances
☐ exprimer une opinion sur un livre
☐ commenter un fait de société
☐ dénoncer une situation
☐ comprendre un échange familial
☐ demander de l'aide
☐ s'excuser

2 Quelles activités vous ont aidé(e) à apprendre ? Voici une liste de savoir-faire de communication. Notez en face de chaque savoir-faire le numéro de la leçon et de l'activité qui correspondent.

— comprendre des messages d'information sur la santé   *L1-1*
— comprendre des sanctions pour délits
— s'excuser et reprocher
— comprendre les conséquences d'une action
— comprendre quelqu'un qui se plaint
— exprimer son point de vue sur un sujet polémique
— rédiger un compte rendu de réunion
— comprendre une information sur une loi
— comparer avec la législation dans son pays

Votre autoévaluation

1 Cochez d'abord les cases qui correspondent aux savoir-faire que vous êtes capable de réaliser maintenant et faites le test donné par votre professeur pour vérifier vos réponses. Puis, reprenez votre fiche d'autoévaluation, confirmez vos réponses et notez la date de votre réussite. Cette date vous permet de voir votre progression au cours du livre.

JE PEUX	ACQUIS	PRESQUE ACQUIS	DATE DE LA RÉUSSITE
comprendre une personne qui parle de sa vie à l'étranger	☐	☐	
comprendre quelqu'un qui dénonce un problème	☐	☐	
comprendre les objectifs d'un témoignage	☐	☐	
parler des causes, des conséquences d'une situation	☐	☐	
réagir à un événement personnel, réclamer	☐	☐	
témoigner d'expériences heureuses et/ou malheureuses	☐	☐	
approuver, féliciter, dénoncer, s'indigner, reprocher, nuancer	☐	☐	

2 Après le test, demandez à votre professeur ce que vous pouvez faire pour améliorer les activités non encore acquises.

☐ exercices de compréhension orale
☐ exercices de compréhension écrite
☐ exercices de production orale
☐ exercices de production écrite

☐ exercices de grammaire
☐ exercices de vocabulaire
☐ exercices de phonétique
☐ autres (vidéo...)

Si votre institution possède un centre de ressources, demandez au responsable de vous conseiller sur les documents disponibles en livres, cassettes audio et vidéo, CD-ROM ou sites Internet.

DOSSIER 9
Ego.com

■ **LEÇON 1** **L'ART DE COMMUNIQUER**

> Exprimer un jugement
> Faire une recommandation, mettre en garde

■ **LEÇON 2** **TOUCHE PERSO**

> S'informer sur, décrire une innovation
  technologique
> Informer sur un mode de communication

■ **LEÇON 3** **L'ART D'ÉCRIRE**

> S'informer sur, décrire le fonctionnement
  d'un service
> Connaître différents genres d'écrits

■ **CARNET DE VOYAGE**

> Expressions poétiques

A2>B1

EXPRIMER UN JUGEMENT

SANTÉ. Quand le Web devient une drogue : selon une étude inédite, la France compte déjà 16 % d'accros [addict] parmi les internautes, principalement des jeunes. Les jeux en réseau et les « chats » sont les activités qui entraînent le plus de dépendance.

Jordan, 14 ans, a dû subir un « sevrage total d'ordinateur ».

Jordan restait connecté sur Internet jusqu'à cinq ou six heures de suite. Sur des sites de discussion en ligne et parfois ailleurs, au hasard. Pour rester plus longtemps connecté, il se privait de sommeil et de nourriture.

D'après Aujourd'hui en France du 4 mai 2005.

Document 1

Le psy vous conseille...

Courrier des lecteurs

Bonjour,
Mon fils de 16 ans passe entre deux et trois heures par jour devant son écran. Il participe à des jeux en réseau en ligne avec des copains ou des inconnus. Je trouve étonnant que ce soit devenu son seul loisir, et ça me semble dangereux qu'il puisse passer tout son temps sur le Web. Qu'en pensez-vous ?
Denis, 57 ans – Paris (75)

Bonjour,
Ma fille de 15 ans se connecte au moins deux heures par jour sur le Net. C'est bien qu'elle puisse naviguer pour faire des recherches, qu'elle aille sur des sites en anglais, qu'elle discute en ligne avec ses amis, mais ça me désole qu'elle puisse rester des heures à chatter sans but précis... Mais il est difficile de lui interdire ce moyen de communication que tout le monde pratique... Pensez-vous qu'il y ait un danger ? Que pouvez-vous me conseiller ?
Brigitte, 49 ans – Bergerac (24)

Document 2

---

1 👁

Lisez le document 1.
1. Dites de quoi et de qui on parle.
2. Imaginez le titre de l'article.

2 👁

Relisez le document 1 et dites à quoi on compare l'usage d'Internet. Justifiez votre réponse.

3 👁

Lisez le document 2 et répondez.
Quel est le lien avec l'article précédent ?
Qui s'exprime ? Dans quel contexte ?
Dans quel but ?

4 👁

Vrai ou faux ? Justifiez vos réponses.
– Les personnes expliquent le comportement de leur enfant.
– Elles citent une anecdote.
– Elles expriment un jugement sur le comportement de leur enfant.
– Elles demandent conseil aux autres parents.

5 👁

Relisez le document 2 et complétez les deux fiches du psychologue.

CAS N° 1
Parent : Denis, 57 ans, Paris
Âge/sexe de l'enfant :
Nature du problème :
Position du parent :

CAS N° 2
Parent : Brigitte, 49 ans, Bergerac
Âge/sexe de l'enfant :
Nature du problème :
Position du parent :

L'art de **communiquer**

Point **Langue**

› EXPRIMER UN JUGEMENT

a) Relevez les jugements personnels exprimés par les deux parents concernant les faits suivants :
– loisir : participer à des jeux en réseau ➔ *Je trouve … . Ça me semble … .*
– faire des recherches sur le Net ➔ *C'est … .*
– « chatter » avec des amis ➔ *Ça me … .*

b) Dites pour chaque jugement s'il est positif ou négatif.
Relevez le mot clé qui permet de le comprendre.

c) Complétez la règle
On peut exprimer un jugement avec

Je trouve + … + que
Ça me semble + … + que   } + verbe au … .
Ça me réjouit ≠ ça me …
C'est + … + que

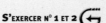 S'EXERCER N° 1 ET 2

6

a) Écoutez l'enregistrement et dites quelle est la situation. Qui parle à qui et de quoi ?

b) Réécoutez l'enregistrement. Identifiez, pour chaque jeune, les activités pratiquées sur Internet et si les parents en sont informés.

Point **Langue**

› PARLER D'INTERNET

a) Retrouvez les trois noms désignant le réseau Internet, et dites quel est le nom spécifiquement français :
le … – le … – la …

b) Retrouvez le nom donné aux utilisateurs d'Internet.

c) Observez la liste des utilisations possibles d'Internet et trouvez les verbes qui ont le même sens.
– Faire des achats en ligne.
– Jouer/participer à des jeux en réseau.
– Aller sur Internet. ➔ *Se … .*
– Faire des recherches/visiter des sites ➔ *… sur la Toile.*
– Participer à une discussion instantanée ➔ *… .*

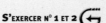 S'EXERCER N° 3

---

7 PHONÉTIQUE

Réécoutez les deux dialogues et trouvez un ou deux exemples de marques de l'oral :
– mots ou lettres qui ne sont pas prononcés (qu'on n'entend pas) ;
– répétitions ;
– prononciation du mot *bien*.

8

Faites une enquête dans la classe sur l'utilisation d'Internet.

a) Par deux, préparez et écrivez vos questions (activités sur le Web, opinion sur les pratiques intensives du Web, etc.).

b) Interrogez un autre groupe.

c) En grand groupe, rapportez et comparez les résultats de vos enquêtes.

9

Vous écrivez au courrier des lecteurs de *Psychomag*. Choisissez une des situations suivantes et rédigez la lettre (vous présentez la situation, vous donnez votre sentiment/jugement sur cette situation, vous demandez conseil).
1. Le comportement d'un(e) de vos ami(e)s a changé et vous inquiète.
2. Un jeune n'accepte pas la position de ses parents (Internet, jeux vidéo, sorties...).

FAIRE UNE RECOMMANDATION/METTRE EN GARDE

INFORMATIQUE

Internet met votre vie privée en danger !

SÉCURITÉ INFORMATIQUE. Rien n'est confidentiel sur le Net. Vos photos, des éléments de votre vie privée ou intime sont réutilisés sur la Toile. Cela peut être préjudiciable et les plaintes explosent. Il est urgent de se protéger.

Sachez que la confidentialité n'existe pas sur la Toile, une partie de votre vie privée peut donc se retrouver sur le Web. Il est essentiel de choisir les informations que l'on donne. Afin de préserver votre anonymat sur

les forums, par exemple, mieux ~~vaut~~ *Valoir* avoir plusieurs pseudonymes et différentes adresses e-mail.

Méfiez-vous aussi des « espions » qui, avec quelques logiciels, peuvent savoir quelles informations vous consultez : il est donc impératif que vous vous protégiez avant de vous lancer sur le réseau en installant un logiciel anti-espion.

Enfin, pour les achats en ligne, rien ne vaut la prudence : évitez de confier votre numéro de carte bancaire et choisissez des moyens de paiement hautement sécurisés.

D'après *Le Parisien*, 8 mai 2005.

10 👁

Vrai ou faux ? Lisez l'article de journal et répondez. Justifiez vos réponses.

Le journaliste :
1. s'adresse aux utilisateurs d'Internet.
2. parle de sites Internet qui diffusent des informations sur la vie privée.
3. fait des recommandations et des mises en garde.
4. évoque des plaintes d'internautes.

11 🎧 👁

Écoutez l'enregistrement.

a) Identifiez le problème de chaque personne.

b) Relevez dans l'article les recommandations et/ou les mises en garde adaptées à ces personnes.

12 PHONÉTIQUE
Écoutez et répétez avec la même intonation.

13 ✏

Imaginez les recommandations et mises en garde faites par un psychologue dans un article du magazine *Entre parents*, dont le titre est « Internet : un danger pour les ados ? ».

Point **Langue**

> FAIRE DES RECOMMANDATIONS ET DES MISES EN GARDE

Observez les phrases suivantes puis complétez la règle.

– *Il est urgent de se protéger.*
– *Il est essentiel de filtrer …*
– *Il est impératif que vous vous protégiez.*
– *Évitez de confier …*
– *Choisissez des moyens …*
– *Méfiez-vous des espions.*
– *Mieux vaut avoir plusieurs pseudos.*
– *Rien ne vaut la prudence.*

Expressions impersonnelles	Impératif
Il est + … + de + verbe … *Il est + … + que + sujet + verbe …*	*Choisissez* *Évitez de + …* *Méfiez-vous de + …*

Formules spécifiques	
Mieux vaut (Il vaut mieux) + … *Rien ne vaut + …*	

S'EXERCER N° 4 🔁

S'EXERCER

> Exprimer un jugement

1. Réagissez à ces différentes situations.

Utilisez : *Je trouve … que – C'est … que – Ça me désole/réjouit que – Ça me semble … que.*

Votre fils/fille ou frère/sœur
– dépense tout son argent en matériel informatique.
– a de plus en plus de copains grâce au jeu en réseau.
– ne s'intéresse plus à ses études depuis qu'il navigue sur Internet.
– chatte avec des inconnus sur des forums.

2. Le règlement d'une école interdit Internet aux élèves pendant les récréations. Imaginez différentes réactions des parents.

Parents n° 1 : – Nous trouvons que …
Parents n° 2 : – Ça nous désole que …
Parents n° 3 : – Ça nous réjouit que …
Parents n° 4 : – Ça nous semble normal que …

> Parler d'Internet

3. Complétez les messages avec les expressions suivantes : *chatter – se connecter – faire des achats en ligne – naviguer sur le Net.*

a. J'ai un problème avec mon ordinateur : je n'arrive pas à … sur Internet.
b. J'adore …, je gagne beaucoup de temps et on me livre les produits dans les 48 heures.
c. J'ai passé des heures à … , pour rechercher des informations pour mon exposé.
d. Je … souvent sur Internet parce que j'aime échanger mes idées avec d'autres jeunes comme moi.
e. Si vous désirez … , choisissez des moyens de paiements sécurisés.
f. Mes activités favorites sur le Net : jouer à des jeux interactifs et … avec mes amis.
g. À certaines heures, c'est difficile de … sur Internet.

> Faire des recommandations et des mises en garde

4. Complétez les deux messages. Plusieurs formulations sont quelquefois possibles.

Utilisez : *méfiez vous de – évitez de – mieux vaut – rien ne vaut – il est essentiel/urgent de/que.*

a. – Si vous êtes « accro » à Internet et si vous êtes stressé, … réduire votre temps devant l'écran.
N'oubliez pas : … bien dormir ; donc … vous coucher après minuit.
En conclusion, … changer vos habitudes !
b. – … une bonne hygiène de vie quand on a 15 ou 16 ans … longues soirées passées à chatter sur Internet, … varier vos occupations. Si vous vous ennuyez dès que vous êtes dans un lieu sans ordinateur, … que vous retrouviez vite le plaisir de l'activité physique et que vous mettiez fin à votre dépendance.

DOSSIER 9   **EGO.COM**

S'INFORMER SUR, DÉCRIRE UNE

Envie de partager chaque instant avec vos proches ?

Envoyez une photo ou une vidéo par MMS, vers un autre mobile, ou vers une adresse e-mail !

Envie de jouer ?

Retrouvez sur votre mobile le nouveau portail « Jeux » !

Vous souhaitez suivre vos programmes ou émissions préférés ?

Regardez la TV en direct et des vidéos sur votre mobile !

Envie de musique ?

Choisissez, téléchargez, écoutez ! Plus de 500 000 titres à télécharger sur votre mobile !

Besoin d'info ?

Découvrez plus de 500 services multimédia par le moteur de recherche de l'Internet mobile !

1

Observez cette publicité pour des téléphones portables et répondez.

1. L'argument commercial est basé sur :

☐ la qualité des téléphones.
☐ les prix.
☐ la variété des fonctions.

2. Identifiez les fonctions évoquées (autres que téléphoner).

2

Échangez.
Avez-vous un téléphone portable ?
Quelle utilisation en faites-vous ?
Quelles fonctions trouvez-vous indispensables, intéressantes, inutiles ?

POINT CULTURE

L'utilisation du téléphone portable en France

Selon une étude récente, le portable concentre aujourd'hui trois des aspects les plus modernes de notre société : le goût pour les technologies innovantes, le besoin de contacts avec les autres et l'envie de consommation.

Aujourd'hui, 72 % des Français ont un téléphone portable personnel et/ou professionnel, soit un taux d'équipement très proche du fixe. L'utilisation du portable varie fortement selon l'âge : de 94 % et 95 % chez les 15-17 ans et les 18-24 ans, à 53 % chez les plus de 60 ans.

Le taux d'équipement varie très peu d'une catégorie sociale à l'autre.

57 % des Français ont à la fois un portable et un téléphone fixe, et 15 % ont un portable et pas de téléphone fixe.

D'après l'Observatoire sociétal du téléphone mobile AFOM/TNS Sofres – 3 novembre 2005.

INNOVATION TECHNOLOGIQUE

3 🎧
Écoutez l'enregistrement et identifiez la situation (où ? qui ? quoi ?).

4 🎧
Réécoutez le dialogue et sélectionnez sur la publicité les modèles qui peuvent intéresser le client.

5 🎧
a) Réécoutez. Relevez les questions du vendeur et du client pour sélectionner des modèles spécifiques.

b) Relevez les précisions données sur les modèles.

6 PHONÉTIQUE
Écoutez et dites si on exprime une hésitation ou une affirmation.

7 🎧 👄
Jouez la scène.
Vous êtes chargé(e) de vendre les objets suivants (des inventions insolites à connexion USB) au Salon des inventeurs. Écoutez l'enregistrement pour vous aider et vous préparer. Vous devez attirer les clients en expliquant les avantages des objets. Les clients sont enthousiastes ou hésitants, ils demandent aussi des précisions.

Le diffuseur d'odeurs

L'aspirateur de clavier

Le chauffe-tasse

Point **Langue**

› LES PRONOMS INTERROGATIFS pour sélectionner un objet

a) Observez ces questions et trouvez sur quoi chacune porte.
Lequel voulez-vous voir ? Lesquels sont les moins chers ?

b) Complétez le tableau des pronoms interrogatifs.

	Masculin	Féminin
Singulier	*(quel téléphone ?)* → .... ?	*(Quelle fonction ?)* → laquelle ?
Pluriel	*(quels modèles ?)* → .... ?	*(Quelles fonctions ?)* → lesquelles ?

S'EXERCER N° 1 ⟳

› LES PRONOMS RELATIFS COMPOSÉS pour informer sur un objet

a) Complétez les phrases avec : auquel – sur lequel – grâce auxquels – avec lequel – sur lesquels – auxquelles.
Il y a un portable ... vous pensez ?
Tout dépend des fonctions ... vous vous intéressez.
Je voudrais un portable ... je peux prendre des photos.
*   ... je peux télécharger de la musique.*
Vous avez des portables ... on peut voir la personne avec qui on parle ?
Il y a ces modèles ... vous pouvez recevoir les programmes de télé.

b) Complétez le tableau avec les pronoms manquants.

		à	grâce (à)	avec/sans sur, pour, etc.
Singulier	Masculin	...	auquel	...
	Féminin	à laquelle	à laquelle	laquelle
Pluriel	Masculin	auxquels	...	...
	Féminin	...	auxquelles	lesquelles

S'EXERCER N° 2 ⟳

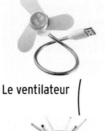
Le ventilateur

Le service à fondue

Les chaussons chauffants

8 ✎
Vous participez au Salon des inventeurs, vous présentez une innovation technologique : un objet multifonctions. Faites un petit texte pour le catalogue du Salon, pour expliquer à quoi il sert et comment il fonctionne.

INFORMER SUR UN MODE DE COMMUNICATION

9
a) Écoutez l'enregistrement et devinez de quoi parlent les deux personnes.
b) Écoutez la fin de la conversation pour vérifier votre réponse.

10
a) Réécoutez et répondez : combien de blogs différents sont évoqués ?
b) Relevez les références aux différents blogs.

11 PHONÉTIQUE
Écoutez et répétez.
Le chien de Damien, trouvé à Amiens,
a mordu le mien à Saint-Gracien.
La chienne de Fabienne, trouvée à Vienne,
a mordu la tienne à Saint-Étienne.

Point **Langue**

› LES PRONOMS POSSESSIFS

a) Dites ce que ces pronoms représentent dans l'enregistrement .

*Et **la vôtre** aussi, elle en a un ?* *Elle a **le sien*** *Même les personnalités politiques ont **le leur***

b) Placez les pronoms suivants dans le tableau : *la vôtre – le sien – le leur – la mienne – les tiens – les leurs – les vôtres – le nôtre*

		à moi	à toi	à lui/à elle	à nous	à vous	à eux/à elles
Singulier	**Masculin**	le mien	le tien	...	...	le vôtre	le leur
	Féminin	...	la tienne	la sienne	la nôtre	...	...
Pluriel	**Masculin**	les miens	...	les siens	les nôtres	...	les leurs
	Féminin	les miennes	les tiennes	les siennes		...	

NB : les pronoms possessifs peuvent remplacer des personnes et des choses.

S'EXERCER Nº 3

www.blogdesblogs.com/accueil

Apple France   .Mac   Amazon France   eBay France   Yahoo!   Informations ▾   Favoris importés d'IE▾

blogdeblogs. com

Bienvenue sur le blog consacré aux blogs !

1
Il s'agit d'une forme de site Internet sur lequel le « blogueur » publie différents messages au fil des jours. Chaque message est susceptible de recevoir des commentaires de la part des internautes qui visitent le blog.

3
De l'adolescent à l'élu(e) politique, du journaliste à la ménagère au foyer, les blogueurs ont au moins un point commun : la volonté de s'exprimer dans un espace personnel.

On blogue pour différentes raisons :
– par passion : pour partager ce que l'on aime ;
– par conviction : « j'ai décidé de l'ouvrir pour... » ;
– pour faire comme les autres : « tous mes copains ont un blog » ;
– pour se défouler : pour dire ce qu'on ne peut pas dire ailleurs ;
– pour se souvenir ; le blog est plus qu'un journal intime.

4

2
Sur un blog, on trouve principalement des textes accompagnés d'images. Plus rarement des bandes-sons ou des vidéos. Un blog renvoie aussi vers d'autres sites ou d'autres blogs.

5
Actuellement, un nouveau blog est créé toutes les 6 secondes. On estime qu'il y a entre 50 et 60 millions de blogs dans le monde.

6
La création d'un blog est ultrasimple, il suffit de quelques clics ! Il existe de nombreux outils en ligne prêts à l'emploi, comme ceux proposés par www.blogger.com.

D'après http://blogattitude.over-blog.com/categorie-1362o2.html

12 👁

a) Lisez le document. Dites quel est son thème.

b) Relisez et faites correspondre les textes avec les intitulés suivants :

Pourquoi bloguer ? – Un blog, c'est quoi ? – Quel genre de message ? Combien de blogs ? – Quel public ? – Comment créer son blog ?

13 👁 🎧 👄

Relisez le document, écoutez l'enregistrement et répondez à la place du journaliste, aux questions posées sur les blogs.

14 👄

Échangez.

Les blogs connaissent-ils le même succès dans votre pays qu'en France ? Connaissez-vous des personnes qui en ont un ? Avez-vous déjà visité des blogs ? Lesquels, et pourquoi ? Si vous décidiez de créer un blog, de quoi parleriez-vous ?

Blogs : les femmes et les jeunes d'abord !

L'institut Médiamétrie donne un premier profil des utilisateurs de blogs, phénomène qui a explosé en 2005. Les femmes sont majoritaires et 8 blogueurs sur 10 ont moins de 24 ans. L'étude de Médiamétrie révèle que 73 % des Français savent ce qu'est un blog.

Les jeunes se sont emparés du phénomène : 9 internautes sur 10, entre 15 et 24 ans, sont familiers du concept. Moins d'un internaute sur 10 déclare avoir déjà créé un blog, mais cette proportion est de 82 % chez les moins de 24 ans.

Autre phénomène : les femmes sont majoritaires. Elles semblent y avoir trouvé un moyen d'expression privilégiée, puisqu'elles constituent 54 % des blogueurs.

D'après ZDNet France, 16 décembre 2005.

Leçon 2 Dossier 9

S'EXERCER

> Les pronoms interrogatifs

1. Complétez avec lequel, laquelle, lesquels, lesquelles.

a. – Nous avons des sonneries de portable très originales.
– ... sont les plus discrètes ?
b. – Vous pouvez choisir entre ces deux options.
– ... me conseillez-vous ?
c. – Je voudrais voir vos derniers modèles de portable.
– ... ? ceux de la vitrine ?
d. – Donnez-moi votre catalogue, svp.
– ... ? celui-ci ?

> Les pronoms relatifs composés pour informer sur un objet

2. a) Reformulez comme dans l'exemple.

Exemple : Vous pourrez filmer grâce à cet appareil. → C'est l'appareil grâce auquel vous pourrez filmer.
1. Vous devez appuyer sur ces deux boutons pour enregistrer.
2. Vous pouvez mettre votre mobile dans cet étui.
3. Vous pourrez suivre deux émissions simultanément sur ce grand écran.
4. Votre vie sera plus facile grâce à ces innovations technologiques.

b) Reliez les éléments des colonnes A et B avec des pronoms relatifs composés pour former des phrases complètes.

A			B
Voilà le portable		lequel	j'ai payé 150 €.
L'écran	pour	laquelle	les fonctions s'affichent est trop petit.
Les jeux	sur	lesquels	je joue sur mon portable sont super !
C'est la touche	grâce	lesquelles	il faut appuyer pour démarrer l'ordinateur.
L'ordinateur	avec	auquel	je travaille est très puissant.
C'est un accessoire	sans	à laquelle	l'appareil ne peut pas fonctionner.
C'est l'innovation		auxquels	votre travail sera plus simple.
		auxquelles	

> Les pronoms possessifs

3. a) Dites de qui ou de quoi peuvent parler les personnes (pronoms soulignés).

a. La sienne est plus élégante que la tienne.
b. J'aime bien le mien mais je trouve le sien plus fonctionnel.
c. Le nôtre est bleu blanc et rouge, et le vôtre ?
d. J'ai noté la leur dans mon agenda, vous pouvez me donner la vôtre ?
e. Je sais que les miens ne sont pas très sages mais les leurs sont vraiment insupportables.

b) Complétez avec le pronom possessif qui convient.

a. – J'ai acheté un nouveau portable, regarde !
– Ah, c'est le même que ... ! Tu verras, il est très pratique !
b. – Ce n'est pas ta caméra ? – Si, c'est...
c. – J'ai perdu les écouteurs de mon baladeur !
– Regarde les écouteurs blancs sur la table, ce sont ... ?
d. – Je ne suis pas sûre que ce soit le portable de ta fille.
– Mais si, c'est bien ...
e. – Mes enfants passent tout leur temps sur Internet ... aussi ?
– ..., pas du tout : on n'a pas d'ordinateur !
f. – Ce sont les jeux de vos enfants ? Ah non, ce ne sont pas ... .
g. – Mon lecteur de DVD ne marche plus ! ..., tu veux dire ! Nous l'avons acheté ensemble !

EGO.COM

DOSSIER 9

S'INFORMER SUR LE FONCTIONNEMENT

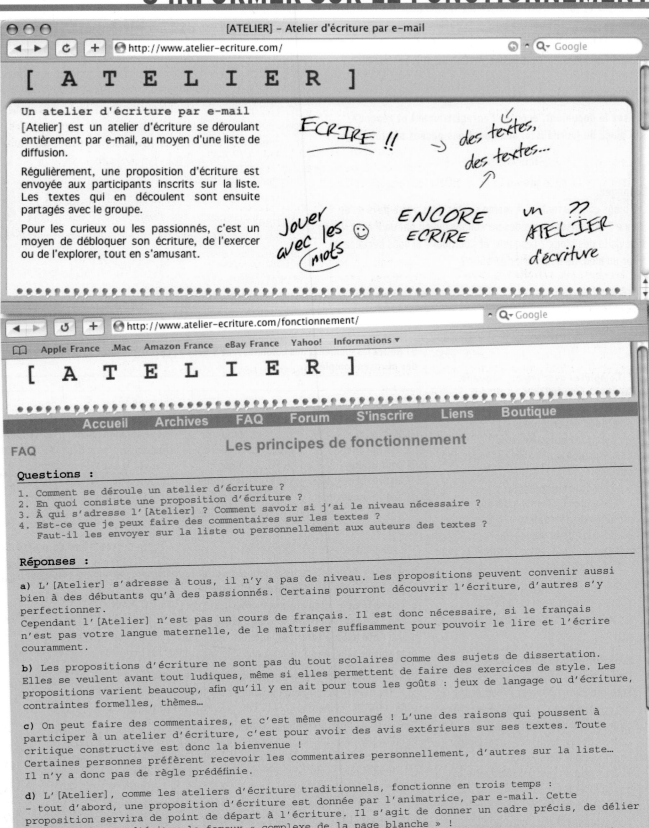

[ATELIER] – Atelier d'écriture par e-mail

http://www.atelier-ecriture.com/

[A T E L I E R]

Un atelier d'écriture par e-mail

[Atelier] est un atelier d'écriture se déroulant entièrement par e-mail, au moyen d'une liste de diffusion.

Régulièrement, une proposition d'écriture est envoyée aux participants inscrits sur la liste. Les textes qui en découlent sont ensuite partagés avec le groupe.

Pour les curieux ou les passionnés, c'est un moyen de débloquer son écriture, de l'exercer ou de l'explorer, tout en s'amusant.

ECRIRE !!
→ des textes, des textes...
Jouer avec les mots ☺
ENCORE ECRIRE
un ?? ATELIER d'écriture

http://www.atelier-ecriture.com/fonctionnement/

Apple France   .Mac   Amazon France   eBay France   Yahoo!   Informations ▾

[A T E L I E R]

Accueil   Archives   FAQ   Forum   S'inscrire   Liens   Boutique

Les principes de fonctionnement

FAQ

Questions :

1. Comment se déroule un atelier d'écriture ?
2. En quoi consiste une proposition d'écriture ?
3. À qui s'adresse l'[Atelier] ? Comment savoir si j'ai le niveau nécessaire ?
4. Est-ce que je peux faire des commentaires sur les textes ?
   Faut-il les envoyer sur la liste ou personnellement aux auteurs des textes ?

Réponses :

a) L'[Atelier] s'adresse à tous, il n'y a pas de niveau. Les propositions peuvent convenir aussi bien à des débutants qu'à des passionnés. Certains pourront découvrir l'écriture, d'autres s'y perfectionner.
Cependant l'[Atelier] n'est pas un cours de français. Il est donc nécessaire, si le français n'est pas votre langue maternelle, de le maîtriser suffisamment pour pouvoir le lire et l'écrire couramment.

b) Les propositions d'écriture ne sont pas du tout scolaires comme des sujets de dissertation. Elles se veulent avant tout ludiques, même si elles permettent de faire des exercices de style. Les propositions varient beaucoup, afin qu'il y en ait pour tous les goûts : jeux de langage ou d'écriture, contraintes formelles, thèmes…

c) On peut faire des commentaires, et c'est même encouragé ! L'une des raisons qui poussent à participer à un atelier d'écriture, c'est pour avoir des avis extérieurs sur ses textes. Toute critique constructive est donc la bienvenue !
Certaines personnes préfèrent recevoir les commentaires personnellement, d'autres sur la liste… Il n'y a donc pas de règle prédéfinie.

d) L'[Atelier], comme les ateliers d'écriture traditionnels, fonctionne en trois temps :
– tout d'abord, une proposition d'écriture est donnée par l'animatrice, par e-mail. Cette proposition servira de point de départ à l'écriture. Il s'agit de donner un cadre précis, de délier l'imagination et d'éviter le fameux « complexe de la page blanche » !
– ensuite, chacun écrit son texte. Il n'est pas nécessaire d'écrire des pages et des pages, mais plutôt des textes assez courts et cohérents.
– enfin, le texte est partagé avec le groupe grâce à la liste de diffusion. On peut donc lire la production des autres participants, et donner son avis en faisant des commentaires constructifs sur les autres textes.

cent quarante-huit
Dossier 9

L'art d'**écrire**

D'UN SERVICE

1

Lisez la page d'accueil du site Internet de « L'Atelier ».

a) Répondez.

1. Qui peut être intéressé par ce site ?
2. Quelle activité propose-t-il ? Avec quel objectif ?
3. De quelle façon se déroule cette activité ?

b) Dites si la formule proposée vous attire, et pourquoi.

2

Pour en savoir plus sur « L'Atelier », lisez les questions extraites de la FAQ* et associez-les aux réponses correspondantes.

* Foire aux questions.

3

a) Lisez cette publicité pour le « Club des poètes » et dites quelle est l'originalité du lieu.

b) Expliquez l'expression : « prenez donc un vers ! »

> Cityvox > Paris > Guide > Bars & Cafés Paris

🍸 Bars & Cafés Paris
Le guide des bars et cafés de Cityvox

Club des Poètes

★ ★ ★ ★   1 Avis > **Donnez votre avis**

30, Rue de Bourgogne
75007 Paris > **Plan d'accès**

Tel : 01 47 05 06 03

Site Web : > Club des Poètes Paris

Venez dans ce sympathique restaurant familial du septième qui
est aussi un grand lieu de la poésie
Notre conseil : prenez donc un vers !

AIDE-MÉMOIRE

S'informer sur le fonctionnement d'un service

– Demander la nature de l'activité/du service : **en quoi consiste** une proposition d'écriture ?

– Demander le public visé : **à qui s'adresse** *l'Atelier* ? **Comment savoir si** j'ai le niveau nécessaire ?

– Demander les différentes phases de l'activité : **comment se déroule** un atelier d'écriture ?

– Demander des informations complémentaires : **est-ce que je peux** faire des commentaires sur les textes ? **Faut-il** les envoyer sur la liste ?

4

Vous appréciez la poésie, et vous envisagez une soirée avec des amis au « Club des poètes ». Écrivez un message sur leur site pour vous informer. Posez des questions pour avoir des informations sur ce club, sur la soirée dans leur restaurant, etc.

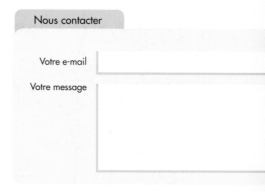

Club des Poètes

Nous contacter

Votre e-mail

Votre message

5

Écoutez la présentation du « Club des poètes » à la radio. Prenez note des informations qui apportent des réponses à vos questions précédentes, puis transmettez-les à vos amis par mél.

ÊTRE OU NE PAS ÊTRE...

CONNAÎTRE DIFFÉRENTS GENRES D'ÉCRITS

✳ Genres d'écrits

CORRESPONDANCE
administrative/commerciale
amicale/familiale

LITTÉRATURE
Poème en vers/en ...
Haïku
Journal intime/de voyage
Conte
... (classique/...)
Pièce de théâtre (tragédie/...)
Essai philosophique/politique
Bande dessinée

PRESSE ÉCRITE
Articles : politique/société
Éditorial
Message publicitaire
...

AUTRES :
...
Débat (forum)
Dissertation
...
Proverbe

6 👁
Observez cette liste et complétez-la avec les termes suivants : *horoscope, roman, discours, comédie, manifeste, prose, policier.*

7 👁
Échangez.
1. Vous écrivez : par nécessité ? par plaisir ? Expliquez.
2. Quels genres d'écrits avez-vous déjà rédigés dans votre langue maternelle et en français ?

8 👁
Lisez les trois textes suivants et retrouvez leur genre dans la liste.

Le 7, au petit matin, nous ne quittons ce poste qu'avec l'espoir d'y revenir dans quelques mois, à notre retour d'Archambault. L'aube argentée se mêle au clair de lune. Le pays devient accidenté ; collines rocheuses de cent à cent cinquante mètres de haut, que contourne la route. Nous arrivons à Mobaye vers dix heures.

André Gide, *Voyage au Congo*, Gallimard, « Bibliothèque de la Pléiade », 1960, p. 720-723.

Moments fragiles
Le chant du coq me frappe
en pleine poitrine là où tu dormais
voilà des siècles

Jacques Brault, *Moments fragiles*, Saint-Lambert, Éditions du Noroît, 1984, p.75.

Il était une fois une famille de bûcherons qui habitait dans la forêt. Il y avait le père, la mère et leurs sept enfants, tous des garçons.
Le plus jeune d'entre eux était si petit à sa naissance qu'on l'avait surnommé le Petit Poucet…

Charles Perrault, « Le Petit Poucet », *Contes*, 1697.

9

Citez des titres de contes populaires que vous connaissez. Résumez l'histoire d'un de ces contes.

10

Individuellement, choisissez ci-contre une des propositions d'écriture de « L'Atelier ». Vous avez trente minutes pour écrire votre texte.

11

Par groupes de trois, choisissez une des propositions suivantes et rédigez un texte collectif.

Apple France .Mac Amazon France eBay France Yahoo! Inform

[A T E L I E R]

Accueil   Archives   FAQ   Forum   S

Proposition n° 117 : Quatre éléments

Intégrer dans un texte les quatre éléments suivants : un lieu : une boutique de quartier ; un personnage : un sapeur-pompier ; un objet : une plume ; un moment : 4 h de l'après-midi.

Proposition n° 133 : Onomatopées.

Choisir une onomatopée* et écrire un texte qui la fait intervenir au moins deux fois.

Proposition n° 105 : Profs

Sous forme de petits paragraphes, comme une énumération, évoquez des souvenirs de vos anciens professeurs.

Proposition n° 153 : Dialogue amoureux

Écrire une déclaration d'amour sous forme de dialogue.

* Exemples : *crac, boum, bip, paf.*

Apple France .Mac Amazon France eBay France Yahoo! Informations ▾

[A T E L I E R]

Accueil   Archives   FAQ   Forum   S'inscrire   Liens   Boutique

Proposition n° 101 : Lectures…

Écrire un texte à propos du livre qui vous a le plus marqué ou touché, en mettant en avant vos émotions à sa lecture plutôt qu'une analyse du livre.

Proposition n° 116 : Premières fois

Faire une liste de « premières fois » marquantes, et en choisir (ou faire choisir) une qui sert de base à un texte.

Proposition n° 130 : (Auto)biographie fictionnelle

S'inventer une vie rêvée et la raconter sous forme de biographie, c'est-à-dire dans un texte court de style « journalistique », à la troisième personne.

Proposition n° 114 : Carnets de voyages imaginaires

Écrire le journal de bord d'un voyage rêvé.

POINT CULTURE

Les Français et la passion d'écrire

14 juin 2005 – À la question « Avez-vous déjà écrit ou songé à écrire un livre (roman, souvenirs, essai, poésie, théâtre..) ? », 23 % des personnes interrogées par Ipsos Culture répondent par l'affirmative. Cette proportion est un peu plus importante chez les femmes (26 %) que chez les hommes (19 %), mais concerne de manière homogène toutes les générations (22 % chez les moins de 35 ans, 23 % chez les 35 ans et plus).

Source : Ipsos Culture, 2005

Carnet de voyage...

Slam alors !

Grand Corps Malade
midi 20

Toucher l'instant

On a trempé notre plume dans notre envie de changer de vision
De prendre une route parallèle, comme une furtive évasion
On a trempé notre plume et est-ce vraiment une hérésie
De se dire qu'on l'assume et qu'on écrit de la poésie
Il existe, paraît-il, un instant dans l'écriture
Qui oublie la page blanche et efface les ratures
Un véritable état second, une espèce de transe
Qui apparaît mystérieusement et s'envole en silence
Que l'on rape ou que l'on slame, on recherche ce moment
Il allume une flamme qui nous éclaire brièvement
Cette flamme est la preuve, laisse-moi t'en faire une démo
Qu'il est possible de combattre le mal par les mots

C'est tout sauf une légende, on espère juste toucher l'instant
Les quelques secondes du poète qui échappe à l'espace-temps
Les moments rares et irréels que la quiétude inonde
Rouda, n'oublie jamais notre parole du bout du monde (...)

Texte Grand Corps Malade, extrait de l'album *Midi 20*. © 2005, Éditions Musicales Djanik.

1.
Écoutez l'enregistrement et répondez.
a) Comment définiriez-vous ce que vous venez d'entendre ? Quelles en sont les particularités ?
b) Connaissez-vous ce type d'expression ?
c) À votre avis, qui est la personne appelée Grand Corps Malade ?

2.
Pour en savoir plus, lisez l'article suivant.

Le slam : tout un poème

Dans les rues, les librairies, les boulangeries, les cafés …, les slameurs déclament leurs vers à qui veut les entendre.

Le mouvement est apparu dans les bars de l'Est parisien, selon le principe « un poème dit, un verre offert ».

D'après *L'Express Mag*, 6 octobre 2005. © Thierry Dudoit/L'Express/Editing.

3.
Réécoutez l'enregistrement en fermant les yeux. Imaginez la situation évoquée.
Vous voyez un homme…
Où est-il ? dans la rue ? chez lui ? …
Dans quelle position est-il ? debout ? assis ?
Que fait-il ? il dort ? il réfléchit ? …

4.
Lisez le texte entendu et son titre.
a) Cherchez dans la dernière strophe, une définition de « l'instant ».
b) Proposez un titre de sens équivalent.
c) Résumez la situation évoquée dans le texte

5.

Atelier autour du slam dans la classe.

Formez des groupes de deux :
- le premier lit l'extrait du slam « Toucher l'instant »
- le second mime les attitudes, les actions du personnage évoqué dans le texte.

6.

Vous avez en mémoire…
- un court poème,
- une chanson (berceuse, chanson traditionnelle…),
- un virelangue*,
que vous aimez particulièrement pour le rythme, le son et/ou la mélodie
- dans votre langue ou une autre.
Partagez-le avec la classe.

* Jeu avec les sons de la langue. Par exemple : *Un chasseur sachant chasser sans son chien est un bon chasseur.*

Poète en herbe

7.

Lisez le texte et repérez les expressions bizarres.

Hier dans la glace, on a bu un livre qui nous a beaucoup plu. C'est l'histoire d'un toit qui rit dans un chapeau à la campagne. Un jour il tombe de son nid, salade avec beaucoup de lièvre. Pour se rétablir, il doit ranger des petits bois vrais, qui ont toussé dans son jardin. Alors il met sa peste de fourrure et son château sur sa tête et va dans son jardin. Mais là il voit que tous les petits bois vrais ont été rangés par les mères. Il ne manquait que cela pour qu'il pleuve, pauvre toit. Mais heureusement les petits bois se remettent à tousser, le toit peut les ranger et le voilà chéri.

8.

Pour retrouver la cohérence de l'histoire, remplacez les mots « bizarres » par les mots suivants :

Chapeau, fièvre, manger, pois, veste, pleure, frais, vers, classe, guéri, roi, vit, lit, malade, poussé, lu, château.

9.

Créations !

Inventez des objets à partir de noms bizarres : en ne changeant qu'un seul son dans des noms que vous connaissez. Puis présentez l'objet, sa fonction, etc.

Exemple : une brosse à dents → une brosse à vent, une brosse à champs

Un bateau à voile	un château à voile
Une assiette à dessert	une assiette à désert
Une pomme de terre	une pomme de mère,
	une pomme de père,
	une pomme de verre
Un gâteau au miel	un gâteau au ciel…

Une brosse à champs sert à peigner les cultures pour que les paysages soient plus beaux.

Un gâteau au ciel.

Une pomme de père, une pomme de mère.

Votre travail dans le dossier 9

1 Qu'est-ce que vous avez appris à faire dans ce dossier ? Cochez les propositions exactes.

- ☑ parler de la communication
- ☐ exprimer une mise en garde
- ☐ rédiger une demande de renseignements
- ☐ parler de phénomènes de société passés
- ☐ comprendre un jugement sur une évolution
- ☐ écrire lettre formelle de remerciements
- ☐ comprendre la présentation d'une innovation

2 Quelles activités vous ont aidé(e) à apprendre ? Voici une liste de savoir-faire de communication. Notez en face de chaque savoir-faire le numéro de la leçon et de l'activité qui correspondent.

- comprendre une personne qui exprime un jugement   *L1-3, 4, 5*
- comprendre des arguments commerciaux
- raconter son expérience des blogs
- s'informer sur un service, un lieu
- exprimer un sentiment et demander de l'aide
- comprendre un document expliquant le fonctionnement d'un service
- prendre des notes à partir de la radio
- présenter un objet et ses avantages
- résumer l'histoire d'un conte

Votre autoévaluation

1 Cochez d'abord les cases qui correspondent aux savoir-faire que vous êtes capable de réaliser maintenant et faites le test donné par votre professeur pour vérifier vos réponses. Puis, reprenez votre fiche d'autoévaluation, confirmez vos réponses et notez la date de votre réussite. Cette date vous permet de voir votre progression au cours du livre.

JE PEUX	ACQUIS	PRESQUE ACQUIS	DATE DE LA RÉUSSITE
comprendre une personne qui exprime son indignation	☐	☐	
comprendre des propos polémiques	☐	☐	
comprendre un article présentant un phénomène de société	☐	☐	
comprendre l'organisation des idées dans un article	☐	☐	
écrire une lettre formelle pour exprimer son point de vue	☐	☐	
exprimer une motivation et la justifier	☐	☐	
parler d'une innovation technologique	☐	☐	

2 Après le test, demandez à votre professeur ce que vous pouvez faire pour améliorer les activités non encore acquises.

- ☐ exercices de compréhension orale
- ☐ exercices de compréhension écrite
- ☐ exercices de production orale
- ☐ exercices de production écrite
- ☐ exercices de grammaire
- ☐ exercices de vocabulaire
- ☐ exercices de phonétique
- ☐ autres (vidéo...)

Si votre institution possède un centre de ressources, demandez au responsable de vous conseiller sur les documents disponibles en livres, cassettes audio et vidéo, CD-ROM ou sites Internet.

Activités
de phonie-graphie

LES VOYELLES PRINCIPALES DU FRANÇAIS

VOYELLES ORALES

aiguës	aiguës et labiales	graves et labiales
[i] ami, type	[y] tu, sûr	[u] tout, sourd
[e] chez, les, parler, qualité	[ø] il veut, un voeu	[o] beau, mot, côte
[ε] très, sujet, qu'ils aient	[œ] qu'ils veuillent	[ɔ] bonne, mode, corps
[a] année	[ə] me, repos	

VOYELLES NASALES

aiguë		graves et labiales
[ɛ̃] voisin, bain, bien, sympa		[ɔ̃] bon, monde, compte
		[ã] an, cent, chambre

LES CONSONNES PRINCIPALES DU FRANÇAIS

aiguës

[s] situation, passion, publicité, français, scène, succès

[z] blouson, examen

[t] titre

[d] don

[n] avenir

[ɲ] montagne

[l] les, leur

aiguës et labiales

[ʃ] fiche

[ʒ] jour, image

graves et labiales

[f] femme, photo

[v] valeur

[p] pompier

[b] bonheur

[m] musique

neutres (graves ou aiguës selon le contexte)

[k] kiosque, casque, d'accord, succès, orchestre

[g] guide, goût, examen

[r] rire, narrateur

LES SEMI-CONSONNES DU FRANÇAIS

aiguë	aiguë et labiale	grave et labiale
[j] voyage, émission, fille	[ɥ] nuit	[w] souhait, espoir

1.

Écoutez et mettez une croix dans la colonne correspondant au son que vous entendez.

		[i]	[e]	[ə]
1.	les			
2.	c'est			
3.	des			
4.	qui			
5.	se			
6.	lis			
7.	re !			
8.	quai			
9.	de			
10.	mes			
11.	me			
12.	ré			
13.	dit			
14.	mis			
15.	que			
16.	si			
17.	le			
18.	ris !			
19.	défi			
20.	des fées			
21.	je vis			
22.	je veux			

2.

a) Écoutez et soulignez à chaque fois que vous entendez le son [i].
C'est vraiment le type de magazine que j'aime lire.
Comment s'écrit le son [i] ici ?

b) Écoutez et soulignez à chaque fois que vous entendez le son [e].
La complicité est la qualité que vous partagez en priorité avec les amis que vous avez depuis des années.
Comment s'écrit le son [e] ici ?

c) Écoutez et soulignez à chaque fois que vous entendez le son [ə].
Ce que je recherche dans ce journal ? Le test sur l'amitié, je ne le trouve plus... Ah ! le voilà.
Comment s'écrit le son [ə] ici ?

■ LEÇON 3 > Objectif : distinction des sons [e] et [ɛ]

3. Écoutez et soulignez à chaque fois que vous entendez le son [ɛ] :
Les premières semaines, je travaillais avec des collègues qui m'aidaient. Notre relation était naturelle et directe. J'ai trouvé un grand intérêt à connaître le sujet grâce à elles.
Comment s'écrit le son [ɛ] ici ?

4. Écoutez et mettez une croix dans la colonne correspondant au son que vous entendez.

	amitié	chez	très	chercher	année	même	briquet	téléphone	anniversaire	baguette	vitesse
[e]											
[ɛ]											

Classez les mots d'après leur graphie et complétez.

[e] = « -... » ; « -... » ; « -... » ; « -... »	[ɛ] = « -... » ; « -... » (+ 2 consonnes) ; « -... » ; « -... » ; « -... »

Phonie-graphie

DOSSIER 2 ■ **LEÇON 3** > Objectif : graphies du son [ɛ̃]

a) Écoutez et soulignez quand vous entendez le son [ɛ̃].

Mon voisin est quelqu'un de bien, de sympa et de simple.

Les gens viennent la semaine dans l'ancienne cité des citoyens.

Il vient demain matin en train avec son chien Firmin, qui aboie pour un rien.

b) Comment s'écrit le son [ɛ̃] ?

DOSSIER 3 ■ **LEÇON 1** > Objectif : distinction des sons [ɔ̃] et [ɔ]

1.

a) Écoutez les mots suivants et indiquez d'une croix le son qu'ils contiennent.

		[ɔ̃]	[ɔ]
1.	don		
2.	donne		
3.	monde		
4.	mode		
5.	sonde		
6.	tombe		
7.	sonne		
8.	carton		
9.	cartonne		
10.	bon		
11.	bonne		
12.	onde		
13.	ode		
14.	commerce		
15.	connu		
16.	complexe		
17.	forme		
18.	fond		
19.	conte		
20.	cote		

b) Comment s'écrivent les sons [ɔ̃] et [ɔ] ?

2. Écoutez et complétez avec « on », « om », « onn » ou « omm ».

Nous espér...s que les traditi...s c...plexes c...cernant les nourriss...s ser...t c...prises de tout le m...de.

Une pers...e c...ue ne peut pas c...tribuer au développement du c...erce mondial et d...er une b...e image de s... pays avec cette n...chalance.

LEÇON 2 > Objectif : graphies du son [ɑ̃]

3.

a) Écoutez et soulignez à chaque fois que vous entendez le son [ɑ̃].

La chambre chez l'habitant coûte cent euros. C'est différent des vacances sous la tente en camping.

J'aime la randonnée en Provence sur les sentiers dans la lavande.

En rentrant, en septembre, je me mets au parapente.

b) Comment s'écrit le son [ɑ̃] ?

Écoutez, retrouvez de quoi on parle dans ces phrases et complétez les participes si nécessaire.

mon travail – cette carte – ma valise – cette lettre – sa voiture – cette veste – cette phrase

1. ..., je l'ai dit... et répété... pendant des années.
2. ..., je l'avais choisi... et je l'avais mis... pour sortir ce soir-là.
3. ..., je l'ai trouvé... sur la table d'un café et je l'ai mis... dans ma poche.
4. ..., il l'a écrit... après son accident.
5. ..., je l'ai fait... en un clin d'œil quand j'ai appris... que je partais.
6. ..., je l'ai fait... en un clin d'œil quand j'ai appris... que je partais.
7. ..., je l'ai conduit... très facilement.

Écoutez et complétez avec des groupes consonantiques : consonne + [l] ou consonne + [r].

1. Le ti...e de cet arti...e consa...é à ce ...oupe ...eno...ois a été rem...acé par un au...e a...ès la let...e du directeur de la pu...ication.
2. Ces inter...ètes ...ancophones of...ent une ...éation li...e en changeant l'or...e des cou...ets et des re...ains.
3. Il de...ait ...aiment ...ofiter de sa re...aite pour enca...er des ...ojets con...e la pau...eté ou pour ...otéger la ...anète.

1.

a) Écoutez et classez dans le tableau les énoncés suivants. Cochez dans la colonne correspondante.

		Enchaînements consonantiques*	Enchaînements vocaliques*	Liaisons*
1.	Elles expriment.			✔
2.	D'autres expriment.	✔		
3.	On aime.			
4.	Redonne à ta vie.			
5.	Au fur et à mesure.			
6.	Et au fil des séances.		✔	
7.	Face à leur quotidien.			
8.	J'ai eu envie.			
9.	Avoir envie.			
10.	J'en ai besoin.			
11.	Un enfant.			
12.	Je les aide.			
13.	Je suis heureux.			
14.	Toujours en France.			
15.	Son envie.			
16.	Leurs envies.			
17.	Tu peux avancer.			
18.	La même année.			
19.	Tour à tour.			
20.	Tout est là.			
21.	Être heureux.			
22.	Je suis allée.			
23.	C'est une fatalité.			
24.	Trois ans.			

* Enchaînement consonantique : consonne (toujours prononcée) + voyelle.
Enchaînement vocalique : voyelle + voyelle.
Liaison : consonne (prononcée seulement devant voyelle) + voyelle.

b) Réécoutez et répétez.

2.

■ LEÇON 3 > Objectif : distinction des sons [e] et [ɛ]

Écoutez et complétez avec :

[ɛ] = -ais ; -ê ; -ès ; -aî.

[ɛr] = -ers ; -aire.

[e] = -ez ; -ai ; -er ; -é ; -es.

– J'av... rend... -vous sur le qu... . Je ven... de rat... le T.G.V.

Deux m...sieurs se sont adress...s à moi, j'aur... dû ...tre ...tonn..., m... je l... ... ...cout...s.

J'all... pass... sur le qu... quand ils m'ont entr... n... v... l'entr...e d'un caf... . Nous avons parl... des aff...s de la soci...t... .

– Et apr... ?

– Je ne s... plus, je me suis r...veill... !

DOSSIER 7 ■ LEÇON 1 > Objectif : distinction de quelques formes verbales

Écoutez et complétez avec les formes verbales suivantes.

que j'ai – que j'aie – qu'on ait – que nous ayons – que vous ayez – qu'on est – que j'aille – qu'on aille – que nous allions –
que vous alliez – qu'il veuille – (qu'ils) veuillent – ils veulent – que vous vouliez

1. Tu crois ... où ?
2. Je ne crois pas ... le droit.
3. Je crois ... de la chance !
4. Tu ne veux pas ... de la chance ?
5. Elle veut ... la voir.
6. Alors il faut ... là-bas!
7. Je doute ... là-bas seulement pour la voir !
8. Je ne crois pas ... le temps !
9. Il faut ... assez d'argent !
10. Je doute ... en vacances cette année.
11. Je ne crois pas ... le faire
12. Je ne crois pas que les enfants ... venir.
13. Les enfants, je ne crois pas ... venir, non ?
14. Si ! Ils ... venir !

DOSSIER 8 ■ LEÇON 1 > Objectif : distinction des sons [ɛ̃] et [ɑ̃] et leurs graphies

1.

Écoutez et complétez avec « an » (=[ɑ̃]) ou « en » (=[ɛ̃]).

Une manifestation réuniss...t une centaine de citoy...s parisi...s a eu lieu aujourd'hui dev...t le bureau du député europé...,
organisée par le collectif départemental antitabac. Ils affirment qu'ils subissent les cigarettes des fumeurs au restaur...t, la loi sur
les espaces non-fumeurs n'ét...pas bi... respectée. Estim...t que leur s...té est menacée au quotidi..., ils dem...dent le vote d'une loi
interdis...t totalement de fumer dans les espaces publics fermés, comme l'Irl...de et l'Italie.

2.

a) Écoutez et lisez cette comptine.

Soleils levants

Le soleil, en se levant
Fait la roue sur l'océan.
Le paon en fait tout autant,
Soleil bleu au bout du champ.

© Monique Hion, *Comptines pour les fêtes et les saisons*, Actes Sud Junior, 1997.

b) Trouvez les quatre graphies du son [ɑ̃] dans les mots de cette comptine.

DOSSIER 9 ▪ LEÇON 2 > Objectif : homophones : [kɛl]

Complétez par *quel, quels, quelle, quelles, qu'elle* ou *qu'elles*.

1. – Tu connais cette photo ?

– Oui, je crois ... a été prise l'année dernière.

2. – Pour ... projets demandez-vous ces renseignements ?

3. – Pardon, monsieur, pourriez-vous me dire à ... numéro je peux joindre le service après-vente, s'il vous plaît ?

4. – ... fonction privilégiez-vous ? Envoyer des photos, enregistrer de la musique ? Tout est possible avec ces modèles-là.

5. – Je voudrais ... m'envoient des photos quand elles sont ensemble !

6. – Vous me conseillez ... possibilités ? Ces trois-là ? D'accord.

Précis grammatical

1. LES PRONOMS RELATIFS

Les pronoms représentent	Sujet	Complément d'objet direct	Complément introduit par *de*	Complément d'objet indirect introduit par *à*		Complément introduit par d'autres prépositions	
des personnes	qui	que	dont	à qui		avec/ chez/ pour qui	
des choses/ des êtres inanimés				auquel*	à laquelle*	avec/chez lequel*	avec/chez laquelle*
				auxquels*	auxquelles*	avec/chez lesquels*	avec/chez lesquelles*

Exemples : *Une star, c'est quelqu'un **qui** est très connu, **que** tout le monde adore et **dont** on parle beaucoup dans les médias.*
*La voiture, c'est quelque chose **dont** on se sert pour se déplacer, **qui** existe en différents modèles et **qu'**on peut louer ou acheter.*
*Ici, c'est l'endroit **où** j'habite.*

* Ces formes peuvent aussi représenter des personnes.
Exemples : *C'est un ami **auquel** je peux tout dire.* → *C'est un ami **à qui** je peux tout dire.*
*Ce sont les collègues **avec lesquels** je travaille.* → *Ce sont les collègues **avec qui** je travaille.*

2. LES PRONOMS INTERROGATIFS

Singulier		Pluriel	
Masculin	**Féminin**	**Masculin**	**Féminin**
lequel	laquelle	lesquels	lesquelles

Exemples : *– Je voudrais une BD d'Astérix, s'il vous plaît.*
*– **Laquelle** désirez-vous ?*

3. LES PRONOMS DÉMONSTRATIFS

Singulier		Pluriel	
Masculin	**Féminin**	**Masculin**	**Féminin**
celui-ci/celui-là	celle-ci/celle-là	ceux-ci/ceux-là	celles-ci/celles-là

a) On utilise plus fréquemment les formes avec **-là**
Exemple : *– Je voudrais un portable.*
*– Comme **celui-là** ?*

Mais quand on est dans une situation de choix, on dira :
Exemple : *Vous désirez **celui-ci** ou **celui-là** ?*

b) *Celui, celle, ceux, celles*, utilisés seuls, peuvent être suivis d'une précision.
Exemples : *– Où est ta fille sur la photo ?*
*– C'est **celle de** droite.*
*– C'est **celle qui** est à droite.*
*– C'est **celle qu'**on voit juste derrière.*

4. LES PRONOMS POSSESSIFS

C'est... à qui ?	Singulier		Pluriel	
	Masculin	Féminin	Masculin	Féminin
à moi	le mien	la mienne	les miens	les miennes
à toi	le tien	la tienne	les tiens	les tiennes
à lui/à elle	le sien	la sienne	les siens	les siennes
à nous	le nôtre	la nôtre	les nôtres	
à vous	le vôtre	la vôtre	les vôtres	
à eux/à elles	le leur	la leur	les leurs	

*Exemples : Tu peux me prêter ta voiture ? **La mienne** est en panne.*
*Notre drapeau est bleu blanc rouge, et **le vôtre** ?*
*Mon fils a 18 ans, et **le sien** ? Il est plus âgé, n'est-ce pas ?*

5. LES PRONOMS *EN* ET *Y*

En remplace/reprend le complément d'un verbe introduit par la préposition *de*.
Il peut donc : – faire référence à un lieu et indiquer l'origine, la provenance
       *Exemple : Je viens de Paris. → J'**en** viens.*

       – faire référence à des objets ou des êtres inanimés
       *Exemple : J'ai besoin d'un livre. → J'**en** ai besoin.*

Attention ! Si on fait référence à des personnes, on dit :

J'ai besoin
Je m'occupe   ◄
On parle

- de moi
- de toi
- de lui/d'elle
- de nous
- de vous
- d'eux/d'elles

Rappel : *En* peut faire référence à un produit ou un objet associé à une quantité.
       Exemples : – Tu veux du sucre ?   – Tu as un frère ?
       *– Oui, j'**en** veux.   – Non, je n'**en** ai pas.*

Y remplace le complément d'un verbe introduit par la préposition *à*.
Il peut donc : – faire référence au lieu où l'on est ou au lieu où l'on va (= la destination)
       *Exemple : Je reste à Paris/dans Paris. → J'**y** reste.*
       *Je vais à Paris/dans Paris. → J'**y** vais.*

       – faire référence à des objets, des êtres inanimés.
       *Exemple : Je m'intéresse à la littérature. → Je m'**y** intéresse.*
       *Je pense à mes vacances. → J'**y** pense.*

Attention !
Si l'on fait référence à des personnes, on dit :
→ J'ai besoin **de** toi.
→ Je m'intéresse **à** lui.
→ Je pense **à** eux.

6. LA PLACE DES PRONOMS PERSONNELS COMPLÉMENTS

Sujet	Pronoms objets indirects	Pronoms objets directs	
	à qui ?	quoi ?	
Il	me	le (l') la (l') les	► prête
	te		
	nous		
	vous		

Sujet	quoi ?	à qui ?	
Il	le	lui	prête
	la	leur	
	les		

Exemples : – *Tu **me le** prêtes ? – Oui, je te le prête.*
*Il **le lui** prête.*

Attention !
À l'impératif affirmatif :
→ Prête-le **moi** !
→ Prête-le **nous** !
→ Prête-le **lui** !
→ Prête-le **leur** !

7. LES INDÉFINIS

	qui ?	quoi ?	où ?
Forme affirmative	quelqu'un	quelque chose	quelque part
Forme négative	ne ... personne	ne ... rien	ne ... nulle part

Exemples : *Je vois **quelqu'un**.* ≠ *Je ne vois **personne**.*
***Quelqu'un** vient.* ≠ ***Personne** ne vient.*
*Je vois **quelque chose**.* ≠ *Je ne vois **rien**.*
***Quelque chose** est écrit.* ≠ ***Rien** n'est écrit.*

LA COMPARAISON

1. LES COMPARATIFS

	La comparaison porte sur			
	la quantité		la qualité	
	nom	**verbe**	**adjectif**	**adverbe**
+	Vous avez **plus** d'amis qu'avant ?	Vous vous parlez **plus** qu'avant ?	Vous avez une vie **plus** agréable qu'avant ?	Vous vous voyez **plus** souvent qu'avant ?
=	Vous avez **autant** d'amis qu'avant ?	Vous vous parlez **autant** qu'avant ?	Vous avez une vie **aussi** agréable qu'avant ?	Vous vous voyez **aussi** souvent qu'avant ?
−	Vous avez **moins** d'amis qu'avant ?	Vous vous parlez **moins** qu'avant ?	Vous avez une vie **moins** agréable qu'avant ?	Vous vous voyez **moins** souvent qu'avant ?

Attention ! L'adjectif *bon* → *meilleur*.
Exemple : *J'ai une **meilleure** qualité de vie.*

2. LES SUPERLATIFS

+	C'est la ville qui offre **le plus de** divertissements.	C'est la ville où on gagne **le plus**.	C'est la ville **la plus** agréable. C'est le quartier **le plus** agréable.	C'est la ville où l'on circule **le plus** facilement.
−	C'est la ville qui offre **le moins de** divertissements.	C'est la ville où on gagne **le moins**.	C'est la ville **la moins** agréable. C'est le quartier **le moins** agréable.	C'est la ville où l'on circule **le moins** facilement.

Attention ! L'adjectif *bon* → C'est **la meilleure** qualité de vie.
L'adverbe *bien* → C'est la ville où on vit **le mieux**.

Pour indiquer une heure	à vers	*Rendez-vous **à** huit heures.* *Il rentre **vers** 18 heures.*
Pour indiquer un mois, une année	en	*C'était **en** juin, **en** 2005.*
Pour indiquer l'origine d'une situation actuelle	depuis il y a ... que	*Je suis ici **depuis** trois mois.* *Il y a trois mois **que** je suis ici.*
Pour indiquer une durée limitée (achevée)	pendant	*On s'est vus **pendant** six semaines.*
Pour situer un moment dans le passé (par rapport au moment présent)	il y a	*Je l'ai rencontré **il y a** deux jours.*
Pour situer un moment dans le futur (par rapport au moment présent)	dans	*Je reviendrai **dans** six mois.*
Pour marquer un point de départ	à partir de	*Le magasin ouvre **à partir de** neuf heures.*
Pour indiquer le moment/l'événement qui provoque une action	dès	*Le film a rencontré un grand succès **dès** sa sortie.*
Pour marquer la limite finale d'une action ou situation	jusqu'à	*Le magasin est ouvert **jusqu'à** vingt heures.*
Pour marquer la succession de faits	d'abord ensuite puis enfin	***D'abord**, il a exercé le métier d'aide-soignant,* ***ensuite** il est devenu urgentiste,* ***puis** chirurgien,* ***enfin** il a choisi de devenir écrivain !*

LE VERBE

1. LES DIFFÉRENTS MODES

Avec l'**indicatif**, on présente l'action comme objective, réelle.
Avec **le subjonctif**, on indique qu'on se représente l'action : – on l'interprète comme nécessaire, souhaitable, possible.

ou

– on l'apprécie (jugements, sentiments)

Avec l'**impératif**, on demande de faire une action, on donne un ordre, un conseil.
Avec **le conditionnel**, on présente un fait comme éventuel ou irréel et conséquence d'une condition (exprimée ou pas).

2. LES DIFFÉRENTS TEMPS

	Les temps simples indiquent une action **en cours** d'accomplissement.	Les temps composés indiquent une action **accomplie**.
Mode	**Temps simples**	**Temps composés**
Indicatif	présent : je pars imparfait : je partais futur : je partirai	passé composé : je suis parti(e) plus-que-parfait : j'étais parti(e) futur antérieur* : je serai parti(e)
Subjonctif	présent : que je parte	passé* : que je sois parti(e)
Conditionnel	présent : je partirais	passé : je serais parti(e)

*Ces temps n'ont pas été encore étudiés.

3. FORMATION DU CONDITIONNEL PRÉSENT

Pour tous les verbes : **base du futur + terminaisons de l'imparfait.**

Infinitif	Base du futur	+ terminaison de l'imparfait	= Conditionnel présent
Exemple : **Boire**	Je boirai	-ais	Je boirais

4. FORMATION DU SUBJONCTIF PRÉSENT*

Pour tous les verbes :

Avec je, tu, il/elle, ils/elles :		
Base de l'indicatif présent à la 3ᵉ personne du pluriel	**+ terminaisons**	**= Subjonctif présent**
Ils **boiv**ent	(Je) -e (Tu) -es (Il/elle) -e (Ils/elles) -ent	(il faut) **que je boiv**e (il faut) **que tu boiv**es (il faut) **qu'il/elle boiv**e (il faut) **qu'ils/elles boiv**ent
Avec *nous* et *vous* :		
Forme de l'imparfait	**= Subjonctif présent**	
(Nous) buv**ions** (Vous) buv**iez**	(il faut) **que nous buv**ions (il faut) **que vous buv**iez	

Attention !
Formes irrégulières :

Avoir → qu'il/elle **ait**   Aller → que j'**aille**   Savoir → que je **sache**   Être → qu'il/elle **soit**
Pouvoir → que je **puisse**   Faire → que je **fasse**   Vouloir → que je **veuille**

* Se reporter au tableau des conjugaisons, pages 172 à 175.

5. FORMATION DES TEMPS COMPOSÉS

	Le participe passé s'accorde avec le sujet.	Le participe passé s'accorde avec **le COD placé avant le verbe****.
Auxiliaire	**Être**	**Avoir**
Type de verbes	**Les 15 verbes* et les verbes pronominaux**	**Tous les autres verbes**
Passé composé	Je **suis** né(e) Je me **suis** endormi(e)	J'**ai** vu
Plus-que-parfait	J'**étais** né(e) Je m'**étais** endormi(e)	J'**avais** vu
Conditionnel passé	Je **serais** né(e) Je me **serais** endormi(e)	J'**aurais** vu
Infinitif passé	**Être** né(e). **S'être** endormi(e)	**Avoir** vu

*Aller ≠ venir. Monter ≠ descendre. Entrer ≠ sortir. Arriver ≠ partir. Naître ≠ mourir. Passer. Retourner (sens spatial). Rester. Devenir. Tomber.

****Exemple** : *J'ai vu une femme à l'arrière de la moto, elle était blonde.*
La femme que j'ai vue à l'arrière de la moto, était blonde.

6. FORMATION DU PARTICIPE PRÉSENT

Pour tous les verbes : **base de la 1ʳᵉ personne pluriel du présent + *ant***
Exemples :

Lire   →   (nous **lisons**)   →   **lisant**
Apprendre   →   (nous **apprenons**)   →   **apprenant**
Faire   →   (nous **faisons**)   →   **faisant**
Dire   →   (nous **disons**)   →   **disant**
Exceptions : **étant** (être), **ayant** (avoir), **sachant** (savoir)

Attention !
en + participe présent = le gérondif

7. PARTICIPE PRÉSENT OU GÉRONDIF ?

Le gérondif peut indiquer **la manière** (comment ?) ou **le moment** (quand ?).
Il indique toujours une action simultanée à celle du verbe principal et le sujet des deux verbes est identique.

*Exemples : Vous allez vivre un week-end inoubliable **en découvrant** Barcelone.* (Comment ?)
*Vous donnerez votre nom **en arrivant** à l'hôtel.* (Quand ?)

Le participe présent donne une précision sur **un nom** et il peut aussi indiquer **la cause**.

*Exemples : Une loi **interdisant** le tabac a été votée.* (= Une loi qui interdit le tabac.)
***Estimant** que leur santé est menacée, les personnes réclament une législation contre le tabac.* (= Parce qu'ils estiment...)

8. INDICATIF OU SUBJONCTIF ?

Pour exprimer :	On utilise :	
Un constat	*Je sais/je constate/je suis conscient que*	*tout **va** mal.*
Une opinion	*Je pense/je crois/je trouve que*	*tout **va** mal.*
Une probabilité	*Il est probable que*	*tout **ira** mal.*
Une certitude	*Je suis sûr/certain/convaincu/persuadé que*	*tout **ira** bien.*
Un espoir	*J'espère que*	*tout **ira** bien.*
		+ INDICATIF

Pour exprimer :	On utilise :	
Une possibilité	*Il est possible que*	*tout **aille** bien.*
Un doute	*Je ne crois pas/je ne pense pas/que*	*tout **aille** bien.*
Une probabilité incertaine	*Ça m'étonnerait/il est peu probable* **que***	*tout **aille** bien.*
Une impossibilité	*Il est impossible* **que***	*tout **aille** bien.*
Un souhait	*Je souhaite/j'aimerais/je voudrais **que***	*tout **aille** bien.*
Une crainte	*Je crains/j'ai peur **que***	*tout **aille** mal.*
Un regret	*Je regrette/je suis désolé **que***	*tout **aille** mal.*
Une volonté	*Je demande/je préfère/je veux **que***	*tout **aille** bien.*
Une nécessité, une obligation	*Il faut/il est nécessaire/essentiel* **que***	*tout **aille** bien.*
Différents sentiments positifs et négatifs	*Je suis heureux/content/surpris **que*** *Je suis malheureux/déçu/mécontent **que***	*tout **aille** bien.* *tout **aille** mal.*
Un but	*J'agis **pour que/afin que***	*tout aille bien.*
Une concession	***Bien que** tout aille mal, je continue.*	
		+ SUBJONCTIF

Attention !
*La construction impersonnelle **Il est + adjectif** permet d'exprimer des idées et des sentiments : *il est nécessaire, il est obligatoire, il est urgent, il est essentiel, il est formidable, il est triste...*
Il est + adjectif est suivi de **que + subjonctif** quand le sujet est exprimé pour le deuxième verbe. *Exemple : Il est nécessaire que **vous partiez**.*
OU
Il est + adjectif est suivi de **de + verbe infinitif** quand le sujet du deuxième verbe n'est pas exprimé. *Exemple : Il est nécessaire **de partir**.*

Je suis + adjectif est suivi de **que + subjonctif** avec un sujet différent pour le deuxième verbe. *Exemple : Je suis triste **que tu partes**.*
OU
Je suis + adjectif est suivi de **de + infinitif** quand le sujet est le même pour le deuxième verbe. *Exemple : Je suis triste **de partir**.*

9. LES TEMPS DU RÉCIT AU PASSÉ

On utilise...	Exemples :
le passé composé pour :	
– parler d'un événement (action accomplie)	*J'**ai acheté** une voiture l'année dernière.*
– parler d'une succession d'événements	*Je l'**ai croisé**, il m'**a souri**, il **est venu** vers moi...*
l'imparfait pour :	
– donner des précisions sur le décor, les circonstances d'un événement, d'une situation	*Il **faisait** beau.*
– donner des précisions sur un état	*J'**étais** heureuse.*
– donner des précisions sur une action en cours	*Je me **promenais**.*
– parler d'actions habituelles dans le passé	*Chaque année, on **se voyait** pendant les vacances.*
– parler de situations passées	*Avant, tout le monde **se connaissait**.*
le plus-que-parfait pour :	
– parler d'un fait antérieur (accompli) à un autre fait passé	*Je suis parti en Espagne, j'y **étais** déjà **allé**, il y a deux ans.*
***Venir de* à l'imparfait + infinitif pour :**	
– indiquer une action juste accomplie dans un récit au passé	*Je **venais d'arriver** quand elle m'a appelé.*
***Aller* à l'imparfait + infinitif pour :**	
– indiquer une action imminente dans un récit au passé	*J'**allais sortir** quand elle m'a appelé.*

10. LE CONDITIONNEL

On utilise...	Exemples :
Le conditionnel pour :	
– évoquer des faits éventuels ou irréels	*Avec un million d'euros, je m'**arrêterais** de travailler et je **ferais** le tour du monde.*
Le conditionnel présent pour :	
– présenter des projets (en cours d'élaboration)	*Ce **serait** un grand jeu, les gagnants **verseraient** 20 % de leurs gains à des associations humanitaires.*
– faire des suggestions	*On **pourrait** + infinitif ...* *Il **faudrait** + infinitif ...*
– faire des demandes polies	*Pourriez-vous...* *Je voudrais...*
Le conditionnel passé pour :	
– imaginer une situation autre que ce qui s'est réellement passé	*Vous **auriez pu** me brûler !*
– exprimer le regret	*J'**aurais voulu** être un artiste.*
– exprimer le reproche	*Vous **auriez pu** prendre le train.*

Pour exprimer...	On utilise...	Exemples :
LE BUT	*Pour que/afin que* + phrase au subjonctif	*Nous luttons afin que/pour que tous les enfants puissent aller à l'école.*
	Pour/afin de + infinitif (quand les sujets des deux verbes sont identiques)	*Nous agissons afin de/pour aider les autres.*
	Pour + un nom	*Nous agissons pour le bien de tous.*
LA CAUSE Cause sans nuance particulière	*Parce que* + phrase à l'indicatif	*Je n'ai pas acheté ce livre parce qu'il est trop cher.*
Cause mise en avant	*Comme* + phrase à l'indicatif	*Comme ce livre est trop cher, je ne l'ai pas acheté.*
Cause déjà connue ou évidente	*Puisque* + phrase à l'indicatif	*Puisque ce livre est trop cher, je ne l'ai pas acheté.*
Cause négative ou neutre	*À cause de* + un nom	*Je n'ai pas pu venir à mon travail à cause de la neige.*
Cause positive	*Grâce à* + un nom	*J'ai pu me reposer grâce à cette semaine de vacances.*
Cause = un fait accompli	*Pour* + infinitif passé	*Il a été condamné pour ne pas avoir respecté un stop.*
Cause exprimée dans une langue écrite	Le participe présent	*Étant non-fumeur, je ne supporte pas la fumée de cigarettes.*
	Étant donné que + phrase à l'indicatif	*Étant donné que l'élève n'a pas respecté le règlement, il sera sanctionné.*
Dans un discours argumentatif, pour justifier une affirmation	*En effet*	*Les deux films sont excellents mais je choisis le premier. En effet, c'est celui qui me paraît le plus original.*
LA CONSÉQUENCE Conséquence logique	*Donc*	*La loi anti-tabac a été votée, on ne peut donc plus fumer dans les lieux publics.*
Conséquence/succession	*Alors*	*Il l'a vue de loin, alors il s'est approché d'elle, etc.*
Dans un discours oral structuré, ou à l'écrit	*C'est pourquoi/c'est pour cette raison que* + phrase à l'indicatif	*Je n'ai pas vu le feu rouge c'est pourquoi/c'est pour cette raison que je ne me suis pas arrêté.*
Dans un discours oral	*C'est pour ça que* + phrase à l'indicatif	*... c'est pour ça que je ne me suis pas arrêté.*
Conséquence finale/conclusion	*Par conséquent*	*Par conséquent, nous demandons l'aide des pouvoirs publics.*
LA SUPPOSITION L'hypothèse porte sur... – le futur	*Si* + présent/futur	*Si tu joues au loto, tu auras une chance de gagner.*
– le futur (la condition à la réalisation improbable)	*Si* + imparfait conditionnel présent	*Si je jouais (demain), je pourrais peut-être gagner.*
– le présent (la condition n'est pas réalisable)	*Si* + imparfait – conditionnel présent (= irréel du présent)	*Si le loto humanitaire existait (aujourd'hui), j'y jouerais.*
– le passé (la condition n'est pas réalisable)	*Si* + plus-que-parfait Conditionnel présent (= irréel du présent) pour une conséquence dans le présent Conditionnel passé (irréel du passé) pour une conséquence dans le passé	*Si je n'avais pas raté mon train, nous ne serions pas mariés à l'heure actuelle.* *Si je n'avais pas raté mon train, je ne l'aurais pas rencontrée.*

Pour exprimer...	On utilise...	Exemples :
L'OPPOSITION/LA CONCESSION	*Alors que* + phrase à l'indicatif	*Les hommes veulent du pouvoir et de la réussite alors que les femmes veulent des relations affectives et de la stabilité.*
Pour marquer un contraste entre deux idées ou deux phrases de même nature	*Par contre*	*Les hommes veulent du pouvoir et de la réussite. Par contre, les femmes veulent des relations affectives ...*
	D'un côté, de l'autre	*D'un côté, les hommes veulent du pouvoir et de la réussite, de l'autre, les femmes veules des relations affectives...*
Pour marquer une opposition entre deux idées/deux phrases	*Mais*	*Le projet est très apprécié, mais il y a encore beaucoup d'opposants.*
	Pourtant/cependant	*Le projet est très apprécié, pourtant/cependant il y a encore beaucoup d'opposants.*
Pour exprimer une concession (c'est-à-dire un fait qui n'entraîne pas la conséquence logique attendue)	*Bien que* + phrase au subjonctif	*Bien qu'il y ait un métro, beaucoup de gens continuent de circuler en voiture.*
	Malgré + un nom	*Malgré l'existence d'un métro, beaucoup de gens continuent de circuler en voiture.*
LES RAPPORTS TEMPORELS Marquer l'origine de l'action principale	*Depuis que* + phrase à l'indicatif	*Je lis beaucoup depuis que je suis inscrite dans une bibliothèque.*
Indiquer l'événement qui provoque l'action principale	*Dès que* + phrase à l'indicatif	*Les livres, c'est devenu ma passion dès que j'ai su lire.*
Indiquer la limite finale de l'action principale	*Jusqu'à ce que* + phrase au subjonctif	*Tous les soirs, je lis dans mon lit jusqu'à ce que je m'endorme.*
Indiquer la chronologie	*Avant de* + infinitif*	*Sonnez avant d'entrer.*
	Après + infinitif passé*	*Entrez après avoir sonné.*

* Attention ! Dans ces cas, le sujet est le même pour les deux actions.

LES TRANSFORMATIONS DE LA PHRASE

1. LE PASSIF

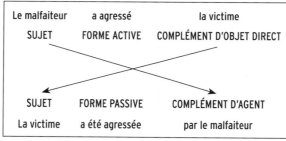

À la forme passive, le mot important est placé en première position.

– La transformation d'une phrase active en phrase passive ne peut se faire qu'avec des verbes de construction directe.
– L'auteur de l'action devient le complément d'agent. Il est introduit par la préposition *par* mais il peut être sous-entendu.
Exemple : *Treize personnes ont été blessées.*

Formation du verbe au passif :
Être (au même temps que le verbe actif) + participe passé qui s'accorde avec le sujet.

2. LA MISE EN RELIEF

Pour mettre en valeur	Formule utilisée	Exemples :
LE SUJET	*C'est ... qui...*	*C'est une ville **qui** est très dynamique.*
LE COMPLÉMENT	*C'est ... que...*	*C'est un avantage **que** tout le monde recherche.*
UNE PHRASE/IDÉE	*Ce qui ..., c'est...* *Ce que ..., c'est ...*	*Ce qui me plaît, c'est le calme.* *Ce que j'aime, c'est la campagne.*

Pour exprimer...	On utilise...	Exemples :
LE BUT	*Pour que/afin que* + phrase au subjonctif	*Nous luttons afin que/pour que tous les enfants puissent aller à l'école.*
	Pour/afin de + infinitif (quand les sujets des deux verbes sont identiques)	*Nous agissons afin de/pour aider les autres.*
	Pour + un nom	*Nous agissons pour le bien de tous.*
LA CAUSE Cause sans nuance particulière	*Parce que* + phrase à l'indicatif	*Je n'ai pas acheté ce livre parce qu'il est trop cher.*
Cause mise en avant	*Comme* + phrase à l'indicatif	*Comme ce livre est trop cher, je ne l'ai pas acheté.*
Cause déjà connue ou évidente	*Puisque* + phrase à l'indicatif	*Puisque ce livre est trop cher, je ne l'ai pas acheté.*
Cause négative ou neutre	*À cause de* + un nom	*Je n'ai pas pu venir à mon travail à cause de la neige.*
Cause positive	*Grâce à* + un nom	*J'ai pu me reposer grâce à cette semaine de vacances.*
Cause = un fait accompli	*Pour* + infinitif passé	*Il a été condamné pour ne pas avoir respecté un stop.*
Cause exprimée dans une langue écrite	Le participe présent	*Étant non-fumeur, je ne supporte pas la fumée de cigarettes.*
	Étant donné que + phrase à l'indicatif	*Étant donné que l'élève n'a pas respecté le règlement, il sera sanctionné.*
Dans un discours argumentatif, pour justifier une affirmation	*En effet*	*Les deux films sont excellents mais je choisis le premier. En effet, c'est celui qui me paraît le plus original.*
LA CONSÉQUENCE Conséquence logique	*Donc*	*La loi anti-tabac a été votée, on ne peut donc plus fumer dans les lieux publics.*
Conséquence/succession	*Alors*	*Il l'a vue de loin, alors il s'est approché d'elle, etc.*
Dans un discours oral structuré, ou à l'écrit	*C'est pourquoi/c'est pour cette raison que* + phrase à l'indicatif	*Je n'ai pas vu le feu rouge c'est pourquoi/c'est pour cette raison que je ne me suis pas arrêté.*
Dans un discours oral	*C'est pour ça que* + phrase à l'indicatif	*... c'est pour ça que je ne me suis pas arrêté.*
Conséquence finale/conclusion	*Par conséquent*	*Par conséquent, nous demandons l'aide des pouvoirs publics.*
LA SUPPOSITION L'hypothèse porte sur... – le futur	*Si* + présent/futur	*Si tu joues au loto, tu auras une chance de gagner.*
– le futur (la condition à la réalisation improbable)	*Si* + imparfait conditionnel présent	*Si je jouais (demain), je pourrais peut-être gagner.*
– le présent (la condition n'est pas réalisable)	*Si* + imparfait – conditionnel présent (= irréel du présent)	*Si le loto humanitaire existait (aujourd'hui), j'y jouerais.*
– le passé (la condition n'est pas réalisable)	*Si* + plus-que-parfait Conditionnel présent (= irréel du présent) pour une conséquence dans le présent Conditionnel passé (irréel du passé) pour une conséquence dans le passé	*Si je n'avais pas raté mon train, nous ne serions pas mariés à l'heure actuelle.* *Si je n'avais pas raté mon train, je ne l'aurais pas rencontrée.*

Pour exprimer...	On utilise...	Exemples :
L'OPPOSITION/LA CONCESSION Pour marquer un contraste entre deux idées ou deux phrases de même nature	*Alors que* + phrase à l'indicatif	*Les hommes veulent du pouvoir et de la réussite alors que les femmes veulent des relations affectives et de la stabilité.*
	Par contre	*Les hommes veulent du pouvoir et de la réussite. Par contre, les femmes veulent des relations affectives ...*
	D'un côté, de l'autre	*D'un côté, les hommes veulent du pouvoir et de la réussite, de l'autre, les femmes veules des relations affectives...*
Pour marquer une opposition entre deux idées/deux phrases	*Mais*	*Le projet est très apprécié, mais il y a encore beaucoup d'opposants.*
	Pourtant/cependant	*Le projet est très apprécié, pourtant/cependant il y a encore beaucoup d'opposants.*
Pour exprimer une concession (c'est-à-dire un fait qui n'entraîne pas la conséquence logique attendue)	*Bien que* + phrase au subjonctif	*Bien qu'il y ait un métro, beaucoup de gens continuent de circuler en voiture.*
	Malgré + un nom	*Malgré l'existence d'un métro, beaucoup de gens continuent de circuler en voiture.*
LES RAPPORTS TEMPORELS Marquer l'origine de l'action principale	*Depuis que* + phrase à l'indicatif	*Je lis beaucoup depuis que je suis inscrite dans une bibliothèque.*
Indiquer l'événement qui provoque l'action principale	*Dès que* + phrase à l'indicatif	*Les livres, c'est devenu ma passion dès que j'ai su lire.*
Indiquer la limite finale de l'action principale	*Jusqu'à ce que* + phrase au subjonctif	*Tous les soirs, je lis dans mon lit jusqu'à ce que je m'endorme.*
Indiquer la chronologie	*Avant de* + infinitif*	*Sonnez avant d'entrer.*
	Après + infinitif passé*	*Entrez après avoir sonné.*

* Attention ! Dans ces cas, le sujet est le même pour les deux actions.

LES TRANSFORMATIONS DE LA PHRASE

1. LE PASSIF

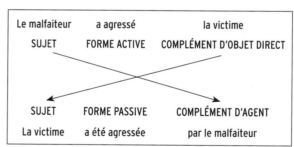

À la forme passive, le mot important est placé en première position.

– La transformation d'une phrase active en phrase passive ne peut se faire qu'avec des verbes de construction directe.
– L'auteur de l'action devient le complément d'agent. Il est introduit par la préposition *par* mais il peut être sous-entendu.
Exemple : *Treize personnes ont été blessées.*

Formation du verbe au passif :
Être (au même temps que le verbe actif) + participe passé qui s'accorde avec le sujet.

2. LA MISE EN RELIEF

Pour mettre en valeur	Formule utilisée	Exemples :
LE SUJET	C'est ... qui...	*C'est une ville **qui** est très dynamique.*
LE COMPLÉMENT	C'est ... que...	*C'est un avantage **que** tout le monde recherche.*
UNE PHRASE/IDÉE	Ce qui ..., c'est... Ce que ..., c'est ...	*Ce qui me plaît, **c'est** le calme.* *Ce que j'aime, **c'est** la campagne.*

3. LE DISCOURS INDIRECT

Dans le présent :
Quand on passe des paroles initiales aux paroles rapportées, les temps utilisés ne changent pas.
Attention aux termes introducteurs et aux changements de pronoms.

Paroles directes		Paroles indirectes
« Vous habitez ici ? »	→	*Il lui demande **si** elle habite ici.*
« Qu'est ce que vous faites ? »	→	*Il lui demande **ce qu'**elle fait.*
« Chez qui (où) allez-vous ? »	→	*Il lui demande **chez qui** (**où**) elle va.*
« Ne restez pas ici ! »	→	*Il lui demande **de** ne pas rester ici.*
« J'aime mon métier. »	→	*Il lui dit **qu'**il aime son métier.*

Dans le passé :
Pour situer les paroles dans le passé, on doit :
– utiliser un verbe introducteur à un temps du passé ;
– appliquer la règle de concordance des temps.

paroles directes	temps du verbe dans les paroles directes → temps du verbe dans le discours rapporté	discours rapporté
*Je **change** de profession.*	Présent → imparfait	*Il lui a dit qu'il **changeait** de profession.*
*Je **viens** de changer de profession.*	Passé récent → verbe *venir* à l'imparfait + *de* + infinitif	*Il lui a dit qu'il **venait** de changer de profession.*
*J'**ai changé** de profession.*	Passé composé → plus que parfait	*Il lui a dit qu'il **avait changé** de profession.*
*Je **vais changer** de profession.*	Futur proche → verbe *aller* à l'imparfait + infinitif (futur proche dans le passé)	*Il lui a dit qu'il **allait changer** de profession.*
*Je **changerai** de profession.*	Futur simple → conditionnel (futur dans le passé)	*Il lui a dit qu'il **changerait** de profession.*

Attention !
Pas de changement de temps pour l'imparfait et le conditionnel.
Exemple : « Je rêvais de changer de profession. » → *Il lui a dit qu'il rêvait de changer de profession.*
« Si c'était possible, je changerais bien de profession. » → *Il lui a dit qu'il changerait bien de profession, si c'était possible.*

Tableau des conjugaisons

	Auxiliaires		Verbes à 1 base*		
	Être	**Avoir**	**Parler**	**Ouvrir**	**Entendre**
Présent	Je suis Tu es Il/elle est Nous sommes Vous êtes Ils/elles sont	J'ai Tu as Il/elle a Nous avons Vous avez Ils/elles ont	Je parle Tu parles Il/elle parle Nous parlons Vous parlez Ils/elles parlent	J'ouvre Tu ouvres Il/elle ouvre Nous ouvrons Vous ouvrez Ils/elles ouvrent	J'entends Tu entends Il/elle entend Nous entendons Vous entendez Ils/elles entendent
Passé composé	J'ai été Tu as été Il/elle a été Nous avons été Vous avez été Ils/elles ont été	J'ai eu Tu as eu Il/elle a eu Nous avons eu Vous avez eu Ils/elles ont eu	J'ai parlé Tu as parlé Il/elle a parlé Nous avons parlé Vous avez parlé Ils/elles ont parlé	J'ai ouvert Tu as ouvert Il/elle a ouvert Nous avons ouvert Vous avez ouvert Ils/elles ont ouvert	J'ai entendu Tu a entendu Il/elle a entendu Nous avons entendu Vous avez entendu Ils/elles ont entendu
Imparfait	J'étais Tu étais Il/elle était Nous étions Vous étiez Ils/elles étaient	J'avais Tu avais Il/elle avait Nous avions Vous aviez Ils/elles avaient	Je parlais Tu parlais Il/elle parlait Nous parlions Vous parliez Ils/elles parlaient	J'ouvrais Tu ouvrais Il/elle ouvrait Nous ouvrions Vous ouvriez Ils/elles ouvraient	J'entendais Tu entendais Il/elle entendait Nous entendions Vous entendiez Ils/elles entendaient
Plus-que-parfait	J'avais été Tu avais été Il/elle avait été Nous avions été Vous aviez été Ils/elles avaient été	J'avais eu Tu avais eu Il/elle avait eu Nous avions eu Vous aviez eu Ils/elles avaient eu	J'avais parlé Tu avais parlé Il/elle avait parlé Nous avions parlé Vous aviez parlé Ils/elles avaient parlé	J'avais ouvert Tu avais ouvert Il/elle avait ouvert Nous avions ouvert Vous aviez ouvert Ils/elles avaient ouvert	J'avais entendu Tu avais entendu Il/elle avait entendu Nous avions entendu Vous aviez entendu Ils/elles avaient entendu
Futur	Je serai Tu seras Il/elle sera Nous serons Vous serez Ils/elles seront	J'aurai Tu auras Il/elle aura Nous aurons Vous aurez Ils/elles auront	Je parlerai Tu parleras Il/elle parlera Nous parlerons Vous parlerez Ils/elles parleront	J'ouvrirai Tu ouvriras Il/elle ouvrira Nous ouvrirons Vous ouvrirez Ils/elles ouvriront	J'entendrai Tu entendras Il/elle entendra Nous entendrons Vous entendrez Ils/elles entendront
Conditionnel présent	Je serais Tu serais Il/Elle serait Nous serions Vous seriez Ils/elles seraient	J'aurais Tu aurais Il/elle aurait Nous aurions Vous auriez Ils/elles auraient	Je parlerais Tu parlerais Il/elle parlerait Nous parlerions Vous parleriez Ils/elles parleraient	J'ouvrirais Tu ouvrirais Il/elle ouvrirait Nous ouvririons Vous ouvririez Ils/elles ouvriraient	J'entendrais Tu entendrais Il/elle entendrait Nous entendrions Vous entendriez Ils/elles entendraient
Conditionnel passé	J'aurais été Tu aurais été Il/elle aurait été Nous aurions été Vous auriez été Ils/elles auraient été	J'aurais eu Tu aurais eu Il/elle aurait eu Nous aurions eu Vous auriez eu Ils/elles auraient eu	J'aurais parlé Tu aurais parlé Il/elle aurait parlé Nous aurions parlé Vous auriez parlé Ils/elles auraient parlé	J'aurais ouvert Tu aurais ouvert Il/elle aurait ouvert Nous aurions ouvert Vous auriez ouvert Ils/elles auraient ouvert	J'aurais entendu Tu aurais entendu Il/elle aurait entendu Nous aurions entendu Vous auriez entendu Ils/elles auraient entendu
Subjonctif présent	Que je sois Que tu sois Qu'il/elle soit Que nous soyons Que vous soyez Qu'ils/elles soient	Que j'aie Que tu aies Qu'il/elle ait Que nous ayons Que vous ayez Qu'ils/elles aient	Que je parle Que tu parles Qu'il/elle parle Que nous parlions Que vous parliez Qu'ils/elles parlent	Que j'ouvre Que tu ouvres Qu'il/elle ouvre Que nous ouvrions Que vous ouvriez Qu'ils/elles ouvrent	Que j'entende Que tu entendes Qu'il/elle entende Que nous entendions Que vous entendiez Qu'ils/elles entendent

* Au présent de l'indicatif

Verbes à 2 bases*					
Finir	**Partir**	**Lire**	**Connaître**	**Mettre**	**Savoir**
Je **finis** Tu **finis** Il/elle **finit** Nous **finiss**ons Vous **finiss**ez Ils/elles **finiss**ent	Je **pars** Tu **pars** Il/elle **part** Nous **part**ons Vous **part**ez Ils/elles **part**ent	Je **lis** Tu **lis** Il/elle **lit** Nous **lis**ons Vous **lis**ez Ils/elles **lis**ent	Je **connais** Tu **connais** Il/elle **connaît** Nous **connaiss**ons Vous **connaiss**ez Ils/elles **connaiss**ent	Je **mets** Tu **mets** Il/elle **met** Nous **mett**ons Vous **mett**ez Ils/elles **mett**ent	Je **sais** Tu **sais** Il/elle **sait** Nous **sav**ons Vous **sav**ez Ils/elles **sav**ent
J'ai fini Tu as fini Il/elle a fini Nous avons fini Vous avez fini Ils/elles ont fini	Je suis parti(e) Tu es parti(e) Il/elle est parti(e) Nous sommes parti(e)s Vous êtes parti(e)s Ils/elles sont parti(es)	J'ai lu Tu as lu Il/elle a lu Nous avons lu Vous avez lu Ils/elles ont lu	J'ai connu Tu as connu Il/elle a connu Nous avons connu Vous avez connu Ils/elles ont connu	J'ai mis Tu as mis Il/elle a mis Nous avons mis Vous avez mis Ils/elles ont mis	J'ai su Tu as su Il/elle a su Nous avons su Vous avez su Ils/elles ont su
Je finissais Tu finissais Il/elle finissait Nous finissions Vous finissiez Ils/elles finissaient	Je partais Tu partais Il/elle partait Nous partions Vous partiez Ils/elles partaient	Je lisais Tu lisais Il/elle lisait Nous lisions Vous lisiez Ils/elles lisaient	Je connaissais Tu connaissais Il/elle connaissait Nous connaissions Vous connaissiez Ils/elles connaissaient	Je mettais Tu mettais Il/elle mettait Nous mettions Vous mettiez Ils/elles mettaient	Je savais Tu savais Il/elle savait Nous savions Vous saviez Ils/elles savaient
J'avais fini Tu avais fini Il/elle avait fini Nous avions fini Vous aviez fni Ils/elles avaient fini	J'étais parti(e) Tu étais parti(e) Il/elle était parti(e) Nous étions parti(e)s Vous étiez parti(e)s Ils/elles parti(e)s	J'avais lu Tu avais lu Il/elle avait lu Nous avions lu Vous aviez lu Ils/elles avaient lu	J'avais connu Tu avais connu Il/elle avait connu Nous avions connu Vous aviez connu Ils/elles avaient connu	J'avais mis Tu avais mis Il/elle avait mis Nous avions mis Vous aviez mis Ils/elles avaient mis	J'avais su Tu avais su Il/elle avait su Nous avions su Vous aviez su Ils/elles avaient su
Je finirai Tu finiras Il/elle finira Nous finirons Vous finirez Ils/elles finiront	Je partirai Tu partiras Il/elle partira Nous partirons Vous partirez Ils/elles partiront	Je lirai Tu liras Il/elle lira Nous lirons Vous lirez Ils/elles liront	Je connaîtrai Tu connaîtras Il/elle connaîtra Nous connaîtrons Vous connaîtrez Ils/elles connaîtront	Je mettrai Tu mettras Il/elle mettra Nous mettrons Vous mettrez Ils/elles mettront	Je saurai Tu sauras Il/elle saura Nous saurons Vous saurez Ils/elles sauront
Je finirais Tu finirais Il/elle finirait Nous finirions Vous finiriez Ils/elles finiraient	Je partirais Tu partirais Il/elle partirait Nous partirions Vous partiriez Ils/elles partiraient	Je lirais Tu lirais Il/elle lirait Nous lirions Vous liriez Ils/elles liraient	Je connaîtrais Tu connaîtrais Il/elle connaîtrait Nous connaîtrions Vous connaîtriez Ils/elles connaîtraient	Je mettrais Tu mettrais Il/elle mettrait Nous mettrions Vous mettriez Ils/elles mettraient	Je saurais Tu saurais Il/elle saurait Nous saurions Vous sauriez Ils/elles sauraient
J'aurais fini Tu aurais fini Il/elle aurait fini Nous aurions fini Vous auriez fini Ils/elles auraient fini	Je serais parti(e) Tu serais parti(e) Il/elle serait parti(e) Nous serions parti(e)s Vous seriez parti(e)s Ils/elles seraient parti(e)s	J'aurais lu Tu aurais lu Il/elle aurait lu Nous aurions lu Vous auriez lu Ils/elles auraient lu	J'aurais connu Tu aurais connu Il/elle aurait connu Nous aurions connu Vous auriez connu Ils/elles auraient connu	J'aurais mis Tu aurais mis Il/elle aurait mis Nous aurions mis Vous auriez mis Ils/elles auraient mis	J'aurais su Tu aurais su Il/elle aurait su Nous aurions su Vous auriez su Ils/elles auraient su
Que je finisse Que tu finisses Qu'il/elle finisse Que nous finissions Que vous finissiez Qu'ils/elles finissent	Que je parte Que tu partes Qu'il/elle parte Que nous partions Que vous partiez Qu'ils/elles partent	Que je lise Que tu lises Qu'il/elle lise Que nous lisions Que vous lisiez Qu'ils/elles lisent	Que je connaisse Que tu connaisses Qu'il/elle connaisse Que nous connaissions Que vous connaissiez Qu'ils/elles connaissent	Que je mette Que tu mettes Qu'il/elle mette Que nous mettions Que vous mettiez Qu'ils/elles mettent	Que je sache Que tu saches Qu'il/elle sache Que nous sachions Que vous sachiez Qu'ils/elles sachent

Tableau des conjugaisons

	Verbes à 2 bases*		Verbes à 3 bases*		
	Voir	Craindre	Venir	Dire	Prendre
Présent	Je **vois** Tu **vois** Il/elle **voit** Nous **voy**ons Vous **voy**ez Ils/elles **voi**ent	Je **crains** Tu **crains** Il/elle **craint** Nous **craign**ons Vous **craign**ez Ils/elles **craign**ent	Je **viens** Tu **viens** Il/elle **vient** Nous **ven**ons Vous **ven**ez Ils/elles **vienn**ent	Je **dis** Tu **dis** Il/elle **dit** Nous **dis**ons Vous **dîtes** Ils/elles **dis**ent	Je **prends** Tu **prend**s Il/elle **prend** Nous **pren**ons Vous **pren**ez Ils/elles **prenn**ent
Passé composé	J'ai vu Tu as vu Il/elle a vu Nous avons vu Vous avez vu Ils/elles ont vu	J'ai craint Tu as craint Il/elle a craint Nous avons craint Vous avez craint Ils/elles ont craint	Je suis venu(e) Tu es venu(e) Il/elle est venu(e) Nous sommes venu(e)s Vous êtes venu(e)s Ils/elles sont venu(e)s	J'ai dit Tu as dit Il/elle a dit Nous avons dit Vous avez dit Ils/elles ont dit	J'ai pris Tu as pris Il/elle a pris Nous avons pris Vous avez pris Ils/elles ont pris
Imparfait	Je voyais Tu voyais Il/elle voyait Nous voyions Vous voyiez Ils/elles voyaient	Je craignais Tu craignais Il/elle craignait Nous craignions Vous craigniez Ils/elles craigniez	Je venais Tu venais Il/elle venait Nous venions Vous veniez Ils/elles venaient	Je disais Tu disais Il/elle disait Nous disions Vous disiez Ils/elles disaient	Je prenais Tu prenais Il/elle prenait Nous prenions Vous preniez Ils/elles prenaient
Plus-que-parfait	J'avais vu Tu avais vu Il/elle avait vu Nous avions vu Vous aviez vu Ils/elles avaient vu	J'avais craint Tu avais craint Il/elle avait craint Nous avions craint Vous aviez craint Ils/elles avaient craint	J'étais venu(e) Tu étais venu(e) Il/elle était venu(e) Nous étions venu(e)s Vous étiez venu(e)s Ils/elles étaient venu(e)s	J'avais dit Tu avais dit Il/elle avait dit Nous avions dit Vous aviez dit Ils/elles avaient dit	J'avais pris Tu avais pris Il/elle avait pris Nous avions pris Vous aviez pris Ils/elles avaient pris
Futur	Je verrai Tu verras Il/elle verra Nous verrons Vous verrez Ils/elles verront	Je craindrai Tu craindras Il/elle craindra Nous craindrons Vous craindrez Ils/elles craindront	Je viendrai Tu viendras Il/elle viendra Nous viendrons Vous viendrez Ils/elles viendront	Je dirai Tu diras Il/elle dira Nous dirons Vous direz Ils/elles diront	Je prendrai Tu prendras Il/elle prendra Nous prendrons Vous prendrez Ils/elles prendront
Conditionnel présent	Je verrais Tu verrais Il/elle verrait Nous verrions Vous verriez Ils/elles verraient	Je craindrais Tu craindrais Il/elle craindrait Nous craindrions Vous craindriez Ils/elles craindraient	Je viendrais Tu viendrais Il/elle viendrait Nous viendrions Vous viendriez Ils/elles viendraient	Je dirais Tu dirais Il/elle dirait Nous dirions Vous diriez Ils/elles diraient	Je prendrais Tu prendrais Il/elle prendrait Nous prendrions Vous prendriez Ils/elles prendraient
Conditionnel passé	J'aurais vu Tu aurais vu Il/elle aurait vu Nous aurions vu Vous auriez vu Ils/elles auraient vu	J'aurais Tu aurais Il/elle aurait Nous aurions Vous auriez Ils/elles auraient	Je serais venu(e) Tu serais venu(e) Il/elle serait venu(e) Nous serions venu(e)s Vous seriez venu(e)s Ils/elles seraient venu(e)s	J'aurais dit Tu aurais dit Il/elle aurait dit Nous aurions dit Vous auriez dit Ils/elles auraient dit	J'aurais pris Tu aurais pris Il/elle aurait pris Nous aurions pris Vous auriez pris Ils/elles auraient pris
Subjonctif présent	Que je voie Que tu voies Qu'il/elle voie Que nous voyions Que vous voyiez Qu'ils/elles voient	Que je craigne Que tu craignes Qu'il/elle craigne Que nous craignions Que vous craigniez Qu'ils/elles craignent	Que je vienne Que tu viennes Qu'il/elle vienne Que nous venions Que vous veniez Qu'ils/elles viennent	Que je dise Que tu dises Qu'il/elle dise Que nous disions Que vous disiez Qu'ils/elles disent	Que je prenne Que tu prennes Qu'il/elle prenne Que nous prenions Que vous preniez Qu'ils/elles prennent

Vouloir	Pouvoir	Devoir	Boire	Verbes à 4 bases*	
				Aller	Faire
Je **veux** Tu **veux** Il/elle **veut** Nous **voul**ons Vous **voul**ez Ils/elles **veul**ent	Je **peux** Tu **peux** Il/elle **peut** Nous **pouv**ons Vous **pouv**ez Ils/elles **peuv**ent	Je **dois** Tu **dois** Il/elle **doit** Nous **dev**ons Vous **dev**ez Ils/elles **doiv**ent	Je **bois** Tu **bois** Il/elle **boit** Nous **buv**ons Vous **buv**ez Ils/elles **boiv**ent	Je **vais** Tu **vas** Il/elle **va** Nous **all**ons Vous **all**ez Ils/elles **vont**	Je **fais** Tu **fais** Il/elle **fait** Nous **fais**ons Vous **faites** Ils/elles **font**
J'ai voulu Tu as voulu Il/elle a voulu Nous avons voulu Vous avez voulu Ils/elles ont voulu	J'ai pu Tu as pu Il/elle a pu Nous avons pu Vous avez pu Ils/elles ont pu	J'ai dû Tu as dû Il/elle a dû Nous avons dû Vous avez dû Ils/elles ont dû	J'ai bu Tu as bu Il/elle a bu Nous avons bu Vous avez bu Ils/elles ont bu	Je suis allé(e) Tu es allé(e) Il/elle est allé(e) Nous sommes allé(e)s Vous êtes allé(e)s Ils/elles sont allé(e)s	J'ai fait Tu as fait Il/elle a fait Nous avons fait Vous avez fait Ils/elles ont fait
Je voulais Tu voulais Il/elle voulait Nous voulions Vous vouliez Ils/elles voulaient	Je pouvais Tu pouvais Il/elle pouvait Nous pouvions Vous pouviez Ils/elles pouvaient	Je devais Tu devais Il/elle devait Nous devions Vous deviez Ils/elles devaient	Je buvais Tu buvais Il/elle buvait Nous buvions Vous buviez Ils/elles buvaient	J'allais Tu allais Il/elle allait Nous allions Vous alliez Ils/elles allaient	Je faisais Tu faisais Il/elle faisait Nous faisions Vous faisiez Ils/elles faisaient
J'avais voulu Tu avais voulu Il/elle avait voulu Nous avions voulu Vous aviez voulu Ils/elles avaient voulu	J'avais pu Tu avais pu Il/elle avait pu Nous avions pu Vous aviez pu Ils/elles avaient pu	J'avais dû Tu avais dû Il/elle avait dû Nous avions dû Vous aviez dû Ils/elles avaient dû	J'avais bu Tu avais bu Il/elle avait bu Nous avions bu Vous aviez bu Ils/elles avaient bu	J'étais allé(e) Tu étais allé(e) Il/elle était allé(e) Nous étions allé(e)s Vous étiez allé(e)s Ils/elles étaient allé(e)s	J'avais fait Tu avais fait Il/elle avait fait Nous avions fait Vous aviez fait Ils/elles avaient fait
Je voudrai Tu voudras Il/elle voudra Nous voudrons Vous voudrez Ils/elles voudront	Je pourrai Tu pourras Il/elle pourra Nous pourrons Vous pourrez Ils/elles pourront	Je devrai Tu devras Il/elle devra Nous devrons Vous devrez Ils/elles devront	Je boirai Tu boiras Il/elle boira Nous boirons Vous boirez Ils/elles boiront	J'irai Tu iras Il/elle ira Nous irons Vous irez Ils/elles iront	Je ferai Tu feras Il/elle fera Nous ferons Vous ferez Ils/elles feront
Je voudrais Tu voudrais Il/elle voudrait Nous voudrions Vous voudriez Ils/elles voudraient	Je pourrais Tu pourrais Il/ elle pourrait Nous pourrions Vous pourriez Ils/elles pourraient	Je devrais Tu devrais Il/elle devrait Nous devrions Vous devriez Ils/elles devraient	Je boirais Tu boirais Il/elle boirait Nous boirions Vous boiriez Ils/elles boiraient	Je irais Tu irais Il/elle irait Nous irions Vous iriez Ils/elles iraient	Je ferais Tu ferais Il/elle ferait Nous ferions Vous feriez Ils/elles feraient
J'aurais voulu Tu aurais voulu Il/elle aurait voulu Nous aurions voulu Vous auriez voulu Ils/elles auraient voulu	J'aurais pu Tu aurais pu Il/elle aurait pu Nous aurions pu Vous auriez pu Ils/elles auraient pu	J'aurais dû Tu aurais dû Il/elle aurait dû Nous aurions dû Vous auriez dû Ils/elles auraient dû	J'aurais bu Tu aurais bu Il/elle aurait bu Nous aurions bu Vous auriez bu Ils/elles auraient bu	Je serais allé(e) Tu serais allé(e) Il/elle serait allé(e) Nous serions allé(e)s Vous seriez allé(e)s Ils/elles seraient allé(e)s	J'aurais fait Tu aurais fait Il/elle aurait fait Nous aurions fait Vous auriez fait Ils/elles auraient fait
Que je veuille Que tu veuilles Qu'il/elle veuille Que nous voulions Que vous vouliez Qu'ils/elles veuillent	Que je puisse Que tu puisses Qu'il/elle puisse Que nous puissions Que vous puissiez Qu'ils/elles puissent	Que je doive Que tu doives Qu'il/elle doive Que nous devions Que vous deviez Qu'ils/elles doivent	Que je boive Que tu boives Qu'il/elle boive Que nous buvions Que vous buviez Qu'ils/elles boivent	Que j'aille Que tu ailles Qu'il/elle aille Que nous allions Que vous alliez Qu'ils/elles aillent	Que je fasse Que tu fasses Qu'il/elle fasse Que nous fassions Que vous fassiez Qu'ils/elles fassent

Transcriptions des enregistrements

dont les textes ne figurent pas dans les leçons

DOSSIER 1

LEÇON 1

2 p. 12

– Fais voir ce que tu lis ?
– Oh ! Un test sur l'amitié dans *Psychomag*.
C'est sympa. Tu veux le faire ?
– Ok, vas-y, pose-moi les questions
– Alors..., première question, combien d'amis intimes avez-vous ?
– Oh ! Je dirais... deux. J'ai beaucoup de bons copains mais de véritables amis, deux seulement.
– Deux amies, I-E-S ?
– Oui, deux filles de mon âge.
– Bien. Deuxième question : avec vos amis, de quoi parlez-vous souvent ?
a) de vos secrets ;
b) de vos rêves et de vos envies ;
c) de tout et de rien ;
d) de tout, sauf des sujets intimes. Alors ?
– De tout et de rien, en fait, ça peut être des choses très intimes, importantes, des secrets, mais aussi des trucs futiles, très légers.
– D'accord... Troisième question : quelle est la qualité que vous recherchez en priorité chez un ami ? La fidélité, l'écoute, la sincérité, autre.
– Oh là là ! Toutes les qualités citées sont importantes, mais... je crois que la qualité n° 1 pour moi, c'est la complicité. Tu sais, le fait de partager les mêmes idées, de comprendre ce que l'autre veut dire. Ouais, tu mets : « autre : la complicité ».
– Ah ben, c'est marrant, j'ai donné la même réponse que toi ! Alors... on continue.
Quatrième question. Quel est le défaut que vous n'acceptez pas chez un ami ?
La malhonnêteté, l'égoïsme, l'indifférence, autre...
– Oh, sans hésiter, la malhonnêteté, un ami, c'est une personne sincère, quelqu'un à qui je peux tout dire, que j'appelle quand j'ai besoin de soutien et surtout qui ne me trahit jamais.
– Bien. Et pour finir : « Quelle est votre définition de l'amitié ? » Tiens, lis et choisis une proposition.
– Alors... a) pouvoir partager les bons et... C'est difficile de choisir, toutes sont bien. Je peux en choisir deux ?
– Ah oui ! C'est pas interdit, je pense.
– Alors, l'amitié, c'est être complice et se sentir bien ensemble dans toutes les situations. Mais je crois que je l'ai déjà dit avant, en fait.
– Oh là là ! Rachida, t'as vu l'heure ?
Faut retourner bosser !
– Oh oui ! Deux heures dix, je file, salut !

5 p. 13

1. Le magazine qu'elle aime. 2. C'est l'ami qu'il connaît, Marco. 3. La qualité qu'elle préfère. 4. La personne chez qui il habite. 5. Le collègue à qui elle dit tout.

7 p. 14

Je m'appelle Jacqueline et je suis venue vous parler de Simonne : nous nous sommes connues il y a plus de quinze ans, elle était directrice dans l'école où je travaille. Certains collègues la trouvaient froide et intimidante, mais moi, j'ai apprécié sa personnalité franche et directe, sa compétence. Et puis, progressivement, j'ai découvert une autre femme : Simonne aime faire la fête avec ses amis, cuisiner comme un grand chef, raconter des histoires drôles... Ce qui me plaît aussi, c'est son énergie : aujourd'hui, à 70 ans, elle a toujours un agenda très chargé ; le

dimanche, elle nous entraîne dans des randonnées qui peuvent faire jusqu'à... 20 km ! Et... une véritable amitié est née. Je continue à la vouvoyer, c'est vrai, mais y a une complicité basée sur le partage de bons moments.

LEÇON 2

6 p. 17

– Écoutez, chaque année depuis six ans, on se réunit ici dans la cour de l'immeuble. On a l'impression d'une fête de village. Il faut remercier notre gardien, c'est lui qui a eu l'idée de participer à l'opération Immeubles en fête, et ça marche !
– ... notre gardien, il est par-fait ! Toujours un petit mot gentil. Le matin, il nous demande comment ça va, le soir, si la journée s'est bien passée... Puis vous savez, on se sent en sécurité avec lui, il surveille bien l'immeuble !
– Oui, ça, c'est vrai ! Quand je vois une personne que je ne connais pas, je l'arrête et je lui demande ce qu'elle fait ici, chez qui elle va et tout ça...
– Alain, on l'adore, quand on lui demande de nourrir le chat, d'arroser les plantes, il est toujours là, il est toujours disponible. Pour Alain, hip hip hip, hourra !
– Ah ! Ça me fait plaisir, c'est vrai, les gens disent qu'ils sont contents de moi. Mais j'aime mon métier, tout simplement. Y'a pas de secret !

8 p. 17

a) 1. Je voudrais savoir s'il va à la fête des voisins.
2. Peux-tu me dire si elle a arrosé les plantes ?
3. Je me demande s'il a nourri le chat. 4. Est-ce que tu sais s'il a distribué le courrier ? 5. Je lui demande si elle travaille le soir. 6. Tu sais si elle est passée ce matin ? 7. Je ne sais pas si elle a fini les travaux.
b) 1. « Le matin, il nous demande toujours comment ça va. » 2. « Je lui demande ce qu'elle fait ici et chez qui elle va. » 3. « Les gens disent souvent qu'ils sont contents de moi. »

13 p. 18

– Agnès, vous vous occupez de madame Pinchon : shampooing, coupe, brushing, comme d'habitude. Voilà, allez-y, madame Pinchon.
– Bonjour, madame Pinchon ! Dites, on vous voit moins souvent, en ce moment !
– Eh oui ! J'étais chez ma fille, en province.
– Ah ! C'est pour ça que vous n'étiez pas à la fête des voisins !
– Pff ! La fête des voisins ! Ça m'intéresse pas du tout.
– Pourtant, vous devez être plus tranquille, vos voisins avec leurs cinq enfants sont partis le mois dernier...
– Pensez-vous ! C'est toujours aussi bruyant, on n'entend plus les gosses crier, mais maintenant, avec les nouveaux locataires, j'ai droit aux travaux toute la journée ! Et je peux vous dire qu'il y a autant de bruit qu'avant, peut-être plus, même !
– Ah bon ! Mais ça va peut-être pas durer...
Et puis la résidence est très agréable, le nouvel espace aménagé devant, c'est vraiment extra !
– Oh, le jardin ! Parlons-en ! On était mieux quand il n'y en avait pas. C'est bien simple : entre les gosses et les chiens, c'est devenu un véritable zoo ! Et il y a des crottes et des jouets partout ! Alors créer des espaces verts pour avoir un meilleur cadre de vie, ça sert à quoi, hein ? !
– Oh là là là ! ... Vous n'avez pas de chance, madame Pinchon !
– Ah ben non, alors ! Sans parler des augmentations

de loyer ! Payer autant qu'à Paris pour vivre dans ces conditions-là, vraiment !
Oh ! Mais faites attention ! Vous m'avez mis du shampooing dans les yeux ! C'est pas possible !

LEÇON 3

3 p. 21

1. J'étais fatigué. 2. Il était grand. 3. Elle s'est dirigée vers lui. 4. Il s'est précipité vers moi. 5. On se mariait jeunes. 6. On s'est retrouvés dans le train.

Point culture p. 21

– Ton mari, tu l'as rencontré où, Laurence ?
– Oh, ça ne date pas d'hier... Au lycée, on était dans la même classe en terminale, ça fait presque dix ans ! Et toi, ton copain ?
– Quand je faisais mon stage chez Thomson.
– Eh ben, moi, Thomas, je l'ai rencontré l'année dernière, à l'occasion du réveillon du nouvel an, chez des amis communs.
– Ah, vous êtes pas originales, les filles ! J'ai lu récemment une enquête sur les lieux de rencontres amoureuses, et ça correspond exactement à vos réponses ! Et en plus, vous donnez même le classement dans l'ordre !
– Et toi, alors, ton copain, tu l'as...
– Je suis moderne, moi, je vis avec mon temps !
– Je sais pas moi, en boîte ?
– Non, encore plus rare... sur In-ter-net !
– Sur Internet !
– Et ça marche ?
– Oui, ça fait deux ans que ça dure, et... on va se marier !
– Non !
– Et comme d'habitude, Violaine ne dit rien !
– Oh, vous savez, c'est pas très intéressant...
Sylvain, c'était mon prof au club de gym...
– Ça alors ! C'est toi la plus originale !

PHONIE-GRAPHIE DOSSIER 1

1 p. 157

les – c'est – des – qui – se – lis – re ! – quai – de – mes – me – ré – dit – mis – que – si – le – ris ! – défi – des fées – je vis – je veux.

2 p. 157

a) C'est vraiment le type de magazine que j'aime lire.
b) La complicité est la qualité que vous partagez en priorité avec les amis que vous avez depuis des années.
c) Ce que je cherche dans ce journal ? Le test sur l'amitié, je ne le trouve plus... Ah ! le voilà.

3 p. 157

Les premières semaines, je travaillais avec des collègues qui m'aidaient. Notre relation était naturelle et directe. J'ai trouvé un grand intérêt à connaître le sujet grâce à elles.

4 p. 157

amitié – chez – très – chercher – année – même – briquet – téléphone – anniversaire – baguette – vitesse

DOSSIER 2

LEÇON 1

4 p. 29

Alors... Formation... Je donne des cours... depuis... ben, mon retour d'Angleterre, donc... depuis février 2004 ! J'ai animé des ateliers pendant un mois... en... juillet 2004. Et j'ai été jeune fille au pair de... juillet 2002 à... janvier 2003. Et voilà !

5 p. 29

a) 1. doigt – doigt. 2. Louis – lui. 3. tua – toi. 4. suée – suée. 5. bois – bois. 6. juin – joint. 7. bouée – buée. 8. nuit – nuit.

b) 1. Depuis mon enfance, je suis bilingue. 2. Ensuite, j'ai été jeune fille au pair six mois à Londres. 3. J'ai suivi un stage et puis j'ai travaillé dans un centre de loisirs. 4. J'ai mon permis de conduire, oui. 5. Quel sport je préfère ? La voile ! 6. Suite à votre publicité pour un séjour linguistique en juin ou en juillet, je vous envoie mon inscription.

7 p. 30

– Bien, votre CV a retenu mon attention, et nous allons prendre le temps de mieux faire connaissance. Tout d'abord, pouvez-vous développer un peu votre parcours, en ce qui concerne les langues étrangères ?

– Euh... j'ai toujours entendu plusieurs langues autour de moi. Mon père est espagnol, ma mère française et on a toujours vécu entre l'Espagne et la France. Et comme j'aimais apprendre les langues à l'école, mes parents m'ont toujours encouragée dans cette voie. C'est comme ça que j'ai fait plusieurs séjours en Angleterre.

– Comme jeune fille au pair ?

– Oui, à Londres. Ça a été une expérience très enrichissante. Je me suis tout de suite bien entendue avec les petits. Je leur écris toujours, ils m'envoient des photos... C'est vraiment sympa.

– Qu'est-ce que cette expérience vous a apporté ?

– Sur le plan humain, plein de choses. Mais aussi l'envie de parler parfaitement l'anglais. J'ai suivi six mois de cours intensif à l'Institut britannique.

– Et pourquoi avez-vous choisi d'enseigner l'anglais ?

– Ah ! ça s'est fait tout naturellement. À mon retour en France, j'ai commencé à donner des cours particuliers à des jeunes de collège et...

LEÇON 2

3 p. 33

– Bien, je vais vous poser une série de questions et je vous demande de répondre brièvement.

– Ouais, j'suis prêt.

– Pourquoi souhaitez-vous quitter votre emploi actuel ?

– Parce que je supporte pas mon chef. Il est tout le temps sur mon dos.

– Quelle est votre motivation à occuper le poste que nous proposons ?

– J'aime la vente. Vous êtes une grande société, y a la sécurité de l'emploi. Et... c'est tout près de chez moi, c'est pratique.

– Comment voyez-vous votre avenir ?

– Chef. Je voudrais être chef de rayon. C'est plus sympa de donner des ordres que d'en recevoir. Vous êtes d'accord avec moi ?

– Et... qu'est-ce que vous allez faire pour avoir une promotion ?

– Ben... je vais bien vendre. J'suis dynamique, convaincant, et j'aime bien ce métier.

– Quels sont vos points forts ?

– J'suis un bon vendeur. J'pourrais vendre des frigidaires à des Esquimaux ! J'ai quinze ans d'expérience dans l'électroménager.

– Bien... et quel est votre principal défaut ?

– J'aime pas qu'on me marche sur les pieds. J'suis cool, mais bon...

– Bien, alors, je crois qu'on va s'arrêter là pour aujourd'hui... On vous écrira la semaine prochaine pour vous donner une réponse.

– OK, au revoir.

6 p. 33

a) 1. a. Je suis prêt – b. (ch)uis prêt.
2. a. (ch)upporte pas mon chef ! – b. Je n(e) supporte pas mon chef ! 3. a. V'z'êtes une grande société. – b. Vous êtes une grande société. 4. a. Il y a la sécurité d(e) l'emploi. – b. Y a la sécurité d(e) l'emploi.
5. a. J' voudrais êt' chef de rayon. – b. Je voudrais être chef de rayon.

b) 1. Surveillez votre manière de parler. 2. Ne croisez pas les jambes ! 3. Entraînez-vous. 4. Présentez-vous rapidement ! 5. Ne mettez pas de boucles d'oreilles. 6. Présentez-vous rapidement. 7. Entraînez-vous ! 8. Ne mettez pas de boucles d'oreilles ! 9. Ne croisez pas les jambes. 10. Surveillez votre manière de parler !

11 p. 34

– J'suis cool, mais bon...

– Bien, alors, je crois qu'on va s'arrêter là pour aujourd'hui... On vous écrira la semaine prochaine pour vous donner une réponse.

– OK, au revoir.

– Bien, merci beaucoup, Simon et Justine. Alors, vous avez entendu l'entretien de Simon pour le poste de vendeur. Vous avez certainement des choses à lui dire... Qui veut réagir ?

– Moi, je trouve que t'es assez sûr de toi, t'as pas... t'as pas l'air impressionné.

– Moi, justement, je pense que t'es trop cool. Il faut que tu surveilles ta façon de parler !

– Ah ! oui, je suis d'accord et c'est la même chose pour ta motivation, il faut pas que tu dises ta vraie motivation comme ça ! Mais il faut que tu dises des choses plus sérieuses, plus intéressantes pour un employeur ! Par exemple : « pour évoluer dans ma carrière » ou autre chose...

– Oui, c'est comme pour tes défauts : il faut jamais dire ses vrais défauts. Il faudrait que tu sois plus positif.

– Bon, en bref, faut que je mente, c'est ça ?

– Simon..., ce qu'on vous explique, c'est qu'il faut que soyez moins sûr de vous-même, de vous propos, que vous évitiez de dire vos défauts et... que vous fassiez attention à votre vocabulaire, c'est important !

– Et puis peut-être aussi que tu aies une tenue plus adaptée... Hein, habillé comme ça, on te donnera jamais un emploi !

– Ben évidemment, à l'entretien, je mettrai d'autres fringues, un costume et une cravate... Classique, quoi !

13 p. 35

– Il faut qu(e) tu fasses tout ça, alors fais-le, s'il te plaît !

– Je dis mon âge ?

– Oui, il faut qu(e) tu dises ton âge.

– Il faut aussi qu(e) tu fasses ton bilan, alors fais-le !

– Il faut qu(e) tu mentes un peu, alors mens un peu...

– Il faut qu(e) je finisse ma lettre ! – Alors, finis-la !

– Et il faut qu(e) tu mettes un tailleur, alors mets ton tailleur gris, par exemple !

– Et puis il faut qu(e) tu apprennes l'annonce !

– Bon, bon, j(e) l'apprends.

LEÇON 3

2 p. 36

1. – Donc, j'avais déjà suivi un stage de quinze jours dans une boutique de mode l'année dernière et, pour la fin de la seconde année, j'avais imaginé un stage avec des créateurs ; alors quand j'ai trouvé ce stage non payé, j'étais ravie de mieux connaître le monde de l'entreprise... En fait, j'ai passé mon temps à faire ce que les autres ne voulaient pas faire ! En plus, on me traitait comme un chien, on me parlait mal... Quand on m'adressait la parole, c'était le plus souvent pour me demander d'aller chercher un café ! Enfin, j'ai réussi à terminer mon stage, mais le cœur n'y était pas !

2. – J'avais peur d'être la stagiaire spécialisé dans les photocopies et la machine à café... Mais non, j'ai été chargé tout de suite de calculer la fréquentation de certaines lignes de bus ; je comptais le nombre d'usagers qui montaient et descendaient à chaque arrêt, de 8 heures du matin à 17 heures. Ça a été mon premier contact avec le monde du travail parce que je n'avais jamais travaillé avant. Maintenant, j'ai compris la signification des mots « travail » et « entreprise », et je sais à quoi m'attendre après mon diplôme. En plus, à la fin de mon stage, j'ai eu la bonne surprise de recevoir 400 euros, ça fait 30 % du SMIC !

7 p. 37

1. Réellement. 2. Patiemment. 3. Brillamment. 4. Difficilement. 5. Activement. 6. Méchamment. 7. Tellement. 8. Différemment. 9. Heureusement. 10. Prudemment.

11 p. 38

– Alors, et vous, Jacques, c'est tellement important pour vous de continuer à travailler ?

– Oui, très important, vital même. Toute ma vie, j'ai été instituteur et quand j'ai eu 55 ans, personne ne m'a demandé mon avis, j'ai dû arrêter de travailler, plus tôt que tout le monde ! Mais vous savez, moi, j'ai besoin de m'occuper, de faire quelque chose d'utile, sinon ma vie n'a pas de sens.

– Bien sûr... Et donc, vous avez eu la possibilité de faire partie d'une association qui s'occupe de soutien scolaire, n'est-ce pas ?

– Oui, je voulais absolument faire du bénévolat quelque part, avec des enfants, de préférence. J'ai eu de la chance, j'ai rencontré quelqu'un qui m'a proposé d'aider les enfants en difficulté scolaire. J'assure une permanence tous les jours de 16 heures à 20 heures dans cette association, et c'est très enrichissant pour moi !

– Alors vous, Rémy, vous cumulez deux activités à temps complet ! Mais, dites-moi, ce n'est pas trop difficile ?

– Non, ça va ! Il faut dire que je suis pas un adepte des 35 heures : moi, quand je ne fais rien, je suis malheureux ! C'est pour ça que j'ai deux emplois.

– Oui ! Alors, vous êtes cuisinier le jour et gérant d'un night-club la nuit. Et vous arrivez à tout faire, sans problème ?

– Oui, oui. Mais je dois préciser quelque chose : pour être en forme, je n'ai besoin que de trois ou quatre heures de sommeil par nuit !

– Quelle chance ! Beaucoup de gens aimeraient être comme vous, je crois !

PHONIE-GRAPHIE DOSSIER 2

p. 158

Mon voisin est quelqu'un de bien, de sympa et de simple. Les gens viennent la semaine dans l'ancienne cité des citoyens. Il vient demain matin en train avec son chien Firmin, qui aboie pour un rien.

DOSSIER 3

LEÇON 1

2 p. 44

Europe 1, Europe 1.

– Il est 8 h 20, Jean-Pierre Elkabach, vous recevez ce matin les auteurs de « Pas si fous, ces Français », aux éditions du Seuil.

– Ben, en fait je reçois un couple : Julie Barlow et Jean-Benoît Nadeau. Bonjour !

– Bonjour, bonjour.

– De vous deux, qui est canadien ?

– Je suis canadienne, canadienne anglaise.

– Et qui est québécois ?

– Québécois de naissance, oui.

– Oui, ça veut dire que vous êtes tous les deux canadiens, je peux le dire ?

– Oui, oui.

– Oui, et du Québec ?

– Et du Québec.

– Alors sur nous, les Français, vous êtes tous les deux d'accord : personne ne nous comprend, apparemment, mais vous avez peut-être trouvé des clés. Vous avez vécu en France pendant près de 3 ans, chez nous les « indigènes », c'est ça ?

– Oui... on était venus pour rénover des idées. On était envoyés par une fondation américaine qui voulait qu'on étudie les Français. Alors, c'est comme ça que...

– Et qu'est-ce que ça donne alors ? Prenez

Transcriptions des enregistrements

la première page, citez à tour de rôle un des paragraphes. Qui commence ?
– Alors, je peux y aller :
« Imaginez un pays dont les habitants travaillent trente-cinq heures par semaine, ont droit à cinq semaines de congés payés par an, prennent des pauses déjeuner d'une heure et demie, ont une espérance de vie des plus longues malgré une tradition culinaire des plus riches. Un pays dont les habitants adorent faire le marché le matin, le dimanche matin, et bénéficient du meilleur système de santé du monde. Vous êtes en France. »
– Julie.
– « Imaginez un pays dont les citoyens font preuve de si peu de civisme qu'il ne leur vient pas à l'esprit de ramasser les crottes de chien. Où les gens s'attendent à voir l'État s'occuper de tout puisqu'ils paient beaucoup d'impôts. Où le client est servi avec nonchalance, voire impolitesse, où l'État reste très centralisé et interventionniste, où les fonctionnaires représentent un quart de la population. Vous êtes toujours en France. »
– Euh, dites-moi : nous sommes comme ça ?
– Oui, c'est un pays de contradictions...
– De paradoxes.
– De paradoxes : moderne, archaïque, autoritaire et créatif.
– Ouais, aux yeux du monde, nous passons souvent pour des fous, c'est d'ailleurs pour ça qu'on nous aime... Mais quelle est notre principale folie ?

11 p. 46
– Qui est-ce qui connaît une histoire drôle ?
– Nous, nous ! On rentre de Belgique et... je sais pas si vous le saviez, eux aussi ils racontent des blagues, mais sur les Français !
– Ah bon ? C'est vrai ? Raconte !
– Oui, oui ! Par exemple celle-ci : pourquoi les Français racontent-ils des histoires belges ? Parce que ce sont les seules qu'ils sont capables de comprendre !
– Y'a aussi celle de l'autoroute : pourquoi les autoroutes françaises ne sont-elles pas éclairées ? Parce que les Français se prennent tous pour des lumières !
– Et celle-ci, c'est le même genre : comment devenir riche en France ? Acheter un Français au prix qu'il vaut et le revendre au prix qu'il croit valoir...
– Et encore celle-là pour finir : comment tuer un français d'un seul coup ? En tirant une balle vingt centimètres au-dessus de sa tête, en plein dans son complexe de supériorité.
– Bon ! Si je comprends bien, ils prennent leur revanche, les Belges !

Leçon 2

1 p. 48
– Oh là là ! Le pauvre, il n'est pas trop chargé ?
– Mais non ! Il a l'habitude, il peut porter jusqu'à 200 kilos ! Hein, Pompon ?
– Bon, ben, tout le monde est là, je crois qu'on peut y aller.
– Bien, alors, messieurs dames, ce matin, on monte dans la montagne, direction le petit village de Pradelles. Je pense qu'on y arrivera vers une heure.
– Et on pique-nique là-bas ?
– Exactement, on s'arrête là-bas, on va y rester trois quarts d'heure, une heure environ, et on en repartira vers deux heures.
– Et les ânes, ils pique-niquent aussi ?
– Non, non, les ânes, ils vont boire à la fontaine du village, mais ils mangeront seulement en rentrant. Allez, c'est parti !

8 p. 51
1. Les habitants habitent là depuis longtemps. 2. Ils ont des ânes qu'ils louent tous les ans. 3. Les ânes ont cinq ans. 4. Ils mangent en rentrant de randonnée. 5. Ils rentrent en passant devant les restaurants. 6. Ils entendent les gens qui commentent leur vie en prenant des photos.

7. Mais les ânes en s'endormant rêvent qu'ils prennent des photos des gens.

10 p. 51
– Voyage Insolite, bonjour !
– Bonjour ! Je vous appelle pour avoir des renseignements concernant le séjour à Barcelone.
– Oui, je vous écoute.
– La visite de l'atelier du chef a lieu quel jour ?
– Le samedi.
– Est-ce qu'on dîne ensuite dans son restaurant ?
– Ah non, monsieur ! Il s'agit seulement de la visite de son atelier, pendant que le chef y travaille avec son équipe. Le prix inclut la nuit d'hôtel, le petit déjeuner et une visite guidée dans la ville le vendredi après-midi, mais il faut la réserver. La visite de l'atelier du chef coûte 90 €, à réserver aussi. Vous êtes intéressé ?
– Oui, oui. Je voudrais organiser un week-end pour l'anniversaire de mon frère. Encore une question : est-ce que vous faites des réductions pour les groupes ?
– Oui, à partir de dix personnes. Et les enfants paient demi-tarif jusqu'à 10 ans. Vous serez combien ?
– Peut-être sept adultes et cinq enfants. Est-ce qu'il vous reste de la place pour le dernier week-end d'octobre ?
– Oui, il en reste. Si ça vous intéresse, il vaut mieux réserver rapidement...

Leçon 3

6 p. 53
1. On veut une vie plus agréable et plus équilibrée. Il bénéficie du plus important réseau. C'est là qu'on trouve le coût le plus élevé. 2. C'est là qu'il y a le plus de monde, le plus de gens, le plus de divertissements. Il me faut plus de temps, plus de possibilités et plus d'argent. On travaille plus, mais c'est là qu'on gagne le plus. Je veux plus travailler et plus étudier. C'est deux fois plus que les autres. 3. Des loisirs de plus en plus nombreux, une vie plus paisible, le week-end le plus long, le coût le plus lourd, les logements les plus chers.

9 p. 54
1. – Merci d'avoir accepté de témoigner pour notre dossier sur Paris et la province. Je vous rappelle les trois questions qui nous intéressent. Premièrement, pourquoi vous avez choisi d'habiter là ? Deuxièmement, ce qui vous plaît, ce que vous appréciez dans ce lieu, et finalement, ce qui vous déplaît, quels inconvénients vous trouvez.
– En fait, je n'ai pas vraiment choisi, je suis arrivé en Bourgogne à l'âge d'un an, et j'y habite toujours ! Ce que j'aime en province, c'est un état d'esprit qu'on ne retrouve pas à Paris : je suis copain aussi bien avec le maire qu'avec le boulanger du coin. Ce qui me plaît en Bourgogne, ce sont les paysages et tous les produits de la région. Pour votre dernière question, je vois pas ! Aucun inconvénient à vivre ici !
2. – Vous savez, mon cœur et mes origines sont en Bretagne, mais je suis obligé de vivre à Paris. Mes activités professionnelles me font prendre l'avion au moins une fois par semaine, ce que je ne peux pas faire hors de Paris. C'est également beaucoup plus pratique pour mes rendez-vous de travail ! Ce que j'apprécie particulièrement ici, c'est la vie culturelle, les musées, les théâtres... Mais bien sûr, la vie est plus chère qu'en Bretagne... Et ce qui est insupportable, c'est la circulation... Ce qui me manque le plus ? C'est la mer !

PHONIE-GRAPHIE DOSSIER 3

1 p. 158
don – donne – monde – mode – sonde – tombe – sonne – carton – cartonne – bon – bonne – onde – ode – commerce – connu – complexe – forme – fond – conte – cote

2 p. 158
Nous espérons que les traditions complexes

concernant les nourrissons seront comprises de tout le monde.
Une personne connue ne peut pas contribuer au développement du commerce mondial et donner une bonne image de son pays avec cette nonchalance.

3 p. 158
La chambre chez l'habitant coûte cent euros. C'est différent des vacances sous la tente en camping. J'aime la randonnée en Provence sur les sentiers dans la lavande.
En rentrant, en septembre, je me mets au parapente.

DOSSIER 4

LEÇON 1

5. p. 61
– Europe FM, il est midi, le journal.
– Europe midi, Luc Verdier. Bonjour à tous. Au sommaire d'Europe midi...
... le froid polaire arrive ! Le temps change radicalement, les températures baissent considérablement sur tout le pays. Reportage et prévisions météo complètes dès le début de ce journal. Le dollar baisse encore, Washington s'inquiète... À l'étranger toujours : les Chiliens ont élu hier une femme à la présidence. Reportage de notre envoyé spécial dans quelques instants ... Liberté, égalité ! ... Les femmes manifestent aujourd'hui... L'année prochaine, les enfants vont apprendre leurs premières notions d'informatique à l'école primaire... Trop, c'est trop, les artistes sont en colère : on télécharge de plus en plus illégalement. Le ministre de la Culture les recevra aujourd'hui... Le dernier Spielberg est arrivé : son nouveau film sort aujourd'hui dans les salles.

8 p. 62
– Europe FM. Passons maintenant à la suite de Planète Télévision, avec notre rendez-vous quotidien : voici des messages des auditeurs laissés sur notre répondeur hier soir.
– Edmond, de Vichy. Bonsoir, je vous appelle parce que je viens de regarder sur TF1 l'émission « Qui veut gagner des millions ? », je l'avais jamais vue avant. Je sais que ce sont les émissions comme ça qui marchent, ça distrait les spectateurs et puis les millions ça fait rêver tout le monde... mais alors !! Les questions posées sont vraiment nulles ! Et, en fait, c'est l'ignorance des candidats qui me choque le plus. Moi je dis non, non et non, arrêtez ! Arrêtez ce genre d'émission stupide ! Au revoir !
– Sonia, Paris vingtième. Bonjour à tous les auditeurs ! Alors, moi, je voulais dire simplement bravo à la nouvelle téléréalité, programmée sur M6 hier soir. C'est l'originalité de l'émission qui m'a plu, c'est ça que j'aime avant tout. Je me suis bien amusée !
– Bonsoir, c'est Corinne, de Lyon. Écoutez, alors, je suis en train de regarder « 24 heures chrono » sur Canal. Alors, j'ai rien à dire sur la qualité du scénario, c'est bien fait, y'a du suspense, mais moi, c'est la violence de certaines scènes que j'accepte pas. À cette heure de grande audience, je suis pas d'accord, c'est pas un spectacle pour les enfants. Voilà, bon, c'est tout ce que j'avais à dire, bonsoir !

LEÇON 2

4 p. 65
...Et pour finir, une information qui nous vient d'Angleterre : on a volé une voiture ! Mais... il ne s'agit pas d'une voiture ordinaire, c'est une voiture spéciale, celle de Harry Potter dans le deuxième épisode de ses aventures. On la gardait simplement dans un terrain des studios de cinéma de Cornouailles, et on la voyait depuis la route. D'après le porte-parole de la police, ce qui est étrange, c'est que personne n'était entré sur le terrain.

On imagine que les voleurs ont utilisé les machines d'un chantier de construction, ont soulevé la voiture pour la faire passer par-dessus la clôture. Ou bien, peut-être qu'ils savaient comment la faire voler !! Et maintenant, nous passons à la météo de la journée...

10 p. 66

1. – Mon portaaaable ! Ils ont pris mon téléphone ! Au voleuuur ! Arrêtez-les ! Mon portaaaable !

2. – Bien. Donc, vous voulez déposer une plainte ? Alors... nous sommes le... 18 mars. Vous allez m'expliquer exactement comment ça s'est passé, et je vais enregistrer votre déclaration. Alors, vous m'avez dit... il s'agit d'un vol de téléphone mobile, n'est-ce pas ?
– Oui.
– Dites-moi précisément où et quand cela s'est passé.
– Devant la gare, il y a une demi-heure environ... En fait c'était à 18 h 10 exactement, je venais de descendre du train.
– ...devant la gare. Pouvez-vous me raconter les faits exacts ? Avez-vous vu le voleur ?
– Tout s'est passé très vite. J'ai entendu la moto, elle arrivait à toute vitesse derrière moi, ils m'ont arraché mon portable, et... voilà ! Je les ai vus, mais j'ai pas pu les rattraper !
– Vous dites que vous les avez vus, donc, ils étaient deux, n'est-ce pas ? Deux hommes ?
– Bah, c'est difficile à dire, euh... ils portaient un casque, et ça a été très vite... mais la femme que j'ai aperçue, à l'arrière...
– Pourquoi dites-vous que c'était une femme ?
– Eh bien, elle avait des cheveux longs, blonds, qui dépassaient du casque, et puis elle avait l'air petite ...
– Les casques, les vêtements, vous les avez mémorisés ?
– Ah oui ! Elle avait un casque avec des dessins rouges, un blouson noir..., mais le conducteur, je sais pas !
– Bon, il y a déjà eu plusieurs vols à l'arraché dans le quartier, votre description correspond aux témoignages des autres victimes. On va lancer un signalement. Voilà, vous pouvez signer la déclaration.
– Merci... Ah, j'allais oublier ! La moto ! Je l'ai reconnue, parce que j'ai la même : c'était une Honda, une 125CG
– Ah, très bien ! C'est une information précieuse !

LEÇON 3

3 p. 69

– Il est né vendredi, à 1 heure du matin. J'ai pas eu trop mal... Mets ta main sur mon ventre...
(...)
– Bruno, il est où Jimmy ?
– Je l'ai vendu.
– Quoi ? Comment ça, vendu ?
– Oui ! Je l'ai vendu.
– Où est-ce qu'il est ?
– Chez des gens qui vont le placer dans une famille où il sera bien, ...adopté.
– Mais il est où ?
– Je l'ai dit, je l'ai vendu.

5 p. 70

– Enfin, nous y voilà, il fallait bien que ça arrive. Nous allons savoir qui a remporté la Palme d'or du 58e Festival de Cannes...
– Monsieur le Président...
– *L'Enfant*, des frères Dardenne.

8 p. 71

1. Quel film ! 2. Quel film ! 3. Il a eu la Palme d'or ?! 4. Excellent ! 5. Excellent ! 6. Ah ! La musique !
7. Ah ! La musique ! 8. C'est un film que je n'oublierai jamais ! 9. C'est un film que je n'oublierai jamais ! 10. C'est Jérémie Rénier qui joue ?

p. 159

1. Cette phrase, je l'ai dite et répétée pendant des années. 2. Cette veste, je l'avais choisie et je l'avais mise pour sortir ce soir-là. 3. Cette carte, je l'ai trouvée sur la table d'un café et je l'ai mise dans ma poche. 4. Cette lettre, il l'a écrite après son accident. 5. Ma valise, je l'ai faite en un clin d'œil quand j'ai appris que je partais. 6. Mon travail, je l'ai fait en un clin d'œil quand j'ai appris que je partais. 7. Sa voiture, je l'ai conduite très facilement.

DOSSIER 5

LEÇON 1

9 p. 79

a) 1. l'art – un artiste – il arrive – rap – il attrape.
2. l'heure – leur CD – heureux – reviens ! – premier.
3. l'amour – pourquoi – vous pourrez – rouge – un groupe.
4. dire – dire non – il sourit – ris ! – il crie.
5. sur – surtout – sur elle – rue Blanche – ils ont cru.
6. *Première Récolte* et *Résistances* sont les deux premiers titres de ce groupe grenoblois. 7. C'est l'histoire d'un artiste de trente ans qui raconte ses dernières victoires un soir sur un trottoir.

b) 1. a) Ils pourraient les aider. b) Ils pouvaient les aider. 2. a) On devrait y aller. b) On devait y aller. 3. a) J'aimais écrire. b) J'aimerais écrire. 4. a) Nous pouvions le dire. b) Nous pourrions le dire. 5. a) Je voudrais trouver. b) Je voulais trouver. 6. a) On pouvait partir. b) On pourrait partir.

LEÇON 2

5 p. 81

– Quand j'ai pris ma retraite l'année dernière, j'ai décidé de faire du bénévolat dans une association, pour être utile et aider des gens. Quand je suis arrivé à l'association, j'ai compris qu'il fallait l'action de vrais professionnels pour répondre à des problèmes comme faire venir l'eau, réparer des routes pour faire passer les camions de nourriture, etc. Alors, j'ai proposé de m'occuper d'une lettre d'information. Depuis février, je diffuse chaque mois pour que toutes les personnes de l'organisation soient régulièrement informées. C'est ma manière à moi de me rendre utile.

LEÇON 3

4 p. 85

Le livre dont je veux vous parler ce soir est un formidable récit de voyage. (...) Dans ce livre, l'auteur raconte un voyage avec sa femme et ses trois enfants. Mais ce n'est pas qu'une suite de visites et d'anecdotes, car pendant un an, le narrateur part à la recherche de lui-même. C'est pourquoi ce livre est plus qu'un simple récit, c'est surtout l'histoire d'une découverte. Et puis, comme tout n'est pas simple dans cette aventure, il y a des moments de crise. On s'identifie donc facilement à ces personnes. Ce sont des êtres qui nous ressemblent, alors on se dit que s'ils ont réussi, nous aussi, on peut le faire. C'est pourquoi j'ai choisi de vous présenter ce livre ce soir.

12 p. 87

– Oh, je ne suis pas du tout de votre avis ! Où est l'aventure dans ce livre ? Selon moi, l'auteur raconte juste des vacances en famille ! Bien sûr, c'est plein de bons sentiments, mais je trouve que l'ensemble manque de dynamisme !
Alors que Nicolas Vanier, au contraire ! ... Partir dans le Grand Nord avec un enfant de deux ans, ça c'est original !
– Mais je ne suis pas d'accord avec vous ! C'est peut-être original, oui, mais..., à mon avis, un sujet, même original, ça ne suffit pas pour faire un bon livre, parce qu'il faut juger l'écriture aussi. C'est pour cette raison que je choisis sans hésiter *Un tour du monde en famille*. Là, il y a un réel talent d'écrivain !

3 p. 88 Carnet de voyage

1.– Si vous étiez une couleur ?
– Moi, si j'étais une couleur, oh ! ce serait le jaune, parce que le jaune symbolise la joie.
– Si vous étiez une pièce de la maison ?
– Euh... le salon, avec un coin bibliothèque...
– ...un paysage ?
– Ce serait la campagne, avec plein d'arbres et de jolis petits villages...
– ...un animal ?
– Un chat, évidemment !
– ...un vêtement ?
– Oh ! Je sais pas... Un vêtement de luxe, un manteau de grand couturier, par exemple.
– Un élément de la nature ?
– L'air, bien sûr, parce que je suis du signe des Gémeaux, un signe d'air...
– Et si vous étiez un sentiment ?
– La joie.
– Et un objet ?
– Un vase, avec des fleurs.
2.– Si tu étais une couleur ?
– Ce serait le bleu, euh, le turquoise.
– ...une pièce de la maison ?
– Oh, la cuisine ! J'adore manger.
– Si tu étais un paysage ?
– Un coucher de soleil, au bord de la mer.
– Si tu étais un animal ?
– Je serais un ours blanc.
– ...et un vêtement ?
– Un maillot de bain !
– Un élément de la nature ?
– Le feu.
– Si tu étais un sentiment ?
– La gratitude.
– Et si tu étais un objet ?
– Une brosse à dents.
– Ah bon ? Pourquoi ?
– Ben, j'sais pas, moi !

1 p. 159

1. Le titre de cet article consacré à ce groupe grenoblois a été remplacé par un autre après la lettre du directeur de la publication. 2. Ces interprètes francophones offrent une création libre en changeant l'ordre des couplets et des refrains. 3. Il devrait vraiment profiter de sa retraite pour encadrer des projets contre la pauvreté ou pour protéger la planète.

DOSSIER 6

LEÇON 1

2 p. 93

1. – Je suis venu en France avec une bourse d'études. Au début, j'étais content d'être là, j'étais amoureux... et j'avais un projet : écrire un roman. Mais au bout de quelques mois, j'ai senti que quelque chose n'allait pas. C'est alors que je suis allé voir Joëlle. Au fur et à mesure, j'ai compris que ma créativité viendrait avec le sentiment de liberté et de bien-être. Oser..., il me fallait oser. Finalement, je suis toujours en France. J'ai publié un livre et j'en écris un deuxième !

2. – Au départ, j'étais responsable dans une grande entreprise, je travaillais dix heures par jour. Mais je ne me trouvais pas assez performante !... J'étais tout le temps stressée. C'est à ce moment-là que je suis allée voir Joëlle. Et... surprise ! Petit à petit, avec la relaxation, j'ai appris à me détendre et... j'ai eu envie de changer de vie. J'ai monté un projet, celui d'ouvrir un spa. Aujourd'hui, je me sens bien et je suis heureuse d'aider les personnes à se détendre.

LEÇON 2

2 p. 96

– Devine qui j'ai vu ce matin ?
– Je sais pas, moi..., qui ?

– Frédérique, ta cousine !
– Et alors ?
– Je l'ai rencontrée devant la caserne des pompiers..., en uniforme !
– En uniforme ? De quoi ?
– De pompier !
– Mais... elle est prof, non ?
– Ben oui justement, elle est toujours prof !... C'est pour ça, je lui ai demandé ce qu'elle faisait dans cette tenue, si c'était un déguisement ! Alors elle m'a expliqué qu'elle en rêvait depuis longtemps, qu'elle avait suivi une formation de huit mois et qu'elle était pompier volontaire depuis une semaine !
– Mais y'a des femmes pompiers ?
– Ben, tu vois ! Je lui ai dit que t'allais pas me croire ! Alors, elle a dit qu'elle nous enverrait une photo par mél.

6 p. 97
1. – Regardez, madame, c'est une fille ! Félicitations !
2. – Mesdames, Messieurs, bonjour. Bienvenue à bord, je suis Sophie Bujon, votre commandant de bord, voici quelques informations sur notre vol Paris-Madrid.
3. – Vous me faites le plein ? Est-ce qu'il y a un parking réservé pour les camions ?

10 p. 99
b) 1. J'ai envie d'arrêter ! 2. En plus, je suis une des plus âgées ! 3. Mais, je l'ai voulu, faut qu(e) je tienne ! 4. En plus, je suis une des plus âgées !
5. Mais, je l'ai voulu, faut qu(e) je tienne !
6. Physiquement et moralement ! 7. J'ai envie d'arrêter ! 8. Physiquement et moralement !

LEÇON 3

1 p. 100
(...) Benjamin, bonjour, c'est à vous !
– Alors, moi, figurez-vous que j'étais sur le quai de la gare de Lyon-Pardieu un lundi matin, furieux parce que je venais de rater mon train et que j'allais être en retard à mon rendez-vous à Paris. Donc, c'est de très mauvaise humeur que je monte dans le TGV suivant, où je m'assois à côté d'une jeune femme...
– Ah là là ! Je devine une rencontre intéressante !
– Oui, en fait, je l'ai invitée à dîner le soir, je suis resté un jour de plus à Paris, et... à l'heure où je vous parle, nous sommes mariés !
– C'est incroyable, hein ! Alors si vous étiez arrivé deux minutes plus tôt, vous auriez eu votre train et vous n'auriez pas rencontré cette personne !
– Exactement ! Si je n'avais pas, par chance, raté mon train, nous ne serions pas mari et femme maintenant.
– Merci pour cette belle histoire, Benjamin et au revoir !
– Au revoir !

7 p. 102
– « J'aurais voulu être un artiste/pour pouvoir faire mon numéro/Quand l'avion se pose sur la piste/La la la... J'aurais voulu être un chanteur... »
– Ah bon ? Tu aurais voulu être un chanteur ?
– Bien sûr ! J'aurais bien aimé être un homme célèbre... et riche ! J'aurais eu une vie passionnante !
– Et moi donc ! J'aurais aimé épouser un homme riche !
– Sympa !
– Ben oui ! J'aurais pu voyager en première classe dans les avions, descendre dans des palaces, m'offrir des bijoux et des robes de haute couture, la vraie vie, tu vois quoi...
– Arrête... tu sais bien que les regrets, ça sert à rien !

9 p. 103
1. Si je n'avais pas su, je n's'rais pas v'nu à cette super fête ! 2. Si j't'avais vu, j't'aurais dit !
3. Si j'avais pu, j'aurais fini ! 4. Si je n'avais pas lavé ce pantalon, je n'les aurais jamais retrouvés !
5. Si personne ne m'avait cru, on n's'rait pas ici !
6. Si tu n'm'avais pas dit ça, je s'rais pas partie avec toi !

7. Si j'l'avais mieux regardé, je n'l'aurais pas ach'té !
8. Si ça avait été possible, j'aurais tant aimé qu'vous veniez !

PHONIE-GRAPHIE DOSSIER 6

1 p. 159
1. Elles expriment. – 2. D'autres expriment. – 3. On aime. – 4. Redonne à ta vie. – 5. Au fur et à mesure. – 6. Et au fil des séances. – 7. Face à leur quotidien. – 8. J'ai eu envie. – 9. Avoir envie. – 10. J'en ai besoin. – 11. Un enfant. – 12. Je les aide. – 13. Je suis heureux. – 14. Toujours en France. – 15. Son envie. – 16. Leurs envies. – 17. Tu peux avancer. – 18. La même année. – 19. Tour à tour. – 20. Tout est là. – 21. Être heureux. – 22. Je suis allée. – 23. C'est une fatalité. – 24. Trois ans.

2 p. 160
– J'avais rendez-vous sur le quai. Je venais de rater le T.G.V. Deux messieurs se sont adressés à moi, j'aurais dû être étonné, mais je les ai écoutés. J'allais passer sur le quai quand ils m'ont entraîné vers l'entrée d'un café. Nous avons parlé des affaires de la société.
– Et après ?
– Je ne sais plus, je me suis réveillé !

DOSSIER 7

LEÇON 1

9 p. 111
a) que j'aie – que tu ailles – qu'il ait – que nous allions – que vous alliez – qu'ils aient
b) 1. Je crois qu'ils veulent ça. 2. Je doute qu'ils veuillent ça. 3. Je ne crois pas qu'il le sachent. 4. Je suis sûre qu'ils le savent. 5. Je ne crois pas qu'ils aient ça. 6. Je ne crois pas qu'ils aillent là. 7. Je crois pas que nous ayons ça. 8. Je ne pense pas que nous allions là.

LEÇON 2

1 p. 112
Lire en fête, c'est la fête du livre en français. À la croisée des littératures européennes, franchir la porte des librairies animées en nocturne, suivre les itinéraires découverte du livre de science, voyager sur Internet, savourer les lectures et rencontres gourmandes...
4 000 manifestations en France et à travers le monde, du 14 au 16 octobre 2005. C'est la 17e édition de Lire en fête !

4 p. 113
– Encore un nouveau livre ! Mais t'en lis combien par mois ?
– Oh ! ça dépend, mais en moyenne deux ou trois. Moi, tu sais, dès que j'ai su lire, les livres, c'est devenu ma passion. Pas toi ?
– Si, moi aussi, j'aime bien lire, mais je n'ai plus beaucoup de temps depuis que j'ai des enfants, je dois en lire quatre ou cinq par an, pas plus. Et surtout pendant les vacances.
– Ah ! moi, en vacances ou pas, je lis tout le temps, n'importe où, n'importe quand : dans le métro, chez le dentiste, en faisant la queue à la poste même ! Et puis le soir dans mon lit aussi.
– Et comment tu fais, toi, pour choisir un livre ?
– Oh, c'est plutôt les premières pages qui décident si je vais le lire ou non...
– Ah bon, tu rentres tout de suite dans la lecture ? Moi, c'est plus hésitant, je regarde la première et la dernière page, je lis la 4e de couverture, je feuillette jusqu'à ce qu'un passage retienne mon attention et si ça me plaît, je l'achète. Au fait, il est bien, ton bouquin ?

7 p. 114
– Eh Karine, fais voir, ta BD : Astérix ! Je l'ai pas encore lue ! Tu peux me la prêter ?

– Ah non, je peux pas, elle est pas à moi, on me l'a prêtée.
– Oh ! juste une journée... allez, sois gentille.
– Non, c'est pas possible. Je t'explique : en fait, je l'ai empruntée à la bibliothèque et je dois la rendre jeudi.
– Eh bien, ça marche ! On est mardi, tu me la passes aujourd'hui et je te la rends demain soir. Comme ça, tu ne la rendras pas en retard.
– Ça m'ennuie vraiment. Tu comprends, si tu la perds ou si tu l'abîmes...
– Allez ! Sois sympa.
– Bon, ben d'accord, Barbara, mais fais-y attention et rends-la-moi demain sans faute.
– D'accord, je te le promets. Merci !

10 p. 115
a) Ce CD, tu peux m'le prêter ? Je n'l'ai pas encore écouté. Tu m'le prêtes ?
Tu m'le passes et j't'e l'rends demain. J't'e l'promets.
Si tu n'me l'rends pas, je s'rai embêté parce qu'on m'l'a prêtée.
b) J't'e l'rends
J't'e l'promets
Si tu n'me l'rends pas...

LEÇON 3

9 p. 118
– Dis-moi chéri, j'ai presque fini ma liste, qui on pourrait inviter encore ? les Garcia ?
– (...)
– Hein, les Garcia ?
– (...)
– Ben réponds !
– Tu vois pas que je suis en train de conduire ! Je dois me concentrer, avec cette circulation !
– Oui d'accord mais tu pourrais me répondre, c'est pas compliqué de conduire et parler en même temps !
– Non, je te dis ! Tu veux qu'on ait un accident ?
– Bon, bon, bon !
– Regarde la carte et dis-moi quelle direction il faut prendre pour Rouen.
– (...)
– Alors, ça vient ?
– Mais je vois pas, on est où là ? J'y comprends rien, à cette carte.
– Oh là là ! Mais je rêve !
– Arrête de me parler sur ce ton ! Regarde toi-même, si t'es pas content !

11 p. 119
a) 1. Comment tu fais pour télécharger ce document ?
2. Quelle direction il faut prendre pour Rouen ?
3. Tu pourrais m'apporter mon café, s'il te plaît ?
b) 1. Comment tu fais pour télécharger ce document ?
2. Quelle direction il faut prendre pour Rouen ?
3. Tu pourrais m'apporter mon café, s'il te plaît ?

PHONIE-GRAPHIE DOSSIER 7

p. 160
1. Tu crois qu'on est où ? 2. Je ne crois pas qu'on ait le droit. 3. Je crois que j'ai de la chance ! 4. Tu ne veux pas que j'aie de la chance ? 5. Elle veut qu'on aille la voir.
6. Alors il faut que j'aille là-bas ! 7. Je doute que vous alliez là-bas seulement pour le voir ! 8. Je ne crois pas que vous ayez le temps ! 9. Il faut que nous ayons assez d'argent ! 10. Je doute que nous allions en vacances cette année. 11. Je ne crois pas qu'il veuille le faire. 12. Je ne crois pas que les enfants veuillent venir. 13. Les enfants, je ne crois pas que vous vouliez venir, non ? 14. Si ! Ils veulent venir !

LEÇON 1

5 p. 125

La cigarette à nouveau dans l'actualité. Une manifestation organisée par le collectif départemental antitabac, réunissant une centaine de personnes, a eu lieu aujourd'hui devant le bureau du député européen chargé de la Santé. Ces manifestants affirment qu'ils subissent la fumée au restaurant, la loi sur les espaces non-fumeurs n'étant pas souvent respectée. Ils deviennent ainsi des fumeurs passifs. Estimant que leur santé est menacée, ils demandent le vote d'une loi interdisant totalement de fumer dans les espaces publics fermés, comme en Irlande et en Italie.

9 p. 126

1.- C'est infernal ! C'est plus possible de vivre comme ça, on va devenir fou !
2.- C'est pas bientôt fini votre musique de sauvages ! Je vais appeler la police, moi !
3.- Oh ! c'est vraiment pénible, ces téléphones portables !

14 p. 127

1. Oh ! C'est vraiment pénible ! 2. C'est infernal !
3. C'est plus possible ! 4. On va devenir fou !
5. Ça m'énerve !
6. Ça commence à me fatiguer !

LEÇON 2

6 p. 129

1. - C'est dingue ça ! Il ne se rend pas compte ! Il est fou ou quoi !
- Monsieur, descendez du vélo ! Vous savez qu'il est interdit de rouler à vélo sur les trottoirs ? Vous avez failli provoquer un accident ! Vous vous rendez compte que vous auriez pu renverser cet enfant ! Vous savez que vous pouvez avoir une amende ?
2. - Oh ! Là-haut, ça va pas non ! Y'a des cendriers pour ça ! Ça aurait pu me tomber sur la tête ! Vous auriez pu me brûler avec votre cigarette !
3. - Tu as vu ! Il a du culot celui-là, il choisit comme chez le fleuriste ! Et sa copine qui dit rien ! Ils sont gonflés, ces deux-là !
- Oui, si c'est pas malheureux de voir ça ! C'est vraiment scandaleux ! Enfin, monsieur, vous exagérez ! Mais imaginez, si tout le monde faisait comme vous !

8 p. 129

1. Mais il est fou ! Complètement fou !
2. C'est scandaleux ! Absolument scandaleux !
3. C'est incroyable ! Vraiment incroyable !
4. C'est interdit ! Formellement interdit !

11 p. 130

- Trafic aérien bloqué : ce matin, aucun avion ne décolle de l'aéroport Charles de Gaulle à cause des conditions météo.
- Nouvelle journée de grève dans les transports en commun. Les voyageurs vont devoir s'organiser.
- Manifestations dans toutes les villes de France pour le maintien du pouvoir d'achat. Des embouteillages importants sont à prévoir.
- Grosses perturbations ce matin sur l'autoroute A1, suite aux chutes de neige.

14 p. 130

a) 1.Tu aurais dû nous prévenir !
2. Vous auriez pu prendre le métro plutôt qu'un taxi !
3. Tu aurais dû demander le prix avant de l'acheter !
4. Il aurait fallu prendre moins de choses !
5. Il fallait regarder l'heure !
b) 1. Un ami heureux, c'est mieux.
2. La pie est au pied de l'arbre.
3. À mon avis, on est en avion.
4. Elle rit un peu pour rien.
5. Je vis un rêve, viens !
6. Dis à Laure le dialogue.

LEÇON 3

7 p. 134

Techno Parade à Paris. Le 10 septembre à partir de midi. À la Bastille. Recyclez vos oreilles !

11 p. 135

1. Bien sûr, je suis pour ! 2. Oui, j'y suis favorable.
3. Je tiens à apporter mon soutien. 4. Vous vous rendez pas compte !
5. Moi, je suis radicalement contre ! 6. Vous exagérez !

1 p. 160

Une manifestation réunissant une centaine de citoyens parisiens a eu lieu aujourd'hui devant le bureau du député européen, organisée par le collectif départemental antitabac. Ils affirment qu'ils subissent les cigarettes des fumeurs au restaurant, la loi sur les espaces non-fumeurs n'étant pas bien respectée. Estimant que leur santé est menacée au quotidien, ils demandent le vote d'une loi interdisant totalement de fumer dans les espaces publics fermés, comme l'Irlande et l'Italie.

LEÇON 1

6 p. 141

1. - Tu sais quoi ? Hier soir, j'ai chatté pendant une heure avec un type hyper sympa !
- Un mec du lycée ?
- Non, non, je n'le connais pas, mais il m'a donné rendez-vous pour cet aprèm à cinq heures.
- Mais, Pauline, tes parents, ils le savent ?
- Ben non ! Ils croient que je chatte seulement avec toi et Léa !
2. - T'en fais une tête, Jonathan !
- Oui, j'suis crevé, hier soir je suis encore resté connecté jusqu'à trois heures du mat', il y avait un méga jeu de rôle.
- Et ta mère, elle dit rien ?
- Ben non, elle dort à cette heure-là et puis, de toute façon, elle rentre jamais dans ma chambre, alors...

11 p. 143

1.- Mais c'est quoi, ces 7 250 euros débités sur mon compte ! J'ai jamais payé une somme pareille !
2.- Regarde, c'est incroyable ! C'est le 3e message d'une agence immobilière ! Mais comment ils peuvent savoir qu'on veut vendre l'appartement ?
3. - J'en ai assez ! Depuis que j'ai dit sur un forum que j'étais contre l'interdiction de fumer dans les lieux publics, je n'arrête pas de recevoir des messages d'une association de non-fumeurs !

12 p. 143

1. Mais qu'est-ce que c'est que ça ? 2. J'ai jamais fait une chose pareille ! 3. J'ai jamais vu ça ! 4. C'est la première fois que j'entends ça ! 5. C'est incroyable ! 6. Mais comment c'est possible ?

LEÇON 2

3 p. 145

- Bonjour.
- Bonjour.
- Je dois changer de téléphone, je voudrais des renseignements.
- Lequel voulez-vous voir? Il y a un portable auquel vous pensez en particulier ?
- Oui, j'ai un peu regardé, mais je sais pas trop, je suis un peu perdue, en fait...
- Tout dépend des fonctions auxquelles vous vous intéressez.
- Ben... Je voudrais un portable avec lequel je peux prendre et envoyer des photos, et sur lequel je peux télécharger de la musique.
- Alors, pour les photos, presque tous les modèles le font maintenant, et pour la musique, vous avez ceux-là.
- D'accord ! Lesquels sont les moins chers ?
- Ces trois modèles, de 50 à 70 €.
- Ah oui, c'est encore assez cher !

- Et il y a aussi tous ces modèles sur lesquels vous pouvez recevoir la télé.
- Ah oui, mais ça, ça ne m'intéresse pas trop. En revanche, est-ce que vous avez des portables grâce auxquels on peut voir la personne avec qui on parle ? J'en ai entendu parler et...
- Oui, on a seulement un modèle qui offre cette possibilité, mais c'est le plus cher.

6 p. 145

1. Oui, j'ai un peu regardé... 2. Oui, il paraît très bien... 3. Il y a trop de possibilités. 4. Je vais le prendre. 5. Oui, c'est très bien. 6. Entre toutes les possibilités... 7. Je vais réfléchir... 8. Oui, j'ai tout regardé.

7 p. 145

Approchez, approchez, mesdames, messieurs ! La toute dernière invention pour le bureau ! Vous en avez assez de boire du café froid au bureau ? Voici le chauffe-tasse à connexion USB grâce auquel vous boirez toujours votre café chaud !

9 p. 146

- Ma petite fille n'arrête pas d'en parler : « Je vais le mettre à jour, je vais l'enrichir... » Moi, j'ai du mal à suivre avec toutes ces nouveautés ! Et la vôtre aussi, elle en a un ?
- Naturellement ! Elle a le sien depuis six mois et elle y passe des heures !
- Et vous savez, l'autre jour, elle m'a montré celui d'un ministre !
- Ah bon ! Même les personnalités politiques ont le leur ?
- Oui, il paraît. Et plein de « people » aussi !
- Ah ! C'est vraiment un phénomène, ces blogs !

13 p. 147

- Nous avons une auditrice en ligne : Pascale, de Lille. Bonjour, je vous écoute.
- Bonjour, je voudrais savoir ce qu'est exactement un blog.
- Ma question, c'est : est-ce que c'est difficile de créer son blog ?
- Voilà ma question : est-ce que les blogs, c'est seulement pour les jeunes ?
- Ma question, c'est : est-ce qu'on peut mettre des vidéos sur son blog ?
- Moi, je suis curieux de savoir ce qui amène les gens à créer un blog.
- Bon alors, voilà : est-ce que c'est un phénomène mondial ?

LEÇON 3

5 p. 149

Pour notre chronique « La sortie de ce soir ! », nous vous suggérons, à l'occasion du Printemps des poètes, de passer une soirée au Club des poètes. Tous les soirs, excepté le dimanche, à partir de 20 heures, on peut y dîner ou prendre un verre dans une ambiance conviviale en feuilletant des recueils de poèmes ou en bavardant avec ses voisins de table. À 22 heures, les lumières s'éteignent, et la poésie s'allume. La troupe du Club des poètes dit et chante alors les poètes de tous les temps et de tous les pays. Le dîner-spectacle est à 20 euros, et pour un simple verre, vous...

p. 161

1. - Tu connais cette photo ? - Oui, je crois qu'elle a été prise l'année dernière. 2. - Pour quels projets demandez-vous ces renseignements ? 3. - Pardon, monsieur, pourriez-vous me dire à quel numéro je peux joindre le service après-vente, s'il vous plaît ? 4. - Quelle fonction privilégiez-vous ? Envoyer des photos, enregistrer de la musique ? Tout est possible avec ces modèles-là. 5. - Je voudrais qu'elles m'envoient des photos quand elles sont ensemble ! 6. - Vous me conseillez quelles possibilités ? Ces trois-là ? D'accord !

Lexique multilingue

Dossier 1, Leçon 1

A afin de, loc.	in order to	con el fin de	um	a fim de	προκειμένου να
antipathique, adj.	unpleasant	antipático(a)	antipathisch	antipático	αντιπαθητικός
apprécier, v.	to like	apreciar	einschätzen	apreciar	εκιμώ
autorité, n.f.	authority	autoridad	Autorität	autoridade	αυταρχικότητα
B brillant(e), adj.	bright	brillante	brillant	brilhante	άριστος, λαμπρός
C compétent(e), adj.	competent	competente	kompetent	competente	αρμόδιος
complice, adj.	to be (a) party to sth	cómplice	Komplize	cúmplice	συνένοχος
confier(se), v. pron.	to confide in someone	hablar con confianza	sich anvertrauen	fiar-se	εκμυστηρεύομαι
curiosité, n.f.	curiosity	curiosidad	Neugier	curiosidade	περιέργεια
D défaut, n.m.	default	defecto	Fehler	defeito	μειονέκτημα
discrétion, n.f.	discretion	discreción	Diskretion	discrição	διακριτικότητα
disponibilité, n.f.	availability	disponibilidad	Verfügbarkeit	disponibilidade	διαθεσιμότητα
E égoïsme, n.m.	selfishness	egoísmo	Egoismus	egoísmo	πλεονεξία
envie, n.f.	desire	deseo	Lust	desejo	επιθυμία
existence, n.f.	existance	existencia	Existenz	existência	ύπαρξη
expansif, expansive, adj.	out-going	expansivo(a)	offenherzig	expansivo, expansiva	διαχυτικός, ή
F fidélité, n.f.	faithfulness	fidelidad	Treue	fidelidade	πίστη
fier, fière, adj.	proud	orgulloso(a)	stolz	orgulhoso, orgulhosa	περήφανος, η
fil de (au), loc.	as	curso de (en el)	nach und nach	ao longo de	κατά
franc, franche, adj.	frank	franco(a)	offen	franco, franca	ειλικρινής
franchise, n.f.	frankness	franqueza	Offenheit	franqueza	ειλικρίνεια
froid(e), adj.	cold	frío(a)	kalt	frio(a)	ψυχρός, ή
futile, adj.	trivial	fútil	belanglos	fútil	ασήματος, η
G générosité, n.f.	generosity	generosidad	Grosszügigkeit	generosidade	γενναιδωρία
grâce à, loc. prép.	thanks to	gracias a	durch	graças a	χάρη σε
H hommage, n.m.	homage	homenaje	Hommage	homenagem	τιμή
humour, n.m.	humour	humor	Humor	humor	χιούμορ
hypocrite, adj.	hypocrit	hipócrita	Heuchler	hipócrita	υποκριτής, υποκρίτρια
I illuminer, v.	to brighten up	illuminar	erhellen	iluminar	φωτίζω
impatience, n.f.	impatience	impaciencia	Ungeduld	impaciência	ανυπομονησία
indifférence, n.m.	indifference	indiferencia	Gleichgültigkeit	indiferença	αδιαφορία
intimidant(e), adj.	intimidating	que intimida	einschüchternd	intimidante	φοβερός
J jalousie, n.f.	jealousy	celos	Eifersucht	ciúme	ζήλεια
M malhonnêté, n.f.	dishonest	deshonestidad	Unehrlichkeit	descortesia	ατιμία
manquer, v.	to miss	echar de menos	fehlen	faltar	λείπω
méchanceté, n.f.	nastiness	maldad	Bösartigkeit	maldade	κακία
mél, n.m.	e-mail	e-mail	E-Mail	e-mail	ηλεκτρονικό μήνυμα
modestie, n. f.	modesty	modestia	Bescheidenheit	modéstia	σεμνότητα
mourir, v.	to die	morir	sterben	morrer	πεθαίνω
N naître, v.	to be born	nacer	geboren werden	nascer	γεννιέμαι
P partager, v.	to share	compartir	teilen	partilhar	μοιράζω
patience, n.f.	patience	paciencia	Geduld	paciência	υπομονή
peine, n.f.	sorrow	pena	Schmerz	pena	πόνος, κόπος
priorité (en), loc.	as a matter of priority	prioridad (en)	Priorität	prioritariamente	προτεραιότητα
R répondeur, n.m.	answerphone	contestador	Beantworter	atendedor	τηλεφωνητής
résister, v.	to withstand	sobrevivir, resistir	widerstehen	resistir	αντιστέκομαι
rêve, n.m.	dream	sueño	Traum	sonho	όνειρο
S secret, n.m.	secret	secreto	Geheimnis	segredo	μυστικό
semblable, adj.	similar	parecido(a)	ähnlich	similar	παρόμοιος, α
sincérité, n.f.	sincerity	sinceridad	Ehrlichkeit	sinceridade	ειλικρίνεια
souvent, adv.	often	a menudo	oft	frequentemente	συχνά
sympathiser, v.	to get on	simpatizar	sympathisieren	simpatizar	τρέφω συμπάθεια
T tolérance, n.f.	tolerance	tolerancia	Toleranz	tolerancia	ανοχή
tomber, v.	to fall	caer	fallen	cair	πέφτω
trahir, v.	to betray	traicionar	verraten	trair, atraiçoar	προδίδω
V vérifier, v.	to verify	verificar	überprüfen	verificar	επαληθεύω

Dossier 1, Leçon 2

A aménager, v.	to plan	arreglar	gestalten	arranjar	διαμορφώνω
arroser, v.	to water	regar	giessen	regar	ποτίζω
B briller, v.	to shine	brillar	glänzen	brilhar	γυαλίζω
bruyant(e), adj.	noisy	ruidoso(a)	laut	estridente	θορυβώδης
C cage (d'escalier), n.f.	(stair) well	hueco (de la escalera)	(Treppen-)haus	vão (de escada)	κλιμακοστάσιο
concierge, n.	manager of an appartment building	portero(a)	Hausmeister	porteiro	θυρωρός
convivialité, n.f.	friendliness	convivencia (buena)	Gesellikgeit	convívio	συντροφικότητα
copropriétaire, n.m.	coownership	copropietario(a)	Miteigentum	co-proprietário	συνιδιοκτήτης
crémaillère, n.m.	house warming party	inauguración	Richtkranz	inauguração de casa	οδοντωτός σιδηρόδρομος
E échange, n.m.	exchange	intercambio	Austausch	troca	ανταλλαγή
F finalement, adv.	finally	finalmente	schliesslich	finalmente	τελικά
fleurir, v.	to bloom	florecer	blühen	florir	ανθώ
fuite, n.f.	escape	escape	Leck	fuga	διαρροή
G gardien, gardienne, n.	guard	conserje	Hausmeister, Hausmeisterin	vigilante	ο, η φύλακας
I immeuble, n.m.	building	edificio	Gebäude	imóvel	κτίριο
initiative, n.f.	initiative	iniciativa	Initiative	iniciativa	πρωτοβουλία
M municipalité, n.f.	municipality	municipalidad	Gemeinde	município	περιφέρεια
P parmi, prép.	amongst	entre	unter	entre	ανάμεσα
parquet, n.m.	woodfloor	parqué	Parkett	soalho	παρκέ
poubelle, n.f.	bin	basura	Mülltonne	caixote do lixo	σκουπίδια
R recette, n.f.	recipe	receta	Rezept	receita	συνταγή
résident(e), n.	resident	residente	Resident	residente	κάτοικος
rosier, n.m.	rose bush	rosal	Rosenstrauch	roseira	τριανταφυλλιά
S sous-sol, n.m.	basement	sótano	Untergeschoss	cave	υπόγειο
superficiel(le), adj.	superficial	superficial	oberflächlich	superficial	επιφανειακός, ή
supporter, v.	to bear	soportar	ertragen	suportar	αντέχω
surveillance, n.f.	watch	vigilancia	Überwachung	supervisionamento	επίβλεψη
surveiller, v.	to watch	vigilar	überwachen	vigiar	επιβλέπω
V village, n.m.	village	pueblo	Dorf	aldeia	χωριό
voisinage, n.m.	neighbourhood	vecindario, entorno	Nachbarschaft	vizinhança	γειτονιά

Dossier 1, Leçon 3

	French	English	Spanish	German	Portuguese	Greek
A	addition, n.f.	bill	cuenta	Rechnung	conta	λογαριασμός
	autochtone, n.	autochtonous	autóctono(a)	Eingeborener	autóctone	αυτόχθονας
B	baguette, n.f.	baguette	baguette	Stab	vara	ψωμί
	boulangerie, n.f.	bakery	panadería	Bäckerei	padaria	αρτοποιείο
	briquet, n.m.	lighter	encendedor	Feuerzeug	isqueiro	αναπτήρας
C	cérémonie, n.f.	ceremony	ceremonia	Zeremonie	cerimónia	τελετή
	compagnon, n.m.	companion	cónyuge	Begleiter	companheiro	σύντροφος
	contiguïté, n.f.	proximity	contigüidad	Aneinandergrenzen	contiguidade	εγγύτητα
	couloir, n.m.	corridor	pasillo	Gang	corredor	διάδρομος
	craquer, v.	to fall for	resistir a (no)	eingenommen sein	aguentar (não)	ερωτεύομαι
D	décharge, n.f.	shock	descarga	Schlag	descarga	ηλεκτρική εκκένωση
	dédicace, n.f.	dedication	dedicatoria	Widmung	dedicatória	αφιέτωση
E	électrisé(e), adj.	electrified	electrizado(a)	elektrisiert	entusiasmado(a)	ηλεκτρισμένος
F	follement, adv.	madly	locamente	verrückt	loucamente	τρελά
	foudre (coup de), exp.	love at first sight	enamorarse	Liebe auf den ersten Blick	paixão súbita	κεραυνοβόλος έρωτας
	frôler, v.	to brush against	rozar	streifen	roçar	ακουμπάω
P	précipiter (se), v. pron.	to throw os	precipitarse	sich beeilen	precipitar-se	ορμώ
	prévoir, v.	to anticipate	prever	vorsehen	prever	προβλέπω
R	représentation, n.f.	criticism	función	Vorstellung	representação	παράσταση
	rôle, n.m.	role	papel	Rolle	papel	ρόλος
S	silhouette, n.f.	silhouette	silueta	Silhouette	silhueta	μορφή
T	tournage, n.m.	shooting	rodaje	Dreh	realização	γύρισμα ταινίας

Dossier 2, Leçon 1

	French	English	Spanish	German	Portuguese	Greek
A	adaptation, n.f.	adaptation	adaptación	Adaptation	adaptação	προσαρμογή
	animateur, animatrice, n.	presenter	organizador(a)	Moderator, Moderatorin	animador, animadora	υπεύθυνος,η ψυχαγωγίας
	annonce, n.f.	announcement	anuncio	Anzeige	anúncio	αγγελία
C	candidature, n.f.	candidacy	candidatura	Kandidatur	candidatura	υποψηφιότητα
	charge, n.f.	contributions	carga	Abgabe	encargo	επιβάρυνση
	courriel, n.m.	e-mail	correo electrónico	E-Mail	correio electrónico	ηλεκτρονικό μήνυμα
E	employé(e), n.	employee	empleado(a)	Arbeitnehmer	empregado(a)	εργαζόμενος
	employeur, employeuse, n.	employer	empleador	Arbeitgeber, Arbeitgeberin	empregador, empregadora	εργοδότης
	encourager, v.	to encourage	animar	ermuntern	incentivar	ενθαρρύνω
	enrichissant(e), adj.	rewarding	enriquecedor(a)	bereichernd	enriquecedor(a)	επωφελής
	enthousiasme, n.m.	enthusiasm	entusiasmo	Enthusiasmus	entusiasmo	ενθουσιασμός
	équitation, n.f.	riding	equitación	Reitsport	equitação	ιππασία
	expéditeur, expéditrice, adj.	sender	remitente	Absender	remetente	ο, η αποστολέας
L	lors, adv.	at the time of	cuando	als	aquando	κατά τη διάρκεια
N	nuit, n.f.	night	noche	Nacht	noite	νύχτα
O	offre, n.f.	offer	oferta	Angebot	oferta	προσφορά
P	paie, n.f.	pay	nómina	Gehalt, Lohn	salário	πληρωμή
	parcours, n.m.	route	recorrido	Strecke	roteiro	ταξίδι
	postuler, v.	to apply for	presentar candidatura	sich bewerben	postular	θέτω υποψηφιότητα
	pourboire, n.m.	tip	propina	Trinkgeld	gorjeta	φιλοδώρημα
R	recruter, v.	to recruit	contratar	einstellen	recrutar	προσλαμβάνω
	rémunération, n.f.	remuneration	remuneración	Vergütung	remuneração	αμοιβή
	restauration, n.f.	restoration	restauración	Restauration	restauração	ο τομέας των εστιατορίων
S	salaire, n.m.	salary	salario	Gehalt	ordenado	μισθός
	salarié(e), n.	salaried	asalariado(a)	Arbeitnehmer	assalariado(a)	μισθωτός
	serveur, serveuse, n.	waiter, waitress	camarero(a)	Kellner(in)	empregado(a) de mesa	σερβιτόρος, α
V	voile, n.f.	sailing	vela (barco de)	Segel	vela	ιστιοπλοΐα
	voyage, n.m.	journey	viaje	Reise	viagem	ταξίδι

Dossier 2, Leçon 2

	French	English	Spanish	German	Portuguese	Greek
A	adapter, v.	to adapt	adaptar	adaptieren, anpassen	adaptar	προσαρμόζω
	adéquat(e), adj.	adequat	adecuado(a)	adäquat	adequado(a)	κατάλληλος (κατάλληλη)
	arrogant(e), adj.	arrogant	arrogante	arrogant	arrogante	υπερόπτης
	asseoir (s'), v. pron.	to sit down	sentarse	sich setzen	sentar-se	κάθομαι
	atelier, n.m.	workshop	taller	Werkstatt	oficina	εργαστήρι
	attentif, attentive, adj.	attentive	atento(a)	aufmerksam	atento, atenta	προσεκτικός, προσεκτική
B	boucle d'oreille, n.f.	earring	pendiente	Ohrring	brinco	σκουλαρίκι
C	chômage, n.m.	unemployment	paro	Arbeitslosigkeit	desemprego	ανεργία
	conseil, n.m.	advise	consejo	Rat	conselho	συμβουλή
	contrarier, v.	to annoy	contrariar	behindern	contrariar	δυσαρεστώ
	convaincant(e), adj.	convincing	convincente	überzeugend	convincente	πειστικός
D	décrire, v.	to describe	describir	beschreiben	descrever	περιγράφω
	demandeur, demandeuse d'emploi, n.	job seeker	demandante de empleo	Arbeitssuchender, Arbeitssuchende	candidato, candidata a um emprego	άνεργος, η
E	électroménager, n.m.	electrical applicances	electrodoméstico	Haushaltsgeräte	electrodoméstico	οικιακές συσκευές
	embauche, n.f.	hiring	contratación	Einstellung	contratação	πρόσληψη
	énerver, v.	to irritate	poner nervioso(a)	nerven	enervar	εκνευρίζω
	entretien, n.m.	interview	entrevista	Einstellungsgespräch	entrevista	συντήρηση, συνέντευξη
	excessif, excessive, adj.	excessive	excesivo(a)	übermässig	excessivo, excessiva	υπερβολικός, ή
F	formateur, formatrice, n.	trainer	formador(a)	Ausbilder, Ausbilderin	formador, formadora	εκπαιδευτής, εκπαιδεύτρια
	frigidaire, n.m.	refrigerator	nevera	Kühlschrank	frigorífico	ψυγείο
	frotter, v.	to rub	frotar	reiben	esfregar	τρίβω
I	improviser (s'), v. pron.	to be improvised	improvisar	als … einspringen	improvisar-se	αυτοσχεδιάζομαι
	insupportable, adj.	unbearable	insoportable	unerträglich	insuportável	ανυπόφορος, η
	interlocuteur, interlocutrice n.	interlocutor	interlocutor(a)	Ansprechpartner(in)	interlocutor,interlocutora	συνομιλητής, συνομιλήτρια
M	malaise, n.m.	discomfort	incomodidad	Unbehagen	mau-estar	δυσφορία
	mentir, v.	to lie	mentir	lügen	mentir	λέω ψέματα
N	nervosité, n.f.	nervousness	nervosidad	Nervosität	nervosismo	νευρικότητα
P	perfectionnisme, n.m.	perfectionism	perfeccionismo	Perfektionismus	perfeccionismo	τελειομανία
	poignée (de main), n.f.	(hand) shake	apretón	Händedruck	aperto (de mão)	χούφτα
R	réagir, v.	to react	reaccionar	reagieren	reagir	αντιδρώ
	recommandation, n.f.	recommandation	recomendación	Empfehlung	recomendação	σύσταση
	recrutement, n.m.	recruitment	contratación	Einstellung	recrutamento	πρόσληψη
	recruteur, recruteuse, n.	recruiting officer	contratista	Werber(in)	recrutador, recrutadora	υπεύθυνος, η προσλήψεων
	réussite, n.f.	success	éxito	Erfolg	êxito	επιτυχία
S	siège, n.m.	seat	asiento	Sitz	assento	κάθισμα
	supporter, v.	to bear	soportar	ertragen	suportar	αντέχω
	sûr(e) de, loc.	sure of	seguro(a) de (estar)	sicher von	seguro(a) de	σίγουρος, η
T	tenue, n.f.	dress	atuendo	Aufzug	traje	ενδυμασία
V	valeur (se mettre en), loc.	enhance	valorizarse	sich ins richtige Licht setzen	valorizar-se	προβάλλομαι, αξιοποιώ τα προτερήματα
	vendeur, vendeuse, n.	shop assistant	vendedor(a)	Verkäufer(in)	vendedor, vendedora	πωλητής, πωλήτρια

Lexique multilingue

Dossier 2, Leçon 3

A assurer, v.	to maintain	asegurar	sicherstellen	assegurar	εκτελώ
B bénévolat, n.m.	voluntary work	voluntariado	Freiwilligkeit	voluntariado	εθελοντισμός
bénévole, adj.	voluntary	voluntario(a)	freiwillig	voluntário	εθελοντής
bien-être, n.m.	well-being	bienestar	Wohlbefinden	bem-estar	καλοζωία
boulot, n.m.	job	curro	Arbeit	trabalho	δουλειά
boîte, n.f.	company	empresa	Unternehmen	firma	επιχείρηση
C concilier, v.	to conciliate	compaginar	miteinander vereinbaren	conciliar	συνδυάζω
congé, n.m.	holiday	vacaciones	Urlaub	férias	άδεια
cuisinier, cuisinière, n.	cook	cocinero(a)	Koch, Köchin	cozinheiro, cozinheira	μάγειρας, μαγείρισσα
cumuler, v.	to accumulate	acumular	kumulieren	acumular	συσσωρεύω
D déception, n.f.	disappointment	decepción	Enttäuschung	decepção	απογοήτευση
décevoir, v.	to disappoint	decepcionar	enttäuschen	desiludir	απογοητεύω
décrocher, v.	to get	conseguir	bekommen	obter	πετυχαίνω
E élaboration, n.f.	elaboration	elaboración	Erarbeitung	elaboração	επεξεργασία
emploi, n.m.	employment	empleo	Beschäftigung	emprego	εργασία
ennuyeux, ennuyeuse, adj.	boring	aburrido(a)	langweilig	aborrecido, aborrecida	βερετός, ή
F fainéant(e), adj.	lazy	perezoso(a)	Faulenzer(in)	preguiçoso(a)	τεμπέλης
fonctionnaire, n.	state employee	funcionario(a)	Beamter	funcionário	δημόσιος υπάλληλος
formation, n.f.	training course	formación	Schulung	formação	εκπαίδευση
G gérant(e), n.	manager	gerente	Geschäftsführer	gerente	διαχειριστής
grève, n.f.	strike	huelga	Streik	greve	απεργία
H hyperactif, hyperactive, adj.	hyperactive	hiperactivo(a)	hyperaktiv	hiperactivo, hiperactiva	υπερκινητικός, ή
J juger, v.	to judge	juzgar	urteilen	julgar	κρίνω
O occuper (s'), v.pron.	take care of	ocuparse	sich beschäftigen	ocupar-se	απασχολούμαι
oisiveté, n.f.	idleness	ociosidad	Müssiggang	ociosidade	αδράνεια
P panne, n.f.	breakdown	avería	Panne	avaria	βλάβη
paresseux, paresseuse, adj.	lazy	perezoso(a)	faul	indolente	τεμπέλης
permanence, n.f.	duty	permanencia	Bereitschaftsdienst	permanencia	ώρες λειτουργίας
pont (faire le), loc.	take an extra day off	puente (hacer)	Brückenwochenende	ponte (fazer a)	δεν εργάζομαι μεταξύ δυο αργιών
prêt(e), adj.	ready	dispuesto(a)	bereit	pronto(a)	έτοιμος, η
R ravi(e), adj.	thrilled	encantado(a)	begeistert	satisfeito(a)	ενθουσιασμένος, η
rentier, rentière, adj., n.	person of private means	rentista	Privatier	pensionista	εισοδηματίας
retraité(e), adj., n.S	retired	jubilado(a)	Rentner(in)	reformado(a)	συνταξιούχος
S sommeil, n.m.	sleep	sueño	Schlaf	sono	ύπνος
stage, n.m.	internship	prácticas	Lehrgang	estagio	άσκηση (επαγγελματική)
stagiaire, n.	intern	de prácticas	Lehrgangsteilnehmer	estagiario	ασκούμενος
T tâche, n.f.	task	tarea	Aufgabe	tarefa	εργασία
U usager, n.m.	user	usuario(a)	Benutzer	utente	χρήστης
V veilleur de nuit, loc.	watchman	vigilante de noche	Nachtwächter	guarda nocturno	νυχτοφύλακας
vital(e), adj.	vital	vital	vital	vital	ζωτικός, ή

Dossier 3, Leçon 1

A accueillant(e), adj.	welcoming	acogedor(a)	gastlich	acolhedor, acolhedora	Ιφιλόξενος (φιλόξενη)
aristocrate, n.	aristocrat	aristócrata	Aristokrat	aristocrata	αριστοκράτης
aromatiser, v.	to flavour	aromatizar	aromatisieren	aromatizar	αρωματίζω
autoroute, n.f.	motorway	autopista	Autobahn	auto-estrada	αυτοκινητόδρομος
avouer, v.	to admit	confesar	zugeben	confesar	ομολογώ
B balle, n.f.	bullet	bala	Kugel	bala	σφαίρα
bénéficier (de), v.	to benefit	beneficiarse	von etwas profitieren	beneficiar	δικαιούμαι
blague, n.f.	joke	broma	Scherz	piada, anedota	αστείο
bouquin, n.m.	book	libro	Buch	livro	βιβλίο
C caritatif, caritative, adj.	charitable	caritativo(a)	wohltätig	caritativo,caritativa	φιλανθρωπικός, ή
civisme, n.m.	public-spiritedness	civismo	Bürgersinn	civismo	πολιτική συνείδηση
collectionner, v.	to collect	coleccionar	sammeln	coleccionar	συλλέγω
couvert(e), adj.	covered	cubierto(a)	überdeckt	coberto(a)	Ικαλυμμένος, η
culinaire, adj.	culinary	culinario(a)	kulinarisch	culinaria	μαγειρικός
D déménager, v.	to move	mudarse	umziehen	mudar-se	μετακομίζω
dont, pron. et inv.	whose	cuyo(a)	darunter, davon	cujo	του οποίου
drôle, adj.	funny	divertido(a)	drollig	divertido	διασκεδαστικός
E éclairer, v.	to light up	alumbrar	beleuchten	esclarecer	φωτίζω
envers, prép.	towards	hacia	gegenüber	em relação a	απέναντι σε
espérance de vie, n.f.	life expectancy	esperanza de vida	Lebenserwartung	esperança de vida	διάρκεια ζωής
G gêner, v.	to embarrass	molestar	stören	incomodar	είμαι αμήχανος
H habitant(e), n.	inhabitant	habitante	Einwohner(in)	morador(a)	κάτοικος
I impolitesse, n.f.	impoliteness	mala educación	Unhöflichkeit	ma-criação	αγένεια
impôt, n.m.	taxes	impuesto	Steuer	imposto	φόρος
intéresser (s'), v.pron.	to be interested	interesarse (por)	sich interessieren	interessar,interessar-se	ενδιαφέρομαι
J jovial(e), adj.	jolly	jovial	jovial	jovial	πρόσχαρος
L lac, n.m.	lake	lago	See	lago	λίμνη
loisir, n.m.	leisure	ocio	Freizeit	lazer	χόμπι
longtemps, adv.	a long time	mucho tiempo	lange	longamente	μακροχρόνια
M malgré, prép.	in spite of	a pesar de	trotz	apesar	παρά
match, n.m.	match	partido	Match	jogo, desafio	αγώνας ποδοσφαίρου
microscope, n.m.	microscope	microscopio	Mikroskop	microscopio	μικροσκόπιο
miroir, n.m.	mirror	espejo	Spiegel	espelho	καθρέφτης
mur, n.m.	wall	pared	Mauer	parede	τοίχος
N nonchalance, n.f.	nonchalance	indolencia	Nonchalance	indolencia	νωχέλεια
P paradoxe, n.m.	paradox	paradoja	Paradox	paradoxo	παράδοξο
parc, n.m.	park	parque	Park	parque	πάρκο
preuve de (faire), loc.	show	demostrar	beweisen	prova de	απόδειξη
protection sociale, n.f.	social welfare	protección social	Sozialschutz	assistencia social	κοινωνική προστασία
puisque, conj.	since	puesto (que)	denn	visto que	αφού (αιτιολ.)
puissance, n.f.	power	poder	Macht	potencia	δύναμη
Q quartier, n.m.	district	barrio	Stadtviertel	bairro	συνοικία
R ramasser, v.	to pick up	recoger	aufheben	apanhar	μαζεύω
réduction, n.f.	reduction	descuento	Senkung	redução	έκτωση
revanche, n.f.	revenge	revancha	Revanche	vingança	αντεκδίκηση
rural, adj.	rural	rural	ländlich	rural	αγροτικός, ή
S sonder, v.	to survey	sondear	sondieren	sondar	βολιδοσκοπώ
survivre, v.	to survive	sobrevivir	überleben	sobreviver	επιβιώνω
système, n.m.	system	sistema	System	sistema	σύστημα
T tracasser, v.	to bother	atormentar	beunruhigen	atormentar	ταλαιπωρώ
V valoir, v.	to be worth	valer	wert sein	valer	αξίζω

Dossier 3, Leçon 2

A accompagnateur, accompagnatrice, n.	accompanist	acompañante	Begleiter, Begleiterin	acompanhante	ο, η συνοδός
amateur, amatrice, n.	amateur	aficionado(a)	Amateur, Amateurin	amador, amadora	ερασιτέχνης, ερασιτέχνις
âme, n.f.	soul	alma	Seele	alma	ψυχή
âne, n.m.	donkey	burro	Esel	asno	γάιδαρος
atterrissage, n.m.	landing	aterrizaje	Landung	aterragem	προσγείωση
B baliser, v.	to mark out	balizar	abstecken	balizar	σηματοδοτώ
baobab, n.m.	baobab	baobab	Baobab	baoba	μπαομπάμπ
branché(e), adj.	trendy	último grito (al)	trendig	moderno(a)	μοντέρνος
C cabane, n.f.	cabin	cabaña	Hütte	cabana	καλύβα
canicule, n.f.	heatwave	canícula	Gluthitze	canicula	καπετάνιος
circuit, n.m.	tour	circuito	Umkreis	circuito	περιήγηση
confirmer, v.	to confirm	confirmar	bestätigen	confirmar	επιβεβαιώνω
construction, n.f.	construction	construcción	Bau	construção	κατασκευή
D décollage, n.m.	take off	despegue	Start	descolagem	απογείωση
E équipe, n.f.	team	equipo	Team	equipa	ομάδα
F fontaine, n.f.	fountain	fuente	Springbrunnen	fonte	πηγή
frileux, frileuse, adj.	sensitive to the cold	friolero(a)	leicht frieren	friorento, friorenta	ευαίσθητος, η στο κρύο
fuir, v.	to run away from	huir	flüchten	fugir	φεύγω μακριά
G gastronome, n.m.	gourmet	gastrónomo(a)	Gastronom	gastronomo	γαστρονόμος
gastronomique, adj.	gastronomic	gastronómico(a)	gastronomisch	gastronomico	γαστρονομία
gîte, n.m.	gîte	casa rural	Unterkunft	albergaria	κατάλυμα
grimper, v.	to climb	trepar	klettern	trepar	σκαρφαλώνω
H hôte (chambre d'), n.	bed and breakfast	habitación (en casa particular)	Zimmer mit Frühstück	hospede	φιλοξενούμενος
I inclure, v.	to include	incluir	einschliessen	incluir	συμπεριλαμβάνω
informer, v.	to inform	informar	informieren	informar	πληροφορώ
inoubliable, adj.	unforgettable	inolvidable	unvergesslich	inesquecivel	αξέχαστος, η
insolite, adj.	unusual	insólito(a)	ungewöhnlich	insolito(a)	ασυνήθιστος
installation, n.f.	installation	instalación	Installation	instalação	εγκατάσταση
itinéraire, n.m.	itinerary	intinerario	Route	itinerario	διαδρομή
itinérant(e), adj.	itinerant	itinerante	Wander…	itinerante	περιοδεύων, περιοδεύουσα
L liane, n. f.	liana	liana	Liane	liana	αναρριχητικό τροπικό φυτό
location, n.f.	location	alquiler	Ort	aluguer, arrendar	εντοπίζω
louer, v.	to rent	alquilar	mieten	alugar, arrendar	ενοικιάζω
M montagne, n.f.	mountain	montaña	Gebirge	montanha	βουνό
montant, n.m.	amount	importe	Betrag	montante	ποσό
N nature, n.f.	nature	naturaleza	Natur	natureza	φύση
nourriture, n.f.	food	alimento	Nahrung	comida	τροφή
P pédestre, adj.	pedestrian	pedestre	Fuss…	pedestre	πεζοπορίας
pique-nique, n.m.	picnic	picnic	Picknick	piquenique	πικ νικ
prestation, n.f.	service	prestación	Leistung	perestação	παροχή
R randonnée, n.f.	walk	excursión	Wanderung	excursão	πεζοπορία
régional(e), adj.	regional	regional	regional	regional	περιφερειακός
régler, v.	to pay for	pagar	zahlen	liquidar	πληρώνω
rendre, v.	to return	devolver	zurückgeben	entregar	επιστρέφω
réservation, n.f.	reservation	reserva	Buchung	reserva	κράτηση θέσης
retirer, v.	to pick up	retirar	abholen	tirar	παίρνω
S sac de couchage, n.	sleeping bag	saco de dormir	Schlafsack	saco-cama	υπνόσακός
sec, sèche, adj.	dry	seco(a)	trocken	seco,seca	στεγνός, ή
sentier, n.m.	path	sendero	Weg	atalho	μονοπάτι
solde, n.f.	balance	saldo	Saldo	saldo	υπόλοιπο
T tente, n.f.	tent	tienda de campaña	Zelt	tenda	σκηνή
tester, v.	to test	probar	testen	testar	δοκιμάζω
traverser, v.	to cross	cruzar	überqueren	atravessar	διασχίζω
U urbain(e), n. et adj.	urban	urbano(a)	städtisch	urbano(a)	αστικός, ή

Dossier 3, Leçon 3

A adepte, n.	enthusiast	adepto	Anhänger	adepto(a)	οπαδός
apprécier, v.	to appreciate	gustar	schätzen	avaliar	υπολογίζω
architecture, n.f.	architecture	arquitectura	Architektur	arquitectura	αρχιτεκτονική
atout, n.m.	advantage	ventaja	Vorteil	trunfo	πλεονέκτημα
autant, adv.	as many	tanto(s)	um so …	tantos(as)	τόσο
B balade, n.f.	walk	paseo	Spaziergang	passeio	περίπατος
bibelot, n.m.	trinket	bibelot	Nippes	bibelot	διακοσμητικό
bruit, n.m.	noise	ruido	Lärm	ruido	θόρυβος
budget, n.m.	budget	presupuesto	Etat	orçamento	προϋπολογισμός
C choquer, v.	to shock	chocar	schockieren	chocar	σοκάρω
circulation, n.f.	traffic	circulación	Verkehr	circulação	κυκλοφορία
collectif, collective, adj.	collective	colectivo(a)	Kollektiv	colectivo, colectiva	συλλογικός, ή
compulsif, compulsive, adj.	compulsive	compulsivo(a)	Zwang…, Zwangs …	compulsivo,compulsiva	σπασμωδικός
contacter, v.	to contact	contactar	ansprechen	contactar	επικοινωνώ
couple, n.m.	couple	pareja	Paar	casal	ζευγάρι
coût, n.m.	cost	coste	Kosten	custo	κόστος
crèche, n.f.	day nursery	guardería	Krippe	infantario	παιδικός σταθμός
D davantage, adv.	more	más	noch mehr	mais	περισσότερο
dépendant(e), adj.	addicted	adicto(a)	Abhängig vom Handy	dependente	εξαρτώμενος
déplaire, v.	to be disliked	desagradar	missfallen	desagradar	δυσαρεστώ
détester, v.	to hate	odiar	verabscheuen	detestar	απεχθάνομαι
divertir, v.	to amuse	distraer	unterhalten	divertir	ψυχαγωγώ
divertissement, n.m.	entertainment	diversión	Unterhaltung	divertimento	ψυχαγωγία
E enquête, n.f.	inquest	encuesta	Umfrage	inquerito	έρευνα
entourage, n.m.	family circle	entorno	Umgebung	circulo	περίγυρος
environnement, n.m.	environment	medio ambiente	Umwelt	meio-ambiente	περιβάλλον
estimer, v.	to consider	considerar	meinen	achar, calcular	θεωρώ
F fatigue, n.f.	tiredness	cansancio	Müdigkeit	fadiga	κούραση
G garderie, n.f.	day nursery	guardería	Krippe	creche	παιδικός σταθμός
gênant(e), adj.	annoying	molesto(a)	störend	incomodo(a)	ενοχλητικός, ή
H hiver, n.m.	winter	invierno	Winter	inverno	χειμώνας
hors de, loc. prép.	outside	fuera (de)	ausserhalb von	fora de	έξω από
hypocondriaque, n. et adj.	hypochondriac	hipocondriaco	hypochondrisch	hipocondriaco	υποχόνδριος, α
I inconvénient, n.m.	disadvantage	inconveniente	Nachteil	inconveniente	μειονάκτημα
L logement, n.m.	housing	alojamiento	Wohnung	alojamento	κατοικία
loger (se), v.pron.	find accomodation	alojarse	eine Wohnung nehmen	alojar-se	κατοικώ
M maire, n.m.	mayor	alcalde	Bürgermeister	presidente de camara	δήμαρχος
mener, v.	to run	llevar a cabo	führen	levar a cabo	διεξάγω
O offrir, v.	to offer	ofrecer	anbieten	oferecer	προσφέρω
P plage, n.f.	beach	playa	Strand	praia	παραλία
plaire, v.	to like	gustar	gefallen	agradar	αρέσω

Lexique multilingue

pollution, n.f.	pollution	contaminación	Verschmutzung	poluição	ρύπανση
porte-clés, n.m.	keyring	llavero	Schlüsselhalter	porta-chaves	μπρελόκ
posséder, v.	to own	poseer	besitzen	possuir	είμαι κάτοχος
près de, loc. prép.	about	cerca de	fast	perto de, cerca de	περίπου
privilégier, v.	to favour	privilegiar	privilegieren	privilegiar	δίνω προτεραιότητα
R région, n.f.	region	región	Region	região	περιοχή
reproche, n.m.	reproach	reproche	Vorwurf	critica	επίπληξη
routine, n.f.	routine	rutina	Routine	censurar	η καθημερινότητα
S saleté, n.f.	dirtiness	suciedad	Schmutz	sujidade	βρωμιά
social(e), adj. et n.	social	social	sozial	social	κοινωνικός, ή
stressé(e), adj.	stressed	estresado(a)	gestresst	stressado(a)	αγχωμένος, η
T témoigner, v.	to testify	testimoniar	zeugen	testemunhar	είμαι μάρτυρας
tête (en), loc.adv.	(in) front	encabezar	vorne	no topo	πρώτος (είμαι)

Dossier 4, Leçon 1

A apprentissage, n.m.	apprenticeship	aprendizaje	Lehrzeit	aprendizagem	εκμάθηση
audience, n.f.	audience	audiencia	Vernehmung	audiencia	ακρόαση
auditeur, auditrice, n.	auditor	auditor(a)	Auditor, Auditorin	auditor,auditora	ακροατής, ακροάτρια
C chaîne, n.f.	channel	cadena	TV-Programm	canal	τηλεοπτικός σταθμός
contestation, n.f.	contesting	oposición	Einspruch	contestação	αμφισβήτηση
D débat, n.m.	debate	debate	Aussprache	debate	συζήτηση
démission, n.f.	resignation	dimisión	Rücktritt	demissão	παραίτηση
dès, prép.	from	tan pronto como	ab	desde	μόλις
diffuser, v.	to broadcast	difundir	senden	emitir	μεταδίδω
disparition, n.f.	disappearance	desaparición	Verschwinden	desaparecimento	εξαφάνιση
distraire, v.	to distract	distraer	zerstreuen	distrair	ψυχαγωγώ
E échanger, v.	to exchange	intercambiar	austauschen	trocar	ανταλλάσσω
émettre, v.	to transmit	emitir	senden	emitir	μεταδίδω
espèce, n.f.	species	especie	Art	especie	είδος
F fait divers, n.m.	news item	suceso	Verschiedenes	diversos	σύντομη είδηση
féminisme, n.m.	feminism	feminismo	Weiblichkeit	feminismo	φεμινισμός
fusée, n.f.	rocket	cohete	Rakete	foguete	πύραυλος
G graphique, n.m.	graphics	gráfico	grafisch	grafico	γραφικός, ή
H hebdomadaire, adj.	weekly	semanal	wöchentlich	semanal	εβδομαδιαίος, α
hippique, adj.	equestrian	hípico	Reit…	hipico	ιππικός
horoscope, n.m.	horoscope	horóscopo	Horoskop	horoscopo	ωροσκόπιο
I ignorance, n.f.	ignorance	ignorancia	Unkenntnis	ignorancia	άγνοια
J journal, n.m.	newspaper	diario	Tageszeitung	jornal	εφημερίδα
M manifestation, n.f.	demonstration	manifestación	Demonstration	manifestação	διαδήλωση
média, n.m.	media	medio de comunicación	Media	media	MME
mensuel(le), adj.	monthly	mensual	monatlich	mensal	μηνιαίος, α
O optimisme, n.m.	optimism	optimismo	Optimismus	optimista	αισιοδοξία
P polaire, n.f. et adj.	arctic	polar	Pol…	polar	πολικός, ή
presse, n.f.	press	prensa	Presse	imprensa	ο Τύπος
prévision, n.f.	prevision	previsión	Vorschau	previsão	πρόβλεψη
Q quotidien, quotidienne, adj.	daily	diario(a)	Tages…	diario, diaria	ημερήσιος
R rubrique, n.f.	column	sección	Rubrik	rubrica (artigo)	στήλη περιοδικού
S satellite, n.m.	satellite	satélite	Satellit	satelite	δορυφόρος
série, n.f.	series	serie	Serie	serie	τηλεοπτική σειρά
sommaire, n.m.	summary	índice	Inhaltsverzeichnis	sumario	περίληψη
suspense, n.m.	suspense	suspense	Spannung	suspense	αγωνία
T téléchargement, n.m.	downloading	telecarga	Fernladung	telecarregamento	κατέβασμα (από το διαδίκτυο)
téléfilm, n.m.	telefilm	telefilm	Fernsehfilm	telefilme	τηλεταινία
téléréalité, n.f.	reality tv	telerealidad	Reality TV	telerealidade	ριάλιτι σόου
V victoire, n.f.	victory	victoria	Sieg	vitoria	νίκη
vulgarité, n.f.	vulgarity	vulgaridad	Vulgarität	vulgaridade	χυδαιότητα

Dossier 4, Leçon 2

A accoucher, v.	to give birth	dar a luz	entbinden	parir	γεννώ
alerter, v.	to warn	comprar	alarmieren	alertar	ειδοποιώ
arraché (à l'), loc. adv.	bag snatching	tirón (robo con)	Diebstahl mit Gewalt	por estição	με αρπαγή
automobiliste, n.	driver	automovilista	Autofahrer	automobilista	οδηγός
aventure, n.f.	adventure	aventura	Abenteuer	aventura	περιπέτεια
B blesser, v.	to injure	herir	verletzen	lesionado	τραυματίζω
blouson, n.m.	jacket	cazadora	Blouson	blusão	μπουφάν
C casque, n.m.	helmet	casco	Schutzhelm	capacete	κράνος
casser, v.	to break	romper	brechen	quebrar	σπάω
catastrophe, n.f.	catastrophe	catástrofe	Katastrophe	catastrofe	καταστροφή
collectionneur, collectionneuse, n.	collector	coleccionista	Sammler, Sammlerin	coleccionador,coleccionadora	συλλέκτης
conducteur, conductrice, n.	driver	conductor	Fahrer, Fahrerin	condutor,condutora	ο, η οδηγός
D dépasser, v.	to exceed	sobrepasar	überschreiten	exceder	ξεπερνώ
déposer, v.	to file a complaint	presentar	einreichen	apresentar	υποβάλλω
dérober, v.	to steal	robar	stehlen	furtar	κλέβω
déclaration, n.f.	declaration	declaración	Erklärung	declaração	δήλωση
E emporter, v.	to take	llevarse	mitnehmen	levar	παίρνω
enquête, n.f.	inquest	encuesta	Umfrage	inquerito	έρευνα
entreposer, v.	to put into storage	almacenar	zwischenlagern	armazenar	αποθηκεύω
F fenêtre, n.f.	window	ventana	Fenster	janela	παράθυρο
freiner, v.	to break	frenar	bremsen	travar	φρενάρω
I inaugurer, v.	to inaugurate	inaugurar	einweihen	inaugurar	εγκαινιάζω
J jeter, v.	to throw	tirar	werfen	atirar	πετάω
M moteur, n.m.	motor	motor	Motor	motor	κινητήρας
P pareil(lle), adj.	such	semejante	so was	semelhante	τέτοιος, α
pilote, n.	pilot	piloto	Pilot	piloto	πιλότος
plainte, n.f.	complaint	denuncia	Klage	queixa	κατάθεση
porte-parole, n.	spokesperson	portavoz	Sprecher	porta-voz	εκπρόσωπος
projectile, n.m.	projectile	proyectil	Wurfgeschoss	projectil	βλήμα
R requin, n.m.	shark	tiburón	Hai	tubarão	καρχαρίας
récépissé, n.m.	receipt	recibo	Empfangsschein	recibo	απόδειξη
rattraper, v.	to catch	alcanzar	wieder erwischen	apanhar	προλαβαίνω
S saucisse, n.f.	sausage	salchicha	Wurst	salsicha	λουκάνικο
signalement, n.m.	description	descripción	Personenbeschreibung	identificação	περιγραφή
soulever, v.	to lift	levantar	heben	levantar	σηκώνω
soupçonner, v.	to suspect	sospechar	verdächtigen	suspeitar	υποψιάζομαι
surgelé(e), adj. et n.m.	deep frozen	congelado(a)	Tiefkühl…	ultracongelado(a)	κατεψυγμένος
T témoignage, n.m.	testimony	testimonio	Zeugenaussage	testemunho	μαρτυρία

terrain, n.m.	ground	terreno	Gelände	terreno	πεδίο, γήπεδο
transporter, v.	to transport	transportar	transportieren	transportar	μεταφέρω
V voiture, n.f.	car	coche	Wagen	viatura	αυτοκίνητο
véhicule, n.m.	vehicle	vehículo	Fahrzeug	veiculo	όχημα
voleur, voleuse, n.	thief	ladrón(a)	Dieb(in)	ladrão, ladra	κλέφτης, κλέφτρα

Dossier 4, Leçon 3

A abandonner, v.	to abandon	abandonar	aussetzen	abandonar	εγκαταλείπω
admirateur, admiratrice, n.	admirer	admirador(a)	Bewunderer, Bewunderin	admirador, admiradora	θαυμαστής, θαυμάστρια
adopter, v.	to adopt	adoptar	annehmen	adoptar	υιοθετώ
appéciation, n.f.	assessment	apreciación	Einschätzung	apreciação	υπολογισμός
attribuer, v.	to award	atribuir	verleihen	atribuir	απονέμω
B bande-annonce, n.f.	trailer	trailer	Kino-Trailer	anuncio promocional	διαφημιστικό μήνυμα
battre, v.	to beat	batir	übertreffen	bater	καταρρίπτω
C capitale, n.f.	capital	capital	Hauptstadt	capital	πρωτεύουσα
célèbre, adj.	famous	célebre	berühmt	celebre	διάσημος
cinéaste, n.	film-maker	cineasta	Filmemacher	cineasta	σκηνοθέτης
clôture, n.f.	ending	clausura	Abschluss	encerramento	λήξη
compétition, n.f.	competition	competición	Wettbewerb	competição	συναγωνισμός, αγώνας
conviction, n.f.	conviction	convicción	Überzeugung	convicção	πεποίθηση
critique, n.f.	critique	crítica	Kritik	critica	κριτική
D décerner, v.	to award	otorgar	verleihen	entregar	απονέμω
dérouler (se), v.pron.	to unroll	tener lugar	ablaufen	desenrolar-se	λαμβάνω χώρα
E émouvant(e), adj.	moving	emocionante	bewegend	comovente	συγκινητικός
ému(e), adj.	touched	conmovido(a)	bewegt	comovido(a)	συγκινημένος, η
F fanatique, adj.	fanatical	fanático(a)	fanatisch	fanatico	φανατικός, ή
festival, n.m.	festival	festival	Festival	festival	φεστιβάλ
financer, v.	to finance	financiar	finanzieren	financiar	χρηματοδοτώ
I interprétation, n.f.	performance	actuación	Interpretation	interpretação	ερμηνεία
J jury, n.m.	jury	jurado	Jury	juri	κριτική επιτροπή, οι ένορκοι
L landau, n.m.	pram	cochecito de bebé	Kinderwagen	lando	παιδικό καρότσι
M malfrat, n.m.	crook	maleante	Übeltäter	malfeitor	άνθρωπος του υποκόσμου
marche, n.f.	step	peldaño	Stufe	degrau	σκαλοπάτι
mériter, v.	to merit	merecer	verdienen	merecer	αξίζω
N nommer, v.	to appoint	nombrar	ernennen	nomear	διορίζω
P palmarès, n.m.	prizewinners	palmarés	Siegerliste	palmares	κατάλογος
part de marché, n.f.	share in the market	cuota de mercado	Marktanteil	quota de mercado	μερίδιο αγοράς
payant(e), adj.	paying	de pago	zahlungspflichtig	pagador(a)	με αμοιβή, καρποφόρος
précédent(e), adj. et n.	previous	anterior	vorherig	precedente	προηγούμενος, η
privilégié (e), adj. et n.	special	privilegiado(a)	Privilegierte	privilegiado(a)	προνομιούχος
producteur, productrice, n.	producer	productor(a)	Produzent, Produzentin	produtor, produtora	ο, η παραγωγός
projection, n.f.	projection	proyección	Vorführung	projecção	προβολή
R récompense, n.f.	reward	premio	Belohnung	recompensa	ανταμοιβή
S réalisateur, réalisatrice, n.	director	realizador(a)	Regisseur, Regisseurin	realizador, realizadora	σκηνοθέτης
scénario, n.m.	scenario	guión	Drehbuch	argumento	σενάριο
scène, n.f.	scene	escena	Szene	cena	σκηνή
séquence, n.f.	sequence	secuencia	Folge	sequencia	πλάνο (ταινίας)
soutenu(e), adj.	sustained	elevado(a)	unterstützt	sustentado(a)	επιμελημένος, η
T synopsis, n.m.	synopsis	sinopsis	Synopse	sinopse	σύνοψη
U trafic, n.m.	trafficking	tráfico	Verkehr	trafico	διακίνηση
V uniforme, n.m.	uniform	uniforme	Uniform	uniforme	στολή
visionner, v.	to view	visionar	sichten	visualizar	κοιτάζω
vol, n.m.	theft	robo	Diebstahl	roubo	κλοπή

Dossier 5, Leçon 1

A album, n.m.	album	álbum	Album	álbum	άλμπουμ
alimentaire, adj.	eating	alimentario(a)	Nahrungs…	alimentar	διατροφικός
apaiser, v.	to sooth	tranquilizar	beruhigen	apaziguar	καθησυχάζω
B bombe, n.f.	bomb	bomba	Bombe	bombas	βόμβα
biographie, n.f.	biography	biografía	Biographie	biografia	βιογραφία
C certitude, n.f.	certainty	certeza	Gewissheit	certeza	βεβαιότητα
chanteur, chanteuse, n.	singer	cantante	Sänger, Sängerin	cantor, cantora	τραγουδιστής, τραγουδίστρια
chemin, n.m.	path	camino	Weg	caminho	μονοπάτι
classique, adj.	classical	clásico(a)	klassisch	classico(a)	κλασικός, ή
concert, n.m.	concert	concierto	Konzert	concerto	συναυλία
D dicographie, n.f.	discography	discografía	Discographie	discografia	δισκογραφία
E éclaircir, v.	to light (up)	aclarar	aufhellen	esclarecer	διαφωτίζω
énergie, n.f.	energy	energía	Energie	energia	ενέργεια
enflammer, v.	to inflame	entusiasmar	entflammen	exaltar	ανάβω
environnement, n.m.	environment	medio ambiente	Umwelt	meio-ambiente	περιβάλλον
envisager, v.	to envisage	pensar en (+ inf)	vorhaben	encarar/perspectivar	προβλέπω
envol, n.m.	taking flight	vuelo	Abflug	levantar voo	πέταγμα
équitable, adj.	equitable	justo	gerecht	equitativo	δίκαιος
espoir, n.m.	hope	esperanza	Hoffnung	esperança	ελπίδα
éviter, v.	to avoid	evitar	vermeiden	evitar	αποφεύγω
H humaniste, adj.	humanist	humanista	humanistisch	humanista	ανθρωπιστής, ανθρωπίστρια
I inégalité, n.f.	inequality	desigualdad	Ungleichheit	desigualdade	ανισότητα
insouciance, n.f.	lack of concern	despreocupado(a)	Sorglosigkeit	descuido	ξενοιασιά
intervenir, v.	to intervene	intervenir	eingreifen	intervir	παρεμβαίνω
L lancer (se), v. pron.	to throw os into	lanzarse	starten	lançar-se	ρίχνομαι
M mairie, n.f.	town hall	ayuntamiento	Rathaus	camara municipal	δημαρχείο
N nucléaire, n.m.	nuclear	nuclear	Kern…	nuclear	πυρηνικός, ή
nomination, n.f.	nomination	nominación	Ernennung	nomeação	διορισμός
P prévention, n.f.	prevention	prevención	Vorbeuge	prevenção	πρόληψη
R récolte, n.f.	harvesting	cosecha	Ernte	colheita	σοδειά
récompenser, v.	to reward	premiar	belohnen	recompensar	ανταμοίβω
réjouir (se), v. pron.	to be delighted	alegrarse	sich freuen	alegrar-se	χαίρομαι
respectueux, respectueuse, adj.	respectful	respetuoso(a)	respektvoll	respeitoso, respeitosa	που δείχνει σεβασμό
refrain, n.m.	chorus	estribillo	Refrain	refrão	refrain d'une chanson
S séduire, v.	to seduce	seducir	verführen	seduzir	γοητεύω
single, n.m.	single	single	Single	single	σινγκλ
souhait, n.m.	wish	deseo	Wunsch	desejo	ευχή
suffire, v.	to be enough	bastar	reichen	bastar	αρκώ
T tendre, v.	to hold out	alargar	geben	estender	τείνω
tolérant(e), adj.	tolerant	tolerante	tolerant	tolerante	ανεκτικός, ή
tournée, n.f.	tour	gira	Tournee	digressão	περιοδεία
trottoir, n.m.	pavement	acera	Gehsteig	passeio (de rua)	πεζοδρόμιο
V voie, n.f.	road	vía	Weg	caminho	δρόμος

Lexique multilingue

Dossier 5, Leçon 2

A agriculture, n.f.	agriculture	agricultura	Landwirtschaft	agricultura	γεωργία
aide, n.f.	help	ayuda	Hilfe	ajuda	βοήθεια
association, n.f.	association	asociación	Verband	associação	σύλλογος
D désintéressement, n.m.	disinterestedness	desinterés	Uneigennützigkeit	indemnização	αφιλοκέρδεια
développement, n.m.	development	desarrollo	Entwicklung	desenvolvimento	ανάπτυξη
E échelle, n.f.	scale	escala	Massstab	escala	κλίμακα
encadrer, v.	to manage	dirigir	einrahmen	organizar	πλαισιώνω
G gagner, v.	to win	ganar	gewinnen	ganhar	κερδίζω
gain, n.m.	earning	ganancia	Verdienst	lucro	κέρδος
gouvernemental(e), adj.	gouvernmental	gubernamental	regierungs…	governamental	κυβερνητικός, ή
gratuité, n.f.	gratuitousness	gratuidad	Unentgeltlichkeit	gratuitidade	δωρεάν
H hospitaliser, v.	to hospitalize	hospitalario(a)	ins Krankenhaus einliefern	hospitalizar	εισάγω στο νοσοκομείο
I intérêt, n.m.	interest	interés	Interesse	interesse	ενδιαφέρον
L logistique, n.f.	logistics	logística	Logistik	logistica	λογιστική
lutter, v.	to fight	luchar	kämpfen	lutar	μάχομαι
M méfier, v.	to mistrust	desconfiar	sich hüten	desconfiar	δυσπιστώ
maîtriser, v.	to master	controlar	beherrschen	dominar	ακινητοποιώ
militant(e), n.	militant	militante	Militant	militante	στρατευμένος οπαδός
minimum, n.m.	minimum	mínimo(a)	Minimum	minimo	το ελάχιστο
O organisme, n.m.	organism	organismo	Organismus	organismo	οργανισμός
P parier, v.	to bet	apostar	wetten	apostar	στοιχιματίζω
plaisir, n.m.	pleasure	gusto, placer	Vergnügen	prazer	ευχαρίστηση
planétaire, adj. et n.m.	planetary	planetario(a)	Planeten…	planetario	πλανητικός, ή
projet, n.m.	project	proyecto	Projekt	projecto	σχέδιο
R redistribution, n.f.	redistribution	redistribución	Umverteilung	redistribuição	αναδιανομή
repas, n.m.	meal	comida	Mahlzeit	refeição	γεύμα
respect, n.m.	respect	respecto	Respekt	respeito	σεβασμός
résumer, v.	to summarize	resumir	zusammenfassen	resumir	συνοψίζω
S slogan, n.m.	slogan	eslogan	Slogan	slogan	σύνθημα
supplémentaire, adj.	extra	suplementario(a)	zusätzlich	suplementar	συμπληρωματικός
T tirage, n.m.	drawing	sorteo	Ziehung	sorteio	κλήρωση
U urgence, n.f.	emergency	urgencia	Notfall	urgencia	έκτακτη ανάγκη
utilisation, n.f.	use	utilización	Benutzung	utilização	χρήση
V valeur, n.f.	value	valor	Wert	valor	αξία
vocation, n.f.	vocation	vocación	Berufung	vocação	κλίση

Dossier 5, Leçon 3

A accomplir, v.	accomplish	hacer realidad	erfüllen	concretizar	πραγματοποιώ
air, n.m.	air	aire	Luft	ar	αέρας
anecdote, n.f.	anecdote	anécdota	Anekdote	anedota	περιστατικό
applaudir, v.	to applaud	aplaudir	applaudieren	aplaudir	χειροκροτώ
B brosse à dents, n.f.	toothbrush	cepillo de dientes	Zahnbürste	escova de dentes	οδοντόβουρτσα
C civilisation, n.f.	civilization	civilización	Zivilisation	civilização	πολιτισμός
E éloigner (s'), v.	to move away	alejarse	sich entfernen	afastar-se	απομακρύνομαι
enthousiasme, n.m.	enthusiasm	entusiasmo	Enthusiasmus	entusiasmo	ενθουσιασμός
essayer, v.	to try	probar	versuchen	tentar	δοκιμάζω, προσπαθώ
extraordinaire, adj.	extraordinary	extraordinario(a)	ausserordentlich	extraordinario	υπέροχος
G gémeaux, n.m.	Gemini	gemelo(a)s	Zwillinge	gemeos	δίδυμα
glisser, v.	to slip	resbalar	gleiten	deslizar	γλιστρώ
gratitude, n.f.	gratitude	gratitud	Dankbarkeit	gratidão	ευγνωμοσύνη
guide, n.m.	guide	guía	Führer	guia	ξεναγός
I identifier (s'), v.	to identify with	identificarse	sich ausweisen	identificar	ταυτίζομαι
itinéraire, n.m.	itinerary	itinerario	Route	itinerario	διαδρομή
M médaille, n.f.	medal	medalla	Medaille	medalha	μετάλλιο
N narrateur, narratrice, n.	narrator	narrador(a)	Erzähler(in)	narrador, narradora	αφηγητής, αφηγήτρια
P patinage, n.m.	ice skating	patinaje	Eistanz	patinagem	πατινάζ
périple, n.m.	journey	periplo	Rundreise	periplo	περίπλους
préjugé, n.m.	prejudice	prejuicio	Vorurteil	preconceito	προκατάληψη
R récit, n.m.	story	relato	Erzählung	narrativa	διήγηση
réflexion, n.f.	reflection	reflexión	Überlegung	reflexão	σκέψη
renouveler, v.	to renew	renovar	erneuern	renovar	ανανεώνω
S sabbatique, adj.	sabbatical	sabático(a)	Sabbat…	sabatico	σαββατικός
sublime, adj.	sublime	sublime	sublim	sublime	έξοχος, η
symboliser, v.	to symbolise	simbolizar	symbolisieren	simbolizar	συμβολίζω
T talent, n.m.	talent	telento	Talent	talento	ταλέντο
tenter, v.	to attempt	probar	versuchen	experimentar	δοκιμάζω
traîneau, n.m.	sleigh	trineo	Schlitten	treno	έλκηθρο
turquoise, n. et adj.	turquoise	turquesa	Türkis	turquesa	τυρκουάζ

Dossier 6, Leçon 1

A accompagner, v.	to accompany	acompañar	begleiten	acompanhar	συνοδεύω
alpinisme, n.m.	mountaineering	alpinismo	Alpinismus	alpinismo	ορειβασία
B bonheur, n.m.	happiness	felicidad	Glück	felicidade	ευτυχία
C capitaine, n.	captain	capitán	Kapitän	capitão	κυβερνήτης αεροσκάφους
changement, n.m.	change	cambio	Änderung	mudança	αλλαγή
chirurgien, chirurgienne, n.	surgeon	cirujano(a)	Chirurg, Chirurgin	cirurgião,cirurgiã	ο,η χειρουργός
coach, n.	coach	coach	Coach	monitor, treinador	προπονητής
confiance, n.f.	trust	confianza	Vertrauen	confiança	εμπιστοσύνη
consulter, v.	to consult	consultar	konsultieren	consultar	συμβουλεύομαι
croire, v.	to believe	créer	glauben	crer	πιστεύω
D décorateur, décoratrice, n.	décorator	decorador(a)	Dekorateur, Dekorateurin	decorador, decoradora	διακοσμητής, διακοσμήτρια
dessin, n.m.	drawing	dibujo	Zeichnung	desenho	σχέδιο
documentaire, n.m.	documentary	documentario	Dokumentarfilm	documentario	ντοκυμαντέρ
E enfance, n.f.	childhood	infancia	Kindheit	infancia	παιδική ηλικία
enregistrer, v.	to record	grabar, registrar	aufzeichnen	registar	εγγράφω
entraîneur, entraîneuse, n.	trainer	entrenador(a)	Trainer, Trainerin	treinador, treinadora	προπονητής, προπονήτρια
esthétique, adj.	aesthetic	estético(a)	ästhetisch	estetico	αισθητικός
étranger, n.m.	abroad	extranjero	Ausland	estrangeiro	εξωτερικό
évoquer, v.	to evoke	evocar	ansprechen	evocar	επικαλούμαι
F fatalité, n.f.	fatality	fatalidad	Fatalität	fatalidade	μοίρα
finalement, adv.	finally	finalmente	schliesslich	finalmente	τελικά
I inconnu, n.m.	unknown	desconocido (lo)	unbekannt	desconhecido(a)	το άγνωστο
identifier, v.	to identify	identificar	sich ausweisen	identificar	ταυτίζω
installation, n.f.	installation	instalación	Installation	instalação	εγκατάσταση
M malaise, n.m.	discomfort	incomodidad	Unbehagen	mau-estar	δυσφορία

parcours, n.m.	career	recorrido	Werdegang	percurso	σταδιοδρομία
parfois, adv.	sometimes	a veces	manchmal	por vezes	μερικές φορές
passer, v.	to be on	salir por	(im Fernsehen) gesendet	passar	εμφανίζομαι στην τηλεόραση
peintre, n.	artist	pintor(a)	Maler	pintor	ζωγράφος, ελαιοχρωματιστής
peur, n.f.	fear	miedo	Angst	medo	φόβος
philosophie, n.f.	philosophy	filosofía	Philosophie	filosofia	φιλοσοφία
preuve, n.f.	proof	prueba	Beweis	prova	απόδειξη
prochain(e), adj.	next	próximo(a)	nächste, nächster	proximo(a)	επόμενος, η
protection, n.f.	protection	protección	Schutz	protecção	προστασία
R raison, n.f.	reason	razón	Grund	razão	αιτία, λόγος
relaxation, n.f.	relaxation	relajación	Entspannung	descontracção	χαλάρωση
retracer, v.	to go back over	reconstituir	nachvollziehen	narrar	διηγούμαι
S séjourner, v.	to stay	residir, pasar una temporada	sich aufhalten	residir	διαμένω
sociologie, n.f.	sociology	sociología	Soziologie	sociologia	κοινωνιολογία
souvent, adv.	often	a menudo	oft	frequentemente	συχνά
spa, n.m.	spa	spa	Spa	spa	ιαματικά λουτρά, σπα
spécialiste, n.	specialist	especialista	Spezialist	especialista	ειδικός
T tableau, n.m.	painting	cuadro	Gemälde	quadro	πίνακας
talent, n.m.	talent	talento	Talent	talento	ταλέντο

Dossier 6, Leçon 2

A abandonner, v.	to abandon	abandonar	aussetzen	abandonar	εγκαταλείπω
ambiance, n.f.	atmosphere	ambiente	Ambiente	ambiente	ατμόσφαιρα
B bord, n.m.	board	bordo (de a)	Bord	bordo	πλήρωμα, πλοίο
C carrière, n.f.	carrier	carrera profesional	Karriere	carreira	σταδιοδρομία
caserne, n.f.	fire station	cuartel	Feuerwehrkaserne	caserna	στρατώνας
chauffeur, n.	driver	chófer	Fahrer	motorista	οδηγός
chronométrer, v.	to time	cronometrar	Chronometer	cronometrar	χρονομετρώ
classer, v.	to file	clasificar	einordnen	classificar	ταξινομώ
commandant, n.	captain	comandante	Kommandant	comandante	ταγματάρχης
cosmonaute, n.m.	cosmonaut	cosmonauta	Kosmonaut	cosmonauta	κοσμοναύτης
D décourager (se), v.pron.	to discourage	desanimarse	entmutigt sein	desencorajar-se	αποθαρρύνω
défi, n.m.	challenge	desafío	Herausforderung	desafio	πρόκληση
déguisement, n.m.	disguise	disfraz	Verkleidung	disfarce	μεταμφίεση
démoraliser, v.	to demoralize	desmoralizar	demoralisieren	desmoralizar	αποθαρρύνω
E exploit, n.m.	achievement	hazaña	Glanzleistung	proeza	κατόρθωμα
F faille, n.f.	weakness	debilidad	Bruch	falha	αδυναμία
faillir, v.	to fail	estar a punto de, fallar	verletzen, verstossen	falhar	παραλόγω να
fier, fière, adj.	proud	orgulloso(a)	stolz	orgulhoso, orgulhosa	περήφανος, η
G gâchis, n.m.	mess	desperdicio	Vergeudung	desperdicio	σπατάλη
guide, n.	guide	guía	Führer	guia	οδηγός
H hâte, n.f.	haste	prisa	Hast	pressa	βιασύνη
I intervention, n.f.	intervention	intervención	Eingriff	intervenção	περέμβαση
incendie, n.m.	fire	incendio	Brand	incendio	πυρκαγιά
M maigrir, v.	to get thin	adelgazar	abmagern	emagrecer	αδυνατίζω
marathon, n.m.	marathon	maratón	Marathon	maratona	μαραθώνιος
métier, n.m.	trade	oficio	Beruf	profissão	επάγγελμα
militaire, n. et adj.	military	militar	Militär	militar	στρατιωτικός
mincir, v.	to get thinner	adelgazar	schlank werden	adelgaçar	αδυνατίζω
moral, n.m.	moral	ánimo	gute Laune	moral	ηθικό
O orchestre, n.m.	orchestra	orquestra	Orchester	orquestra	ορχήστρα
P parachutisme, n.m.	parachuting	paracaidismo	Fallschirmspringen	paraquedismo	πτώση με αλεξίπτωτο
pompier, n.	fireman	bombero	Feuerwehrmann	bombeiro	πυροσβέσετης
R rame, n.f.	row	remo	Ruder	ramal	κουπί
réussir, v.	to succeed	conseguir	Erfolg haben	conseguir	πετυχαίνω
S sauter, v.	to jump	saltar	springen	saltar	πηδώ
solennel(lle), adj.	solemn	solemne	feierlich	solene	επίσημος, η
soulagé(e), adj.	relieved	aliviado(a)	erleichtert	aliviado(a)	ανακουφισμένος, η
surmonter, v.	to surmount	superar	überwinden	superar	υπερβαίνω
T tenir, v.	to hold	aguantar	durchhalten	persistir	κρατώ

Dossier 6, Leçon 3

A animateur, animatrice, n.	presenter	organizador(a), coordinador(a)	Bewunderer, Bewunderin	animador, animadora	υπεύθυνος,η ψυχαγωγίας
autographe, n.m.	autograph	autógrafo	Autogramm	autografo	αυτόγραφο
avocat(e), n.	lawyer	abogado(a)	Rechtsanwalt	advogado(a)	ο,η δικηγόρος
B bijou, n.m.	jewel	joya	Schmuckstück	joia	κόσμημα
C chance, n.f.	chance	suerte	Glück	sorte	τύχη
composter, v.	to stamp	cancelar	entwerten	selar	ακυρώνω (εισιτήριο)
E engager, v.	to employ	contratar	einstellen	comprometer	προσλαμβάνω
épouser, v.	to marry	casarse	heiraten	desposar	παντρεύομαι
esprit, n.m.	spirit	espíritu, carácter	Geist	espirito	πνεύμα
évident(e), adj.	obvious	evidente	offensichtlich	evidente	φανερός, ή
F formidable, adj.	wonderful	formidable	toll	formidavel	υπέροχος, η
furieux, furieuse, adj.	furious	furioso(a)	wütend	furioso, furiosa	έξαλλος, η
I insister, v.	to insist	insistir	insistieren	insistir	επιμένω
ingénieur, n.	engineer	ingeniero(a)	Ingenieur	engenheiro	μηχανικός
M meubler, v.	to furnish	amueblar	möblieren	mobilar	επιπλώνω
P palace, n.m.	luxury hotel	palacio	Palast	palacio	πολυτελές ξενοδοχείοι
podium, n.m.	podium	podio	Podium	podio	βάθρο
Q quai, n.m.	platform	andén	Bahnsteig	cais	αποβάθρα
R rater, v.	to miss	perder	verpassen	perder	χάνω
regret, n.m.	regret	arrepentimiento	Bedauern	desgosto	μεταμέλεια
rétrospective, n.f.	retrospective	retrospectiva	Rückblick	retrospectiva	ρετροσπεκτίβα
réviser, v.	to revise	revisar	überprüfen	rever	κάνω επαναλήψεις
T témoignage, n.m.	testimony	testimonio	Zeugenaussage	testemunho	μαρτυρία
thème, n.m.	theme	tema	Thema	tema	θέμα
tourisme, n.m.	tourism	turismo	Fremdenverkehr	turismo	τουρισμός

Dossier 7, Leçon 1

A agir, v.	to act	actuar	handeln	agir	δρω
ambassadeur, ambassadrice, n.	ambassador	embajador(a)	Botschafter, Botschafterin	embaixador, embaixatriz	πρέσβης, πρέσβειρα
ampoule, n.f.	bulb	bombilla	Birne	lampada	λάμπα
apport, n.m.	contribution	aportación, ventaja	Mitbringen	incorporação, vantagem	προσφορά
association, n.f.	association	asociación	Verband	associação	σύλλογος
attaquer, v.	to attack	asociación	angreifen	acometer	επιτίθεμαι
atteindre, v.	to affect	alcanzar	erreichen	atingir	αγγίζω, θίγω
B bouleverser, v.	to disrupt	trastornar	umstürzen	transtornar	ανατρέπω

Lexique multilingue

biodiversité, n.f.	biodiversity	biodiversidad	Biodiversität, Artenvielfalt	biodiversidade	βιοποικιλότητα
C climat, n.m.	climate	clima	Klima	clima	κλίμα
cesser, v.	to stop	dejar de	brechen	parar	σταματώ
citoyen, citoyenne, n.	citizen	ciudadano(a)	Bürger, Bürgerin	cidadão,cidadã	πολίτης
coller, v.	to stick (up)	pegar	kleben	colar	κολλάω
D déchet, n.m.	waste	desecho	Abfall	residuo	απόρριμα
diversifier, v.	to diversify	diversificar	diversifizieren	diversificar	διαφοροποιώ
E écologiste, n.	ecologist	ecologista	Ökologe	ecologista	οικολόγος
emballage, n.m.	packaging	embalaje	Verpackung	embalagem	συσκευασία
empêcher, v.	to prevent	impedir	verhindern	impedir	εμποδίζω
énergie, n.f.	power	energía	Energie	energia	ενέργεια
engager (s'), v. pron.	to commit os to doing sth	comprometerse	sich verpflichten	comprometer-se	λαμβάνω δράση
épuiser (s'), v. pron.	to run out	agotarse	sich erschöpfen	esgotar-se	εξαντλούμαι
éveiller, v.	to awake	despertar	erwecken	despertar	αφυπνίζω
F fondation, n.f.	foundation	fundación	Stiftung	fundação	ίδρυμα
G génération, n.f.	generation	generación	Generation	geração	γενιά
geste, n.m.	gesture	gesto	Geste	gesto	χειρονομία
I impact, n.m.	impact	impacto	Auswirkung	impacto	αντίκτυπος
inciter, v.	to encourage	incitar	anregen	incitar	παρακινώ
informer, v.	to inform	informar	informieren	informar	πλαροφορούμαι
J journaliste, n.	journalist	periodista	Journalist	jornalista	δημοσιογράφος
M manifeste, n.m.	manifest	manifiesto	offensichtlich	manifesto	φανερός, ή
ménage, n.m.	household	familia	Haushalt	agregado familiar	νοικοκυριό
mobilisation, n;f.	mobilization	movilización	Mobilisierung	mobilização	κινητοποίηση
O optimiste, adj.	optimistic	optimista	optimistisch	optimista	αιαιόδοξος
P primordial(e), adj.	essential	primordial	äusserst wichtig	primordial	πρωταρχικός, ή
protéger, v.	to protect	proteger	schützen	proteger	προστατεύω
R reporter, n.	reporter	reportero(a)	Reporter	reporter (jornalista)	ρεπόρτερ
réseau, n.m.	network	reportero(a)	Netz	rede	δίκτυο
ressource, n.f.	resources	recurso	Quelle	recurso	πόρος
S sélectif, sélective, adj.	selective	selectivo(a)	Auswahl…	selectivo, selectiva	επιλεκτικός, ή
sensibiliser, v.	to make aware	sensibilizar	aufmerksam machen	sensibilizar	ευαισθητοποιώ
T tri, n.m.	sorting	recogida	Sortieren	triagem	ταξινόμηση
V veille, n.f.	standby	vigilancia	Standby	posição de espera	ξενύχτι

Dossier 7, Leçon 2

A abîmer, v.	to damage	estropear	beschädigen	danificar	χαλάω
agrandir, v.	to enlarge	ampliar, aumentar	vergrössern	ampliar	μεγαλώνω
automne, n.m.	automn	otoño	Herbst	outono	φθινόπωρο
B bibliothèque, n.f.	library	biblioteca	Bibliothek	biblioteca	βιβλιοθήκη
C convaincu(e), adj.	convinced	convencido(a	überzeugt	convencido	πεπεισμένος
couverture, n.f.	cover	tapa	Buchdeckel	cobertura	εξώφυλλο
D durable, adj.	lasting	duradero(a)	nachhaltig	duradouro	βιώσιμος
E emprunter, v.	to borrow	pedir prestado	ausleihen	pedir emprestado	δανείζομαι
essai, n.m.	essay	ensayo	Essay	ensaio	δοκίμιο
F fête, n.f.	party	fiesta	Fest	festa	γιορτή
feuilleter, v.	to flick through	hojear	blättern	folhear	ξεφυλλίζω
G gentiment, adv.	nicely	amablemente	nett	gentilmente	ευγενικά
gourmand(e), adj.	greedy	goloso(a)	schlemmerisch	guloso(a)	λαίμαργος, η
I inscrit(e), adj.	registered	inscrito(a)	angemeldet	inscrito(a)	εγγεγραμμένος, η
J joindre, v.	to join	adjuntar	erreichen	juntar	ενώνω
L libraire, n.	bookseller	librero(a)	Buchhändler	livraria	βιβλιοπώλης
lire, v.	to read	librero(a)	lesen	ler	διαβάζω
littérature, n.f.	literature	literatura	Literatur	literatura	λογοτεχνία
M magazine, n.m.	magazine	revista	Magazin	revista	περιοδικό
ministre, n.	minister	ministro(a)	Minister	ministro	υπουργός
P permettre, v.	to allow	permitir	erlauben	permitir	επιτρέπω
prêter, v.	to lend	prestar	leihen	emprestar	δανείζω
Q queue (faire la), loc.	to queue	cola (hacer)	Schlange stehen	fila (fazer)	ουρά (περιμένω στην)
R refuser, v.	to refuse	rechazar	ablehnen	recusar	αρνούμαι
représentation, n.f.	criticism	función	Vorstellung	representação	παράσταση
S savourer, v.	to savour	disfrutar de	geniessen	saborear	απολαμβάνω
scolaire, adj.	school	escolar	Schul…	escolar	σχολικός, ή
selectionner, v.	to select	seleccionar	auswählen	seleccionar	επιλέγω
T théâtral(e), adj.	theatrical	teatral	theatralisch	teatral	θεατρικός, ή
transfrontalier, transfrontalière, adj.	cross-border	transfronterizo(a)	Grenzgänger(in)	transfronteiriço, transfronteiriça	διασυνοριακός, ή

Dossier 7, Leçon 3

A agacement, n.m.	annoyance	agobio	Gereiztheit	desagrado	εκνευρισμός
B bachelier, bachelière, n.	bachelor	bachiller	Abiturient, Abiturientin	bacharel	κάτοχος απολυτηρίου
C cérébral(e), adj.	cerebral	cerebral	geistig	cerebral	εγκεφαλικός
cerveau, n.m.	brain	cerebro	Hirn	cerebro	εγκέφαλος
craindre, v.	to fear	temer	fürchten	recear	φοβάμαι
charte, n.f.	charter	carta	Charta	carta(constituição)	χάρτα
croyance, n.f.	belief	creencia	Glauben	crença	πίστη
comportement, n.m.	behaviour	comportamiento	Verhalten	comportamento	συμπεριφορά
D décision, n.f.	decision	decisión	Beschluss	decisão	απόφαση
divorce, n.m.	divorce	divorcio	Scheidung	divorcio	διαζύγιο
dresser, v.	to draw up	establecer	aufstellen	redigir	καταρτίζω
E égalité, n.f.	equality	igualdad	Gleichheit	igualdade	ισότητα
engagement, n.m.	commitment	compromiso	Verpflichtung	compromisso	δέσμευση
F faveur de (en), loc. prép.	in consideration of	favor de (a)	zugunsten	a favor de	υπέροχος
I improbable, adj.	unlikely	improbable	unwahrscheinlich	improvavel	απίθανος
indépendant(e), adj.	independent	independiente	unabhängig	independente	ανεξάρτητος, η
L localiser, v.	to localize	localizar	lokalisieren	localizar	ενοικίαση
lecteur, lectrice, n.	reader	lector(a)	Leser(in)	leitor, leitora	αναγνώστης, αναγνώστρια
M ménager(e), adj.	household	hogar (del)	Haushalts…	domestico(a)	οικιακός, ή
O orienter (s'), v.pron.	to turn towards	orientarse	sich orientieren	orientar-se	προσανατολίζομα
P parité, n.f.	parity	paridad	Parität	paridade	ισότιμία
persuader, v.	to persuade	convencer	überzeugen	persuadir	πείθω
polémique, n.f.	controversy	polémica	Polemik	polémica	πολεμική
pouvoir, n.m.	power	poder	Macht	poder	εξουσία
promouvoir, v.	to promote	promover	fördern	promover	προωθώ
psychologue, n	psychologist	psicólogo(a)	Psychologe	psicólogo	ψυχολόγος
R réel(lle), adj.	real	real	reell	real	πραγματικός, ή
regretter, v.	to regret	arrepentirse	bedauern	lastimar	μετανιώνω

reprocher, v.	to reproach	reprochar	vorwerfen	acusar	επιπλήττω
retenir, v.	to hold back	retener	zurückhalten	reter	συγκρατώ
S seulement, adv.	only	solamente	nur	apenas	μόνο
stabilité, n.f.	stability	estabilidad	Stabilität	estabilidade	σταθερότητα
T tort (avoir), loc.	be wrong	equivocado(a) (estar)	Unrecht haben	não ter razão/direito	άδικο (έχω)
touchant(e), adj.	touching	conmover	rührend	tocante	συγκινητικός, ή

Dossier 8, Leçon 1

A aboiement, n.m.	bark	ladrido	Bellen	latido	γάβγισμα
aboyer, v.	to bark	ladrar	bellen	latir	γαβγίζω
adopter, v.	to pass	aprobar	adoptieren	aprovar	εγκρίνω
aggraver, v.	to increase	agravar	verschlimmern	agravar	επιδεινώνω
allergique, adj.	allergic	alérgico(a)	allergisch	alérgico	αλλεργικός
améliorer, v.	to improve	mejorar	verbessern	melhorar	βελτιώνω
appécier, v.	to appreciate	apreciar	einschätzen	apreciar	απλαμβάνω
appliquer, v.	to enforce	aplicar	anwenden	aplicar	εφαρμόζω
C cigarette, n.f.	cigarette	cigarrillo	Zigarette	cigarro	τσιγάρο
cohabiter, v.	to live together	convivir	zusammen wohnen	coabitar	συγκατοικώ
collectif, n.m.	public	colectivo	Kollektiv	grupo	ομάδα
concentrer (se), v. pron.	to concentrate on sth	concentrarse	sich konzentrieren	concentrar(se)	συγκεντρώνομαι
D démarche, n.f.	application	démarche administrative	Behördengang	diligência	διάβημα
député, n.	deputy	diputado(a)	Abgeordneter	deputado	βουλευτής
dépôt, n.m.	deposit	depósito almacén	Einreichung	depósito	υποβολή
digestion, n.f.	digestion	digestión	Verdauung	digestão	πέψη
E enceinte, adj.f.	pregnant	embarazada	schwanger	grávida	έγκυος
F faciliter, v.	to make easier	facilitar	vereinfachen	facilitar	διευκολύνω
fumer, v.	to smoke	fumar	rauchen	fumar	καπνίζω
G gendarmerie, n.f.	gendarmerie	guardia civil	Gendarmerie	brigada de polícia	αστυνομία
J jaunir, v.	to turn yellow	amarillear	vergilben	amarelecer	κιτρινίζω
L législation, n.f.	legislation	legislación	Gesetzgebung	legislação	νομοθεσία
loi, n.f.	law	ley	Gesetz	lei	νόμος
M mécontentement, n.m.	discontent	descontento	Unzufriedenheit	descontentamento	δυσαρέσκεια
N nuire, v.	to damage	perjudicar	schaden	prejudicar	βλάπτω
nuisance, n.f.	pollution	molestia (acústica)	Belästigung	perturbação	ενόχληση
P pétition, n.f.	petition	petición	Petition	petição	αίτημα
plainte, n.f.	to complaint	denuncia	Klage	queixa	κατάθεση, μήνυση
provoquer, v.	to cause	provocar	auslösen	provocar	προκαλώ
R radical(e), adj.	radical	radical	radikal	radical	ριζοσπαστικός, ή
S sondage, n.m.	survey	sondeo	Umfrage	sondagem	δημοσκόπηση
souffle, n.m.	breath	soplo	Atem	fôlego	ανάσα
sportif, sportive, n.et adj.	sportsman, sportswoman	deportista	sportlich	desportivo, desportiva	αθλητικός, ή
surpoids, n.masc.	excess fat	sobrepeso	Übergewicht	excesso de peso	υπερβολικό βάρος
T tabac, n.m.	tobacco	tabaco	Tabak	tabaco	καπνός
tapage, n.m.	peace disturbance	alboroto	Ruhestörung	alvoroço	φασαρία
V variable, adj.	variable	variable	variabel	variável	μεταβλητός, ή
voter, v.	to vote	votar	abstimmen	votar	ψηφίζω

Dossier 8, Leçon 2

A amende, n.f.	fine	bombilla	Strafe	multa	πρόστιμο
C cambrioler, v.	to break into	atracar	einbrechen	arrombar	διαπράττω διάρρηξη
cendrier, n.m.	ashtray	cenicero	Aschbecher	cinzeiro	σταχτοδοχείο
citadin(e), n.et adj.	city dweller	ciudadano(a)	Städter	citadino(a)	αστικός
confus(e), adj.	confused	confuso(a)	verwirrt	confuso(a)	μπερδεμένος
contravention, n.f.	fine	multa	Strafe	multa	παράβαση
cueillir, v.	to pick	cosechar	pflücken	colher	μαζεύω
D dépasser, v.	to exceed	sobrepasar	überschreiten	exceder	ξεπερνώ
E emprisonnement, n.m.	imprisonment	encarcelamiento	gefangen nehmen	detenção	φυλάκιση
excuser(s'), v.pron.	to apologize	pedir disculpas	sich entschuldigen	desculpar-se	ζητώ συγγνώμη
F feu rouge, n.m.	traffic light	semáforo	rote Ampel	sinal vermelho	κόκκινο φανάρι
G gangster, n.	gangster	gángster	Gangster	gangster	γκάνγκστερ
I indignation, n.f.	indignation	indignación	Entrüstung	indignação	αγανάκτηση
M maintien, n.m.	preservation	mantenimiento	Erhaltung	conservação	διατήρηση
mégot, n.m.	cigarette butt	colilla	Zigarettenstummel	beata (ponta de cigarro)	αποτσίγαρο
P passage, n.m.	passage	pasaje	Durchgang	passagem	πέρασμα
piéton, piétonne, adj.	pedestrian	peatón	Fussgänger(in)	peão	πεζός, πεζή
précaution, n.f.	precaution	precaución	Vorsichtsmassnahme	precaução	προφύλαξη
R rebellion, n.f.	rebellion	rebelión	Aufstand	rebelião	ανταρσία
règlement, n.m.	regulations	reglamento	Vorschrift	liquidação	πληρωμή
renverser, v.	to run over	atropellar	umwerfen	derrubar	χτυπώ (πεζό)
respecter, v.	to respect	respetar	einhalten	respeitar	σέβομαι
retard, n.m.	lateness	retraso	Verspätung	atraso	καθυστέρηση
S sanction, n.f.	sanction	sanción	Strafe	sanção	τιμωρία
sanctionner, v.	to sanction	sancionar	strafen	sancionar	τιμωρώ
surprise, n.f.	surprise	sorpresa	Überraschung	surpresa	έκπληξη
suspension, n.f.	suspension	suspensión	Federung	suspensão	ανάρτηση
T tentant(e), adj.	tempting	tentador(a)	verlockend	tentador(a)	ελκυστικός, ή
ticket, n.m.	ticket	ticket	Ticket	bilhete	εισιτήριο
tulipe, n.f.	tulip	tulipán	Tulpe	túlipa	τουλίπα

Dossier 8, Leçon 3

A amélioration, n.f.	improvement	mejora	Verbesserung	melhoramento	βελτίωση
B banlieusard(e), n.	suburbanite	habitante de la periferia	Vorortbewohner(in)	habitante de um subúrbio	κάτοικος υποβαθμισμένης
berge, n.f.	bank	ribera	Flussufer	margem	όχθη
boulevard, n.m.	boulevard	bulevar	Boulevard	avenida	λεωφόρος
C char, n.m.	float	carroza	Wagen	carro	άρμα
compte rendu, n.m.	report	informe	Bericht	relatório	λογαριασμός
concertation, n.f.	dialogue	concertación	Konzertierung	concertação	ευσυνήδεια
consciencieusement, adv.	conscientiously	concienzudamente	gewissenhaft	conscenciosamente	διαβούλευση
contreverse, n.f.	controversy	controversia	Kontroverse	controvérsia	διαμάχη
cortège, n.m.	procession	cortejo	Geleitzug	cortejo	συνοδεία
cycliste, n.	cyclist	ciclista	Biker	ciclista	ποδηλάτης
D déplacement, n.m.	moving	desplazamiento	Reise	deslocação	μετακίνηση
diminution, n.f.	resignation	disminución	Verringerung	diminuição	μείωση
défilé, n.m.	procession	desfile	Vorbeimarsch	desfile	παρέλαση
E embouteillage, n.m.	traffic jam	atasco	Stau	engarrafamento	μποτιλιάρισμα
explorer, v.	to explore	explorar	erforschen	explorar	εξερευνώ
F festif, festive, adj.	festive	festivo(a)	festlich	festivo, festiva	εορταστικός, ή

Lexique multilingue

I inconnu(e), n.	stranger	desconocido(a)	unbekannt	desconhecido	άγνωστος, η
M mémoire, n.f.	memory	memoria	Speicher	memória	μνήμη
N navette, n.f.	shuttle	transporte de enlace	Pendelboot	meio de transporte (vai-vem)	πλοιάριο
néfaste, adj.	harmful	nefasto(a)	verhängnisvoll	nefasto	ολέθριος, α
nuancer, v.	to shade	matizar	nuancieren	matizar	εκφράζω
P polémique, n.f.	controversy	polémica	Polemik	polémica	πολεμική
printemps, n.m.	spring	primavera	Frühling	primavera	άνοιξη
public, publique, adj.	public	público(a)	öffentlich	público, pública	δημόσιος, α
R réduction, n.f.	reduction	descuento	Senkung	desconto	έκτωση
réunion, n.f.	meeting	reunión	Sitzung	reunião	συνεδρίαση
revendication, n.f.	claiming	reivindicación	Anspruch	reivindicação	διεκδίκηση
rumeur, n.f.	rumour	rumor	Gerücht	rumor	διαδόσεις
S songe, n.m.	dream	sueño	Traum	ilusão	όνειρο
stationnement, n.m.	parking	estacionamiento	Parken	estacionamento	στάθμευση
synthèse, n.f.	synthesis	síntesis	Synthese	síntese	σύνθεση

Dossier 9, Leçon 1

A accro, adj.et n.	addict	drogadicto(a)	drogenabhängig	toxicodependente	εξαρτημένος
anonymat, n.m.	anonymity	anonimato	Anonymat	anonimato	ανωνυμία
C chatter, v.	to chat	to chat	chatten	conversar na internet	κάνω τσατ
compte, n.m.	account	cuenta	Konto	conta	λογαριασμός
confidentiel(lle), adj.	confidential	confidencial	vertraulich	confidencial	εμπιστευτικός, ή
confier, v.	to confier	confiar	sich anvertrauen	confiar	εμπιστεύομαι
connecter, v.	to connect	conectar	einloggen	ligar	συνδέομαι
D débiter, v.	to debit	cargar en cuenta	abbuchen	debitar	χρεώνω
dépendance, n.f.	dependence	dependencia	Abhängigkeit	dependência	εξάρτηση
désoler, v.	to sadden	sentirlo mucho	traurig machen	afligir	λυπώ
drogue, n.f.	drug	droga	Droge	droga	ναρκωτικό
E espion, n.m.	spy	espía	Spion	espião	κατάσκοπος
étonnant(e), adj.	surprising	sorprendente	erstaunlich	admirável	εκπληκτικός
F filtrer, v.	to filter	filtrar	filtern	filtrar	φιλτράρω
J jugement, n.m.	judgement	juicio	Urteil	julgamento	κρίση, απόφαση δικαστηρίου
N naviguer, v.	to surf	navegar	navigieren	navegar	σερφάρω
P paiement, n.m.	payment	pago	Zahlung	pagamento	πληρωμή
pister, v.	to tail	seguir la pista	verfolgen	seguir uma pista	παρακολουθώ
préjudiciable, adj.	prejudicial	perjudicial	nachteilig	prejudicial	επιζήμιος
priver de (se), v. pron.	go without	pasar sin (+inf)	sich um etwas bringen	privar-se de	se priver de sommeil
prudence, n.f.	prudence	prudencia	Vorsicht	prudência	στερούμαι
pseudonyme, n.m.	pseudonym	seudónimo	Pseudonym	pseudónimo	ψευδώνυμο
R réjouir (se), v. pron.	to be delighted	alegrarse	sich freuen	alegrar-se	χαίρομαι
S site, n.m.	site	sitio	Site	site	ιστότοπος
T toile, n.f.	web	red	Web	rede	ιστός

Dossier 9, Leçon 2

B baladeur, n.m.	personal stereo	walkman	Spaziergänger	leitor portátil	γουόκμαν
blog, n.m.	blog	blog	Blog	blog	μπλογκ
bloguer, v.	to make a blog	bloguear	bloger	registar em rede	γράφω μπλογκ
blogueur, blogueuse, n.	blogger	blogueador(a)	Blogger, Bloggerin	blogger	αυτός που γράφει μπλογκ
D défouler (se), v.pron.	to unwind	desfogarse	sich lockern	expandir-se	εκτονώνομαι
E écouteur, n.m.	earphones	casco	Kopfhörer	ouvinte	ακουστικό
enrichir, v.	to enrich	ampliar	anreichern	enriquecer	εμπλουτίζω
équipement, n.m.	equipment	equipo	Ausrüstung	equipamento	εξοπλισμός
F fonctionnel(lle), adj.	functional	funcional	funktionell	funcional	λειτουργικός, ή
I innovation, n.f.	innovation	innovación	Innovation	inovação	καινοτομία
internaute, n.	internet surfer	internauta	Internaut	internauta	χρήστης του διαδικτύου
M mobile, n.m.	mobile	móvil	Handy	telemóvel	κινητό
P portable, n.m.	mobile	móvil	Handy	portátil	κινητό
portail, n.m.	portal	portal	Portal	portal	πύλη (διαδικτύου)
R récent(e), adj.	recent	reciente	jüngst	recente	πρόσφατος, η
S sonnerie, n.f.	ring	timbre	Klingel	toque (campainha)	ήχος κλήσης τηλεφώνου

Dossier 9, Leçon 3

A argenté(e), adj.	silvery	plateado(a)	silbern	prateado	ασημένιος, ασημένια
aube, n.f.	dawn	alba	Morgengrauen	alvorada	αυγή
B brièvement, adv.	briefly	brevemente	kurz	brevemente	σύντομα
bûcheron, n.	woodcutter	leñador(a)	Holzhacker	lenhador	ξυλοκόπος
C constructif, constructive, adj.	constructive	un commentaire constructif	konstruktiv	construtivo, construtiva	εποικοδομητικός
conte, n.m.	fairytale	cuento	Erzählung	conto	παραμύθι
convenir, v.	to suit	convenir	vereinbaren	convir	ταιριάζω
curieux, curieuse, adj.	curious	curioso(a)	Neugieriger, Neugierige	curioso,curiosa	περίεργος, η
D débloquer, v.	to release	liberar	freigeben	desbloquear	αποδεσμεύω
délier, v.	to upstroke	soltar	lösen	soltar	λύνω
dissertation, n.f.	essay	disertación	Dissertation	dissertação	διατριβή
E éditorial, n.m.	editorial	editorial	Leitartikel	editorial	σημείωμα εκδότη
effacer, v.	to erase	borrar	löschen	apagar	σβήνω
excepté, prép. inv.	except	excepto	mit Ausnahme von	excepto	εκτός από
F fièvre, n.f.	fever	fiebre	Fieber	febre	πυρετός
flamme, n.f.	flame	llama	Flamme	chama	φλόγα
furtif, furtive, adj.	furtive	furtivo(a)	verstohlen	furtivo, furtiva	φευγαλέος, α
H haïku, n.m.	haiku	haiku	Haiku	haiku (haicai)	χαϊκου
hérésie, n.f.	heresy	herejía	Häresie	heresia	αίρεση
I inonder, v.	to overcome	inundar	überschwemmen	inundar	πλημμυρίζω
L ludique, adj.	playful	lúdico(a)	spielerisch	lúdico	παιγνιώδης
O onomatopée, n.f.	onomatopoeia	onomatopeya	Lautmalerei	onomatopeia	ονοματοποιία
P plume, n.f.	quill	pluma estilográfica	Feder	pena	φτερό
Q quiétude, n.f.	tranquillity	quietud	Ruhe	quietude	ησυχία
R ranger, v.	to tidy	guardar	aufräumen	arrumar	συμμαζεύω
rature, n.f.	crossing out	tachón	Streichung	risco (traço)	μουντζούρα
rocheux, rocheuse, adj.	rocky	rocoso(a)	felsig	rochoso, rochosa	βραχώδης
S songer, v.	to consider	pensar en	daran denken	sonhar	ονειρεύομα
surnommer, v.	to nickname	apodar	benennen	denominar	δίνω ψευδώνυμο
T toit, n.m.	roof	techo	Dach	tecto	σκεπή
transe, n.f.	trance	trance	Trance	transe	έκσταση
tremper, v.	to soak	remojar	tauchen	molhar	εμποτίζω
V vers, n.m.	verse	verso	Vers	verso	στίχος

Achevé D' Imprimer en Italie par Rotolito Lombarda
Dépôt légal: 05/2010 - Collection n° 05 - Edition n° 07
15/5442/7